Roman Fantastique

魔女の祝祭

魔法と
魔術の
物語

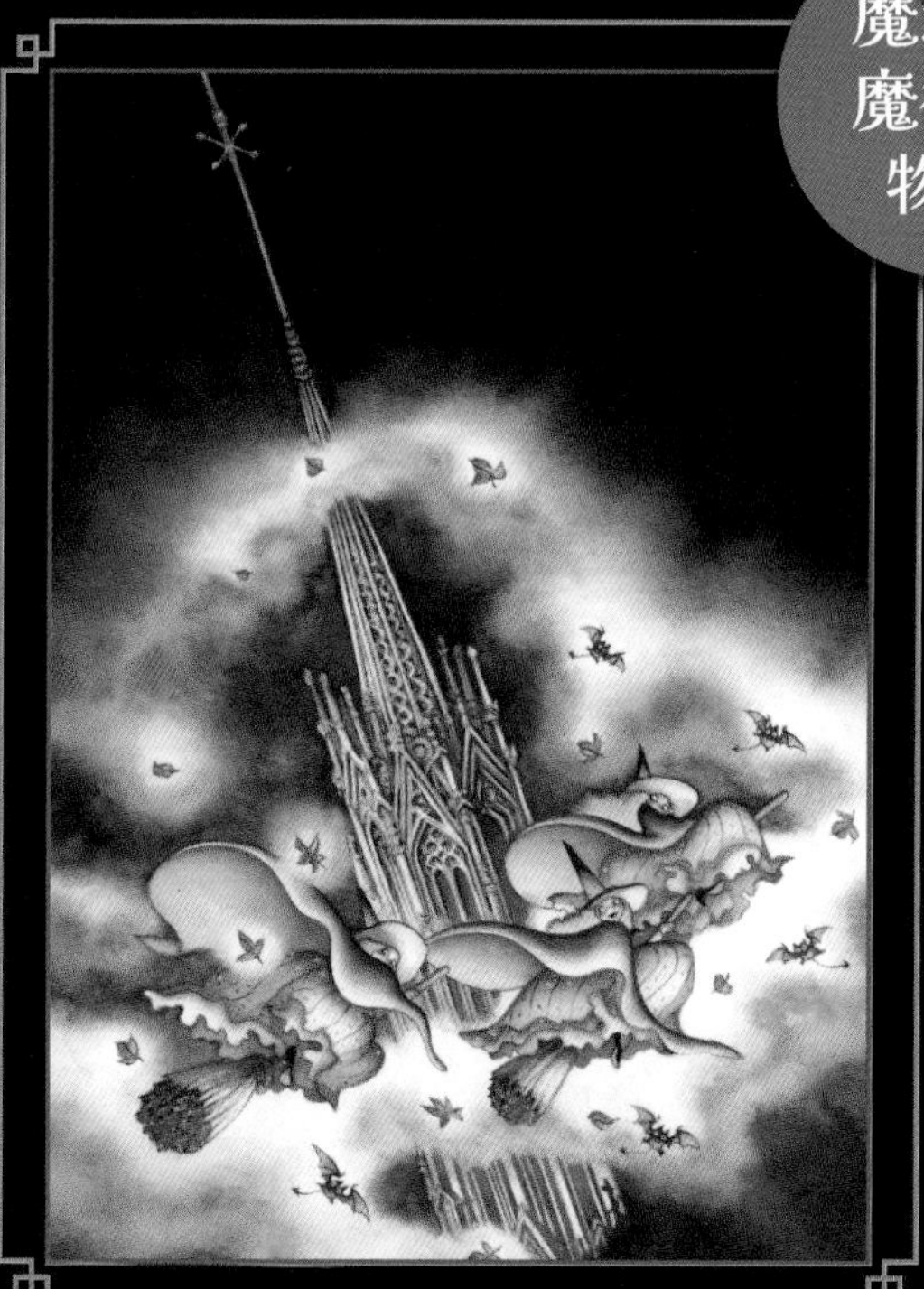

新紀元社

A Map of Nowhere
Illustrated by
藤原ヨウコウ
07「若いグッドマン・ブラウン」のセイラム
＊作品は12ページから

〈幻想と怪奇〉アートギャラリー

魔女の伝承とイメージ

『幻想と怪奇』編集室

サガ（北欧説話の魔女）「ハガツサ」Hagazussaには「垣根の上を飛ぶ女」という意味がある。ハガッサは人の世界の内外を分ける境界を飛び越える者であり、またシャーマンの魂である杖を用いて飛行もするという。象徴的にも物理的にも越境する存在だったのだろう。

杖と形状の似た箒もまた飛行の道具となり、魔女の持ち物として現在もイメージされている。『オズの魔法使』や『魔女の宅急便』での箒の活用ぶりを挙げるまでもないだろう。

スペインの画家ルイス・リカルド・ファレーロ

（一八五一―九六）の「魔女集会への参加」（一八八〇）には、箒で空を飛ぶ裸形の若い魔女が描かれている。ファレーロは二十世紀のメンズマガジンのグラビアを連想させる官能的な裸婦像を得意とした画家で、魔女や妖精を描いた作品も多い。

イギリスの画家ジョン・ウィリアム・ウォーターハウス（一八四九―一九一七）の「魔法円」（一八八六）の、儀式魔術をおこなう魔女は、手にした杖の先で地面に円を描いている。その筋が炎を上げているところからも、彼女の魔力のほどがうかがえる。画中には、魔法円の中で煮え立つ鍋、魔女が手にした三日月形の剣、その首にからみつく蛇、円を囲むように降りた鴉などと、魔術的要素が配されている。ウォーターハウスはギリシャ神話やアーサー王伝説など、ファンタスティックな画題を好んでとりあげた。

魔女のイメージは、十一世紀にヴォルムスの司教ブルヒャルトがとりまとめた『司教法令』に始まる、と言われている。同書は太母神信仰の集まりを魔女の集会＝サバトと、信者たちを悪魔の帰依者と見なし、カトリック布教のため土着信仰を排除する司教たちの後ろ盾となった。

サバトは多くの画家の想像力を刺激し、数々の絵画のモチーフになっている。宗教画で知られるオランダの画家フランス・フランケン二世（一五八一－一六四二）は、魔女と魔術を画題によく取り上げている。『魔女のサバト』（上　一六〇六）には、若い魔女二人の足元に髑髏と魔法陣を配し、薄暗い背景には魔道書を広げたり鍋をかきまわしたりする年嵩の魔女たちが描かれている。

やはりオランダの画家ドメニカス・ファン・ヴァイネン（一六五八－一七〇〇）も、魔術的な題材を好んで描いた。『月下のサバト』（右　制作年不詳）には、絞首された男を中心に、山羊に逆向きに乗る魔女、猫、あらぬものを映し出す鏡とそれを支える魔物などが見られる。

最後に、サバトを描いたもっとも有名な絵画を次頁に挙げておこう。ゴヤの『魔女の夜宴』（一七九七－九八）は、この二点よりも百年以上後の作だが、情景はさらに禍々しい。

〈参考：『魔女とキリスト教』上山安敏　講談社学術文庫　一九九八〉

ゴヤ「魔女の夜宴」（部分）1821−23

魔女・魔道書・魔術師

「魔術」や「魔法」という言葉には、不思議に心を捉えるものがあります。魔女、魔術師、さらには、かれらが携える秘密の本などのことを、お伽話を通して知り、わくわくした幼い頃の記憶があるからでしょうか。

その一方で、中世ヨーロッパの魔女狩りや、実在した魔術師、現代にもある黒魔術カルトなどを知ると、当惑しつつもさらに心惹かれます。どこまでが作り事で、どこからが現実なのか、おぼろげになる境界を目のあたりにするようで。

現実を掘り下げる本はたくさんありますから、本書では小説家の想像力が魔女や魔術、あるいは魔道書をどのように描いたか、いくつもの物語を集めてみました。魔女集会の話、悪魔を召喚する本の話、魔術師が書いた話など、その数は魔女の一ダース……おや、こちらのほうが多い？　良いところにお気づきですが、それも魔法のうちかもしれませんよ。

オリジナルの『幻想と怪奇』は一九七三年四月に「魔女特集」で創刊しました。本書は、先達への二〇二一年からのリスペクトです。

（M）

幻想と怪奇8

魔女の祝祭　魔法と魔術の物語

目次

表紙：ひらいたかこ（Pen Studio）
装丁：YOUCHAN（トゴルアートワークス）
『幻想と怪奇』題字：原田治

魔女たちの集い

若いグッドマン・ブラウン

Young Goodman Brown

ナサニエル・ホーソーン Nathaniel Hawthorne

植草昌実 訳

マサチューセッツ州セイラムを舞台に、魔女集会に参加した青年の受難を描いた本作は、ナサニエル・ホーソーン（一八〇四―六四）の代表作であり、ポーと同時代のアメリカの怪奇小説としても重要な作品である。初出は*The New England Magazine*一八三五年四月号。スティーヴン・キングは、本作に触発されて書いた短編「黒いスーツの男」で、一九九六年のO・ヘンリー賞を受賞している。本作の読後にぜひ御一読を。

夕暮れになり、若い畑主殿(グッドマン)ブラウンは、家からセイラムの村の通りに一歩踏み出した。が、敷居をまたいでから、自分同様に若い細君と出がけの接吻(くちづけ)をしようと振り返った。その名のとおり誠実で信心に篤い妻フェイス（Faithには信仰、信頼、誠意などの意がある）が、かわいらしい顔を戸口に出して良人(おっと)に呼びかけたとき、帽子につけた桃色のリボンが風に揺れた。

「だんなさま」細君は彼の耳元に唇を寄せ、そっと、というよりはいくぶん悲しげな小声で言った。「どうか、御出立は明日の朝になさって、今晩はうちのお寝床でお寝(やす)みください。女一人でいると、夢だのなんだのを気に病んで、余計な心配をしてしまうものです。お願いですから、どうか今年のこの夜だけは、一緒にいてください」

「おれの大事な女房どのよ」と、若いグッドマン・ブラウンは答えて言った。「今年のこの夜ばかりは、おまえを残して行かなきゃならない。出立と言うほどでもない、行かずには済まされぬ用向きだが、夜明けまでには帰ってくるよ。祝言を挙げてまだ三月だってのに、もう信じちゃもらえないのかい?」

「ならば、神様の御加護がありますように」帽子のリボンの下からフェイスが言った。「御無事のお帰りを」

「アーメン」声高らかに、グッドマン・ブラウンは唱えた。「フェイスよ、おれのために祈ってくれ。日が暮れたら、早めに寝むことだ。悪いことなどありゃしないさ」

かくて夫婦はしばしの別れ、若き良人は寄合所の角まで来て、折れようとしたひょうしにふと振り返ると、帽子のリボンは桃色なのに、青白い顔色のフェイスが、心配げに自分を見送っているのが見えた。

「すまない、フェイス」気が咎めて胸が痛む。「用向きとはいえ、大事な女房をひとり置いていくとは、見下げた亭主と言われても仕方がない。夢の話をしていたな。話しているあいだの心配げな顔といったら、今夜のことを夢のお告げで知ったみたいだった。いやいや、まさか。よしんば夢でも知ったとしたら、かわいそうにあいつは生きちゃいられないだろう。地上に降りてきた天使みたいな女だからな。今夜の用が済んだら、あとは一緒に天国に行くまで、あいつのスカートにしがみついていよう」

かくもすばらしい未来を胸に決めたグッドマン・ブラウンは、今の邪悪な用は早く済ませてしまうに如くはなし、と腹をくくった。たどるは森の中でもひときわ暗く木々が覆いかぶさる淋しい小道で、木の間を縫って通ると、枝葉がすぐさま来た道を閉ざしてしまった。ここまで淋しい道も、そうそうはあるまい。こんなひとけのないところではむしろ、数限りない幹の陰や、高く張り出した太い枝の上に、人が隠れているのではないか、という気がしてくるものだ。一人で歩いているのに、実は見えない群衆のあいだをすり抜けているのかもしれない。

「どの木の陰にも、たちの悪いインディアンが隠れていそうだ」グッドマン・ブラウンはひとりごち、おそるおそる振り向くと、「肘の触れるくらいそばに悪魔がいるかもな!」と言い足した。

向き直って小道の角を曲がると、年古りた木の根方に、堅苦しいほどきちんとした身なりの男が座っていた。グッドマン・ブラウンが近づくと、男は立ち上がり、肩を並べて歩きはじめた。

「遅いぞ、グッドマン・ブラウン」男は言った。「十五分前にボストンを通ったとき、オールドサウス教会の時計が鳴っていた」（ボストン―セイラム間の距離は三十キロを超える）

「フェイスに引き留められたんでね」答える声が震えていたのは、この同行者が唐突に現れたからだが、その出現はまったく予想外だったわけでもない。

森はすっかり夕闇に沈み、こと二人の歩む先はひときわ暗かった。近くで見たかぎりでは、同行者は五十がらみで、身分はグッドマン・ブラウンと同じくらい、目鼻立ちはさておき、ぱっと見は実によく似ていた。父と息子と思われてもおかしくはない。質素だがきちんとした身なりで、物腰にも偉ぶったところはないが、世知に長けている、としか言いようのない雰囲気があり、総督に晩餐に招待されても、ウィリアム王の宮廷に呼ばれても、落ち着きはらっていることだろう。だが、何より目を惹くのは、大きな黒い蛇そのままの杖で、その細工の細かいこと、うねうね動きだしそうに見えた。もちろん、あたりの暗さが起こした目の錯覚にすぎないのだが。

「どうした、グッドマン・ブラウン」同行者が呼びかけた。「旅は始まったばかりなのに、歩調がのろいぞ。もう疲れてしまったのなら、私の杖を貸してやろう」

「お連れさんよ」グッドマン・ブラウンは遅い足取りをぴたりと止めた。「ここで会う約束は果たしたのだから、もう帰らせてもらいたい。お察しのとおり、心配ごとがあるものでね」

「おや、そうかね？」蛇の男は聞き流すかのように笑った。「まあ、歩きながら話そう。私の言うことに納得できなかったら、引き返せばいい。まだこの森に入ったばかりだしな」

「とんでもない！　もう飽きるほど歩いたよ！」とわめきはしたものの、グッドマン・ブラウンの足は止まらなかった。「おれの親父も祖父さんも、こんな用向きで森に来たためしはないね。こちとら殉教者の時代（イングランド女王メアリ一世（在位一五五三－五八）によるプロテスタント迫害期）からずっと、正直で信心深い家柄なんだ。だからこの道に入るのは、一族ではおれが最初だし――」

「それに、私のような道連れもいるしな」言い終えないうちに、年嵩の男が口を挟んだ。「よく言ってくれた、グッドマン・ブラウン！　私は清教徒ならみなよく知っているが、ことにきみの家系の人たちとは縁が深い。保安官だったきみのお祖父さんが、クエイカー教徒の女を鞭打ちしながらセイラムの表通りを引きまわしたときは手伝ってやった。フィリップ王戦争（一六七五－七六　ニューイングランド入植者の土地略取に抗する先住民の戦争）のときは、インディアンの村を焼き討ちできるよう、きみのお父さんに松明を渡した。二人とも私の親友だったよ。この道を何度も一緒に楽しく行っては、真夜中すぎにまた楽しく戻ってきたものだった。それだけの付き合いだったんだから、きみとも仲良くしておきたくてね」

「あんたの言うとおりだとしても」グッドマン・ブラウンは答えた。「祖父さんからも親父からも、あんたの話を聞いたためしがないのは解せないね。もっとも、噂がたっただけでも、まちがいなくニューイングランドから追い出されたろうから、話さなかったのは当然かもな。わがブラウン家は信心篤く、善行をなす家柄だ。こんな悪行に従うものか」

「悪行かどうかはさておき」と、ねじれた杖を手に同行者は言った。「このニューイングランドでは、私は知らない人はほとんどいない。どこの教会の執事とも聖餐式のワインを酌み交わした仲だ。いくつもの町の行政委員たちが、私を委員長に指名している。大陸会議も植民地代議員会議も、私に不利な計らいはしない。私は総督とも――おっと、これは国家機密だった」

「まさかね」疲れた様子も見せない同行者に目を向け、グッドマン・ブラウンは声をあげた。「そうは言うが、総督も行政委員会も、おれには関わりのないことだ。あちらの仕事はあちらの仕事、おれみたいなただの畑主には縁もゆかりもない。それに、あんたと一緒に行ったら、村の牧師様、あの根っから善人のご老体に会わせる顔がなくなっちまう。日曜のお祈りなりお説教の日なり、震えあがって声も聞けなくなるだろうさ」

年長の同行者は、しばし神妙に耳を傾けているようだったが、堪えきれなくなったか、体じゅうを揺さぶって大笑いし、それに合わせて手の杖も蛇が身をうねらせるかのように揺れた。

「はっはっは！」高らかに笑ったのち、男は息を整えて言った。「続けなさい、グッドマン・ブラウン、遠慮することはない。だが、私を笑い死にさせないようにな」

「よし、そんならさっさとけりをつけよう」苛立ちもあらわに、グッドマン・ブラウンは言った。「おれには女房のフェイスがいる。あいつが胸を痛めるようなまねをするくらいなら、おれの心臓が破れちまったほうが、ずっとましってもんさ」

「そうか」同行者は言った。「ならば好きなようにするがいい、グッドマン・ブラウン。先をよろよろ歩いていくような婆さんの二十人に代えても、フェイスに悪いことが起きないようにしたいのは、私も同じだ」

男が杖で指した先に、同じ道を行く婦人の姿があり、グッドマン・ブラウンはそれが誰か気づいた。信心の鑑（かがみ）というべき人で、自分が幼い頃には主の御教えをわかりやすく解いてくれたし、今も老牧師やグーキン執事とともに、彼の道徳や信仰の助言者でいてくれる。

「これは驚いた。善女（グッディ）クロイス（サラ・クロイス（一六四八―一七〇三）一六九二年、セイラム魔女裁判の被告の一人）がこんな夜更け、こんな荒れ野にいようとは」グッドマン・ブラウンは言った。「ここは失礼して近道を通り、あの信心篤い御婦人を追い越してしまおう。見慣れないあんたを見とがめて、誰なのか、どこへ行くのかと、おれに訊いてくるだろうからな」

「それもよかろう」同行者は言った。「きみは森を抜けるがいい。私はこの道を行く」

　グッドマン・ブラウンは道から逸れたが、同行者から目を離さずにいた。男は静かに歩き、杖を伸ばせば老婦人に届くまでに近づいた。彼女は歳のわりには早い足取りで歩を進め、よく聞き取れない言葉をつぶやいていた――いや、あれはまちがいなく祈りの文言だ。男は杖を差し出して、蛇の尾のようなその先端で、彼女の首筋に触れた。

「悪魔！」敬虔な老婦人は悲鳴をあげた。

「おや、グッディ・クロイスはかつての友をよく覚えておられる」男は前に立ち、うねくる杖に寄りかかって、老婦人をまっすぐ見やった。

「まあ、これはこれは、閣下ではいらっしゃいませんか」老婦人は大声で答えた。「先々代のグッドマン・ブラウン、今晩の集会に来る若いお馬鹿さんのお祖父さんとは、昔からの知り合いですが、今の閣下はよく似ていらっしゃる。ところで、信じていただけますかどうか、おかしなことに、わたしの箒がなくなってしまったんです。善女（グッディ）コーリー、あの吊るし首をまぬかれた魔女が盗んでいったにちがいありません（マーサ・コーリー（一六一九?二〇?―九二）セイラム魔女裁判の被告の一人。実際には絞首された）。わたしが塘蒿（セロリ）と金露梅（きんろばい）と烏兜（とりかぶと）の絞り汁を体に塗っているあいだに」

「質の良い小麦粉と、嬰児（みどりご）の脂で練るのだったな」グッドマン・ブラウンの祖父の姿をした男が言った。

「たいへんよくご存じで」老婦人は甲高い声をあげた。「そんな次第で、集会の仕度はすっかり済ませたというのに乗るものがないので、歩いていかなくてはなりません。今夜は立派なお若いかたが、共與（きょうよ）の儀をお受けになるのだとか。閣下のお手をお貸しいただければ、あっという間に着けるのですが」

「それは難しいな」男は言った。「グッディ・クロイス、手は貸せないが、この杖でよければ使うといい」

　彼が老婦人の足元に投げ出した、この生きている杖は、おそらくエジプトで魔術師に貸し与えられたときも、同じように扱われたことだろう。もっとも、グッドマン・ブラウンには知るよしもない。驚いて目をやると、すでにグッディ・クロイスの姿も蛇の杖もなく、ただ同行者だけが、何事もなかったかのように、静かに彼を待っていた。

「子供の頃、あのお婆さんに聖書の絵解きをしてもらった」グッドマン・ブラウンはそれだけしか言わなかったが、その一言には言葉以上の意味が込もっていた。

　二人はまた連れだって歩きはじめ、弱音を吐かず歩調を保って行くように同行者は言ったが、グッドマン・ブラウンにはその励ましが、言われたのではなく自分の胸のうちから湧いてきた声のように聞こえた。途中、年嵩の男は杖にしようと楓の枝を折り、夜露に濡れた枝葉をむしり取りはじめた。その手が触れるや、枝は不思議なことに、一週間も日にさらされたように乾ききってしまった。こうして二人は足早に進んでいったが、道が窪んで小暗くなったあたりに来るや、グッドマン・ブラウンは切り株に座り込み、先に行くのを渋った。

「お連れさん」と彼は言いきった。「決めたよ。この用向きなら、もう先へは行かない。天国に行く仕度をしていた婆さんが、悪魔の連れになるほうを選んだからって、おれには関わりのないことだ。大事なフェイスを置いて、婆さんを追っていく理由なんぞ、あるもんか」

「そのうち考えも変わろうさ」同行者は静かに言った。「座ってしばらく休むといい。先に行きたくなったら、私の杖を使いなさい」

　そのあと彼は何も言わず、若い道連れに楓の杖を投げてよこすと、深まる夜陰に紛れるかのように、その姿を消した。グッドマン・ブラウンはしばらく道端に座り、自分を褒める一方で、これで散歩する老牧師と朝の挨拶を気兼ねなく交わせるし、長いつきあいのグーキン執事の目を怖れることもない、と思いもした。この夜は邪なものになるはずだったが、これでもう帰れるし、フェイスのかたわらで、心おだやかに眠ることもできる！　かくも心楽しい思いをめぐらせていると、馬の駆ける足音が聞こえたので、森に身を隠すにしくはなし、と考えた。善なる翻心をしたものの、ここまで足を運ぶことになった目的に、罪悪感を覚えたからだった。

　蹄の音とともに近づいてきたのは、馬上の人たちの声で、老人が二人、厳粛に言葉を交わしている。隠れているところからほんの二、三ヤードしか離れていないところを通りすぎたようだ。だが、闇が深いせいか、馬も乗り手も見えなかった。道端の小枝をかすめていったのに、ぼうっと光る夜空は一瞬たりとも影にさえぎられることがなかった。グッドマン・ブラウンは屈んだり、背伸びをしたり、枝をかきわけて道に顔を向けて見たが、人影ひとつ目にしなかった。彼にとっての気がかりは、まさかそんなこともあるまいが、その声が老牧師とグーキン執事のもののように聞こえたことだ。声の届くところで二人は馬を停め、一人が枝を折る音がした。

「牧師様、二つに一つと言うのなら」と言う声は執事のものに似ていた。「私は聖職按手（あんしゅ）式（新たな司祭や執事の頭に、主教が按手して祈り叙任する礼拝式）の晩餐を欠席しても、この集会には出席したいのです。ファルマスや、もっと遠くからも人が来ると聞きましたし、コネティカットやロードアイランドからばかりか、われわれの中の達人にも比すべき、秘術に通底したインディアンの祈禱師（パウワウ）たちも来るそうですからな。さらに、若い女性が一人、儀式に加わるとのことです」

「たいへん結構、グーキン執事！」老牧師の声が厳粛に答えた。「遅れないよう急ぎましょう。私が到着しないことには、始まりませんからな」

　ふたたび蹄の音が響きだし、教会に集まる信徒たちどころか、祈りを捧げるキリスト教徒一人いない淋しい森の中を、奇妙な声は遠ざかっていった。神に仕えるこの二人は、この異教徒の森の奥深くへと、何のために向かうのだろうか。胸は苦しく気も遠く、若いグッドマン・ブラウンは地面に倒れかけたが、木につかまって身を支えた。天があるかどうかさえ覚束なく、彼は思わず空を見上げた。青い夜空いちめんに星が燦々と輝いていた。

「空に天国あり、地にわがフェイスありだ、悪魔なんかに負けてたまるか！」グッドマン・ブラウンは叫んだ。

　天穹を仰ぎ、両手を差し伸べて祈ろうとすると、風もないのに雲が天頂に流れ、きらめく星を隠した。雲塊は、彼の真上だけを覆っていたが、じきに青い夜空を北へと流れていった。空の高みの、雲の奥から湧き起こるかのように、惑乱したかのような、さまざまな声が響く。グッドマン・ブラウンは、同じ村に暮らしている人たちの声も交じっているように思った。男も女も、信心深い人も不信心な人も、聖餐式のテーブルを共に囲んだ人たちの声もあれば、酒場の喧嘩で聞いた声もあるように。だが、その声はあまりにおぼろげで、風もないのにざわめく年古りた森の音ではないか、と訝（いぶか）しんだ。だがそれらの声は、セイラムの村で明るいうちに耳にするもので、夜空の雲から響いてくるものではない。その中に、明らかに悲嘆に暮れている、若い女の声が聞こえた。何を悲しんでいるのかは定かでないが、得られそうにないものを求め、希（こいねが）っているかのようで、共にいる大勢は、聖人も罪人もともに、その声を後押ししているようだった。

「フェイス！」苦悩と絶望の中、グッドマン・ブラウンは叫び、森は彼を嘲笑うかのように、「フェイス！　フエイス！」とその声を谺させた。谺はこの荒れ野に乱心して彼女を捜す、大勢の者の呼び声のようだった。

惨めな思いで息をこらす夫の耳に、悲嘆と憤怒と恐怖の叫びが、夜陰を裂いて届いた。だが、叫びをかき消す響めきが起こり、さらに笑い声に変わって遠ざかると、同時に雲も流れ去り、晴れた夜空が戻ってきた。そこに、何かがひらひらと舞い落ちて、枝にひっかかった。手に取ると、それはピンクのリボンだった。

「フェイスが行っちまった！」しばし言葉をなくしていた彼は、ようやく声を出した。「この地に善きものはなく、罪は名ばかりになってしまった。次は悪魔のお出ましか。この世界はやつのものになっちまったみたいだ」

絶望に正気を失い、大声で笑いながら、グッドマン・ブラウンは杖をひっつかむと、歩く走るというよりも飛ぶような勢いで、森を行きはじめた。進むほどに道筋は荒涼とし、やがては道そのものがなくなって、暗い荒れ野に一人いるばかりになったが、邪悪なものへと近づく衝動に駆られ、彼は先に進んだ。森は怖ろしい音に満ちていた――木々の枝の軋み、獣たちの声、インディアンたちの叫び、さらに風が遠い教会の鐘のように鳴ったり、時には彼を囲んで嘲弄するかのように、咆吼さながらの音を立てた。だが、彼が怖じることはなかった。彼自身が、この場にいるもっとも怖ろしいものだったからだ。

「はっはっは！」風の嘲りに、グッドマン・ブラウンは吠えるような笑い声で答えた。「でかい声で笑うのはどっちか。お前の魔術で怖じ気づくおれじゃない。魔女や魔道士が来ようと、インディアンの祈禱師が来ようと、当の悪魔が直々に出てこようと、男ブラウンここにあり。怖い思いをするのはおれじゃない、おまえらのほうだ」

たしかに、このお化けの出そうな森でも、この夜はグッドマン・ブラウンの姿ほど怖ろしいものはなかった。黒松のあいだを飛ぶようにすり抜け、正気をなくしたかのように杖を振りまわし、聞くに堪えない悪態をついたかと思うや、悪魔よろしき高らかな笑い声を森じゅうに谺させた。悪魔というものは、姿を現したときよりも、人に取り憑いて荒れ狂っているときのほうが、怖ろしく見えるものだ。かくて彼は内なる魔に駆り立てられて森を飛び抜けていくうちに、木の間に揺らめく赤い光を目にした。木を薙ぎ枝を払って燃やしたか、篝火が夜の森を赤く鮮やかに照らしている。我を抑えて立ち止まると、大勢が歌う賛美歌らしい荘厳な声が、遠くから聞こえてきた。村の教会堂で聖歌隊が歌っていた、聞きおぼえのある歌だ。だが、歌は次第に森の音に取って替わり、歌詞もなくなり、消えていった。グッドマン・ブラウンは叫んだが、その声も森の音と融けあい、彼自身の耳に届く前に消えた。

静寂（しじま）の中、彼は火が顔を照らすところまで歩み寄った。暗い木立に囲まれた、森の中の空き地の一方に、祭壇か説教壇に似た形の岩があり、その四方には松の木が立ち、葉の茂った枝先に火がついているさまに、彼は夕の礼拝に灯す蠟燭を思い出した。岩の上でも枝葉が燃え、ちらちらと空き地を照らしていた。下がった枝も、連なった葉も、炎を上げている。その赤い光が揺らめきが、いつもはひとけがない森の一角の、この空き地に集う群衆を照らしだした。

「これはまた、黒尽くめで揃って、かしこまったもんだな」と、グッドマン・ブラウンはひとりごちた。

たしかに、みながみな黒い身なりをしていた。ちらつく火明かりと夜陰のあいだを行き交うのは、行政委員議会に出席していたり、日曜のたび詰めかける信徒たちに聖なる説教壇から慈愛に満ちた目を向けたりする人たちだった。もしグッドマン・ブラウンに面識があったら、総督夫人もいたと言いきるだろう。少なくとも、総督夫人と付き合いの深い貴婦人たちがいたし、他にも数かぎりない名士の夫人たちや未亡人たち、善行で名高い老嬢たち、ここに来たことを母親に知られやしないかとおどおどしている若い娘たちもいた。一瞬、勢いを増した炎に目がくらんだのでなければ、ひときわ厳格なことで知られるセイラム村の教会の、教会役員の何人かも見た。善良なるグーキン老執事もとうに来ており、尊敬すべき老牧師のそばで待機していた。だが、ここにかしこまって集う信心篤い名士貴人や教会の古老、貞淑な婦人たちや花も恥じらう乙女たちに交じって、訝（いぶか）しくも屯（たむろ）しているのは、放蕩者どもや艶（あで）な浮名を流す女たち、あらゆる賤業や悪事に手を染め、犯罪さえ疑われるならず者どもだった。奇妙なことに、善人は悪人を怖れもせず、罪人は聖者に臆する様子もなかった。敵であったはずの白い顔の群の中に、知られるかぎりのイギリスの魔術より強い力をもってこの森で怖れられてきた、インディアンの祈禱師（パウワウ）の顔もあった。

「それにしても、フェイスはどこにいるんだ？」グッドマン・ブラウンは思ったが、きっと見つかると期待を抱くと、思わず身震いした。

別の賛美歌がはじまり、そのゆったりとしたもの悲しげな調べは、神の愛を伝えるにふさわしいものだったが、その曲に載せられた歌詞は、人の本性が罪ととらえる言葉を並べたて、さらに罪深い言葉を暗に示していた。死すべき人間には計り知れないもの、それが悪魔の言葉である。オルガンが強く鳴らす通奏低音のような荒野のざわめきとともに、怪しい歌は途切れることなく続く。この不浄の賛歌は最後に至って、風の呻りや川の急流、獣の咆吼など、あらゆる野生の音が混じりあって不協和音をなし、さらに魔王を称えるかのような罪深い声が、そこに加わった。燃える松の木は炎をさらに高く上げ、渦巻く煙の下に集った、神をも怖れぬ会衆の怖ろしげな顔を照らし出す。岩の上の火も赤々と燃えてアーチを描き、その下に人の姿が現れた。ここで敬意をもって書き表せば、その人は服装も立ち姿も、ニューイングランドの教会を統べる、とある聖職者に少なからず似ていた。

「改宗する者は前に！」叫び声が荒れ野に湧き起こり、森に響いた。

その言葉を聞いたグッドマン・ブラウンは、木の陰から踏み出し、群衆に近づいていった。心の中の悪いものが目覚め、かれらに忌まわしい同胞愛を感じはじめたのだ。立ちこめる煙ごしに、死んだ父親が前に出るようにと手招きするかたわらで、女性の姿がぼんやりと浮かんで、必死の形相で手を突き出し、戻るように彼に告げていた。母親なのか？　だが、彼は足を止めず、抗する気にもなれず、左右から老牧師とグーキン執事に腕を取られて、燃える岩の前に連れられていった。かたわらには、幼かった彼に聖書の絵解きをしてくれた信仰篤いグッディ・クロイスと、地獄の女王にするよう悪魔と約束をとりつけたという、正真正銘の魔女マーサ・キャリア（一六四三〜五〇？—九二　魔女としてセイラムで裁判にかけられ死刑に処された）のあいだに、ヴェールを被った女が立っていた。かくて二人の改宗者は炎の天蓋の下に肩を並べた。

「よく来られた、わが子たちよ」黒い人影が言った。「ここはあなたがたの一族が集まるところです。あなたがたは若くして、みずからの本性と運命とを知ったのです。さあ、後ろをごらんなさい！」

二人は振り返った。悪魔を崇める者たちの群が、炎に照らされている。どの顔も、歓迎の笑みを浮かべていた。

「ここにいるのは」黒い人影は続けた。「あなたがたが幼い頃から敬ってきた人たちです。二人とも、その人たちが自分よりも信心深いと思い、その高潔な暮らしや、天国を心に描く思いに照らして、自分の罪深さを怖れていました。今夜はその人たちがみな、私の集会に来てくださいました。これからは、かれらの秘められた行いを知ってもよいことにします。白いひげをたくわえた教会の長老たちが、身のまわりの世話をするメイドたちにどれほど好色な言葉をかけたか。いかに多くの婦人が、寡婦になることを望んで、夫に薬を与えその胸で息を引き取らせたか。ひげも生え揃わない若者たちが父親の遺産を得ようと急いだことも、美しい乙女たちが――自分のこととて顔を赤らめるなよ、娘たち！――庭に穴を掘り、嬰児の弔(とむら)いに私一人を呼んだことも。人は罪深いものです。他人のおかした罪に共感し、あらゆるところに――教会でも寝室でも、通りや野や森でも――おかされた罪を見いだし、この地上がくまなく血にまみれたかのような、大きな罪の汚点(しみ)に覆われていることを知れば、歓喜の声をあげることでしょう。それだけではありません。誰もが胸のうちに罪の神秘を抱いています。人の力では――私でさえも――なしえないほどの邪悪な衝動を絶えず送り出す源泉が、誰の心の中にもあります。それを見抜く力をさずけましょう。さあ、わが子らよ、互いを見なさい」

　二人は顔を見合わせた。地獄の業火のような篝火の前で、哀れなグッドマン・ブラウンは妻が、フェイスは夫が、神聖ならざる祭壇の前で震えているのを目にした。

「ごらんなさい、わが子らよ」人影は厳粛に言葉を発したが、その声はかれが遠い昔、まだ天使でいられた頃の性(さが)が、今なお悲惨な人々を思いやるかのように、荘厳な悲しみを湛えていた。「あなたがたは、互いの真心を信じ、美徳というものが夢ではないと願っていたのです。だが、今はそれが誤りであると知りました。悪こそが人の本性、悪徳こそが幸福なのです。わが子らよ、あらためて歓迎します。これがあなたがたの共與(きょうよ)の儀です」

「ようこそ」悪魔崇拝者たちは、絶望と勝利のないまざった声をあげた。

　今ここに立ち尽くす二人は、この暗く邪悪な世界の境界で、一歩踏み出すのをためらう最後の二人のようだった。前には器のように穿たれた岩があった。湛えられているのは、炎に赤く染まった水か、それとも血か、あるいは液状の炎なのか。黒い影はそこに手を浸して、二人の額に洗礼の印をつける用意をしていた。二人が罪の神秘を共有し、思いであれ行いであれ、おのが罪よりも余人のひそかな罪に気づくように。グッドマン・ブラウンとフェイスは、青ざめた顔を見合わせた。次に互いを見るときは、自分たちのあさましさを思い知り、見たものにも見せてしまったものにも震えあがるにちがいない。

「フェイス！　フェイス！」グッドマン・ブラウンは叫んだ。「天を見上げろ！　悪いやつらに抗(あらが)え！」

　フェイスが言われたとおりにしたかどうかはわからなかった。というのも、そう言い終える間もなく、気づけば彼はただ一人、夜の静寂(しじま)に身を置いて、聞こえるのは森を吹き抜ける風の音だけだったからだ。よろよろと岩に寄りかかると、それは濡れてひんやりとしており、燃えていたはずの小枝から、冷たい露が頬に落ちてきた。

その朝、若いグッドマン・ブラウンは、セイラムの表通りを慎重に歩を進めながら、当惑の目を周囲に向けていた。墓地に沿って朝食前の散歩をしながら、説教の中身を考えていた老牧師は、通りかかった畑主に祝福を授けた。彼は呪いを避けるかのように、牧師から身を遠ざけた。グーキン執事は自宅での礼拝のさなかで、開いた窓からは聖句を唱える声が聞こえた。「魔法使いめ、どんな神に祈っているのか」と、グッドマン・ブラウンはつぶやいた。グッディ・クロイスは窓格子に立って朝日を浴びながら、牛乳を一パイント届けに来た女の子に、聖書の話をしていた。悪魔から守ろうとするかのように、彼はその子を邪険に引き離した。寄合所の角を曲がると、ピンクのリボンがついた帽子をかぶったフェイスが見えた。心配そうに通りを見やっていた妻は、夫の姿を見て嬉しさのあまり小走りで駆け寄り、人目もはばからず接吻しようとした。だが、グッドマン・ブラウンは、暗く悲しい目を妻に向けると、黙って歩いていった。

果たしてグッドマン・ブラウンは、森の中で眠り込み、魔女集会のおかしな夢を見ただけなのだろうか？

読者のみなさんがそう思うなら、それで結構。だが、たとえ夢だったにしても、若き畑主には凶兆だった。彼はその怖ろしい夢の一夜から、自暴自棄にはならなかったが、いつも悲しげに沈み込む男に変わってしまった。安息日に教会で歌われる賛美歌も、聞いていられなくなった。罪への賛歌が耳の中で湧き起こって、聖なる調べをかき消してしまうからだ。老牧師が説教壇から心のこもった説教をし、開いた聖書に手をかけて、私たちの宗教の聖なる真理や、聖者らしい生とそれにふさわしい栄光に満ちた死や、未来に待つ天の至福と、そこに達するまでの言葉にしがたい苦難を語っていても、その間グッドマン・ブラウンは青ざめた顔で、この白髪の罰当たりと、その話を聞いている連中の上に、教会の天井が崩れ落ちてこないかとばかり考えていた。夜中に目をさまして隣のフェイスから身を離すこともしばしばだったし、朝夕に家族が跪（ひざまず）いて祈りを捧げるあいだには眉をひそめて何やら呟（つぶや）き、妻を睨（にら）んでは目をそらしていた。長生きした彼にもとうとうお迎えが来て、すっかり白髪になった遺体を墓に運ぶとき、やはり年老いたフェイスのあとに子供たちや孫たちが続き、村の人たちも少なからず参列したが、グッドマン・ブラウンは最期まで陰鬱だったので、墓石には希望に満ちた詩句は刻まれなかった。

魔女たちの集い

金雀児の窪地

Furze Hollow

A・M・バレイジ　A. M. Burrage

植草昌実 訳

M・R・ジェイムズも称賛した怪談の名手A・M・バレイジ（一八八九―一九五六）は、第一次大戦の従軍記 *War is War*（1930）も著している。同書の筆名 Ex Private X（元兵卒X）は、怪奇小説では翌三一年に刊行された第二短編集 *Someone in the Room* でのみ使われた。本作に登場する従軍経験者にも、どこかに作者自身の投影がありそうだ。本作の初出は *The Red Magazine* 一九二三年九月十四日号で、第一短編集 *Some Ghost Stories*（1927）に収録された。なお、作中の「ジプシー」は、作者に差別意識はなく、作品が書かれた時代を反映した語でもあるので、訳語にそのまま活かした。（訳者）

ジェイルベリーの東の外れにある宿屋〈ウォームズリー・アームズ〉にハーロウが来たのには、理由が三つあった。休暇を田舎で過ごしたかったし、ジェイルベリーにはこれまで行ったことがなかったし、それに、モファットの別荘まで歩いていける距離にあったからだ。

モファットはもとは学者だったが今は隠棲し、余生を好古趣味におくっている。ハーロウが知り合ったのは、めったに遠出をしないこの老人がロンドンに出てきたときのことで、人柄に惹きつけられた。気が向けばモファットは面白い話を尽きずしたものだし、知性を重んじるハーロウは、身近にいるのが無趣味で退屈な者ばかりなので、彼の話に大いに興味を抱いた。

意気投合するのに時間はかからなかった。モファットは心からの称賛を拒むほど偏狭な人物ではなかった。だが、「私の別荘に来てくれるのなら、大歓迎だよ」と言いだしたので、ハーロウは少々驚いた。モファットがこんなことを言うのはめったにないことだと、彼を知る人からあとで聞かされた。

四十路のハーロウは会社勤めをしているが、何かと群をなしたがる同僚たちとはなじめず、親しい友人もとくにいなかった。何を学ぼうというわけでもないのに本ばかり読んでいて、心の中は組み上がらない活版のように文字が詰まっていた。他に趣味といえばチェスくらいだ。休日といえば、本を詰め込んだ鞄を肩に掛けて、散歩に出るばかりだった。だが、この七月はジェイルベリーに行くと決めていた。

だが、モファットを訪問したハーロウは、少々残念に思った。共に史跡をめぐって過ごすつもりでいたのだが、久しぶりに会ったかの老人は外に出たがらなかった。気難しい相手ではないと知っていたので、何か理由があって気が乗らないのだろう、と察した。夕方はモファットの別荘で過ごし、天気が良く老人の気が向けば、日中は共有地を散策し、木立や金雀児（えにしだ）の茂みを抜けるさまざまな小道を知った。地元の農家の人たちとも知り合い、すぐに親しくなった。

知り合った人のうち、荘園管理人のウォルターズは話好きで、地元の名士たちの面白い逸話を語ってくれた。齢（よわい）百歳を超えるといわれるライトのばあさまは、霊感を持つという噂だ。ばあさまはもう何年も出歩いたことがなく、日和が良いときは孫娘の家の庭先に出した安楽椅子に掛けていた。肌の色には血の気がなく、体もすっかり小さくなって、筋の通った話はできないように見えた。いつもつぶやくように唇を動かしてはいるが、何を言っているのかは、家族でさえ聞き取ることができなかった。

ある月のない夜、十一時半を過ぎてハーロウはモファットの別荘を辞去し、〈ウォームズリー・アームズ〉へと歩きだした。いつになく疲れている気がしたのは、日中にかなり広い範囲を歩いたからだろう。

道なりに行けば宿屋までは二マイルもないが、雑木林の小道を抜けて、金雀児の窪地（ファーズ・ホロー）を通っていけば近道だ。昼間よく通るので、暗くなって見通しがよくなくても、道に迷うことはあるまい。

ハーロウは昼間とさほど変わらない足取りで小道を抜け、苦もなく踏み段を上がると、頭上には夜空が明るく広がった。雲ひとつない夜空には、月は出ていないものの星明かりが満ちて、金雀児の茂みのあいだを曲がりくねる小道をたどるのは楽だった。ここは共有地の一角だが、夕暮れ時に忍び会う若い男女をごくたまに見かけはするものの、人がいることはほとんどない。

雑木林を出て二十歩ほど歩いたところで、行く先の窪地の底のほうから、低くかすかだが妙に耳を惹きつける音が聞こえてきた。

ハーロウは足を止めた。高いその音色は葦笛に似た楽器のものだと直感した。星明かりの下なお暗い窪地から、調べは高く響き、和らいだかと思うや、またも強く鳴った。こういう場面でおなじみなのは、羊飼いの男女がダンスをするような曲だ。聴き入るうちに、自然に詩が心の中から湧いてくるほど陽気な曲。

だが、これは陽気なダンスに似合いの調べではない。ただ音が鳴っては止んでいるばかりだ。か細く響く音色は、闇の中で鳴き交わす梟の声よろしく、見えない相手に呼びかけているように聞こえた。

すぐさま、ハーロウは美しい音色を忘れ、恐怖を覚えた。獣の臭いに気づくや、腹の底から寒気が這い上がってきた。牧神パンは、ロンドンで読む本に出てくるぶんには面白い相手だが、この土地のこの時刻に出会うとなると、一笑に付するわけにもいかない。

彼はその思いをすぐさま打ち消した。パンなどいない。かの牧神はとうの昔に消え失せたのだと告げる声が、エーゲ海の向こうから聞こえた。今は二十世紀だ。だが、こんな時刻に誰かが笛を吹いていると思うと、彼はまた別の恐怖を覚えた。たいしたことはない、怖がりは性分だ、と自分に言い聞かせる。笛の音がどこからしてくるのか、近づいてみる気は毛頭ないが、これから通ろうとする窪地のどこかから聞こえてくるのは確かだ。かといって、自分の臆病さを認めるようなので、引き返したくはない。こんなことにびくびくするやつは十人に一人くらいだ、と強がってみても、自分がその一人なのはたしかなので、勇を鼓して彼は歩きだした。本の虫だからといって、小心な夢想家とはかぎらない。

五、六歩も行かないうちに、笛の音は何の前触れもなく、断ち切るかのように止んだ。だが、ハーロウの気持ちは変わらなかった。笛の音がしようとしまいと、吹いていた者はそこにいるのだから。

ほどなくして窪地の淵にまで来たとき、少し先の方に赤い光がちらついた。斜面を降りていくと、暗がりの一角に野営のさまがぼんやりと見えた。ハーロウはふと安堵の息を漏らした。ジプシーの一団が仮住まいをしていたのだ。笛の音も、その中の楽士が星を見上げて奏でていたのだ。怖れることはない、彼らは文学的な民族だ。ジョージ・ボロー（一八〇三―八一　英国の著述家。欧州各地を旅し、多くのジプシーと親交を深めた）の本はかねて愛読している。彼は臆することなく足を運んだ。

窪地の底はあちこちに枯れた金雀児の藪があるくらいで、野営をするには十分に広かった。星明かりと焚き火があたりを照らしている。二台の馬車のかたわらにテントが二張り設えられ、煙がたなびいているが、人の気配はない。

人に会ったら挨拶するつもりでいたので、ハーロウの怖れは薄らいでいた。だが、どういうわけか誰一人いないのに気づき、またも恐怖に駆られはじめた。急いで大股で立ち去ろうとする足に、金雀児の枝が絡んだ。誰もいないというのに、視線を感じる――好意も関心もない、ただ向けられるだけの視線を。追い立てられているような気がして、彼はキャンプを離れ、斜面を登った。振り返りもせずに。

ようやくのことで埃っぽい道に足をかけ、宿までさほど遠くないと気づいたハーロウは、パイプに火をつけようとした。手が震えて、火がつくまでマッチを七、八本、無駄にした。

翌朝、ハーロウは朝食を済ませ、その日最初のパイプを一服つけると、宿から日当たりのよい表通りへと出た。すでに日が高いのは、昨夜寝つくのが遅かったからだ。通りに沿った家並は、荒れ地の中を半島のように延びており、その一軒の玄関先ではライトのばあさまが、孫娘とその娘が出した椅子に掛けていた。

通りの向こうから雑種犬に引かれて来るのは、荘園管理人のウォルターズだった。犬がハーロウめざして急いでいる様子なのは、仲良しからまたビスケットをもらおうという魂胆なのだろう。飼い主のほうは彼を、何かにつけビールをおごる、気前のいいロンドンからの旅行者と覚えていた。二人はふだんと変わりなく挨拶を交わした。しばし立ち話をしていたが、犬が唸りながらハーロウの上着に前足をかけようとしたので、ウォルターズは話を変えた。

「いいお天気ですなあ。お出かけ日和ってやつです。おい、ロブ、いい子にしてな！　これから御散策ですか」

「そのつもりです。ところで、共有地のジプシーについて、何かご存じですか」

「ああ、よく来てますね。馬車で寝泊まりしているだけで、人の迷惑になるような連中じゃありませんよ。どうかなさったんで？」

「ええ、ゆうべファーズ・ホローにいたもので」

ウォルターズの太い眉が上がった。それから、彼は笑いだした。

「どこかとお間違えのようですな。あの窪地にはジプシーは行きやしませんよ」

ハーロウは行く先を指さした。

「この道の先、ホワイトの林を通る小道の先にあるのが、ファーズ・ホローでしょう」

「そうそう、おっしゃるとおりです。でも、そこでジプシーを見ることはありませんな」

「それが、いたんですよ。私は野営しているところに入ったんですから」

ウォルターズは細い目をさらに細めた。笑っている。

「それは何時頃でしたか」

「真夜中過ぎだと思います」

「そうか！　するってえと、ゆうべはモファット先生のところにいらっしゃったんですな」

ハーロウは当惑した。

「たしかにゆうべはおじゃましていました。その帰りに野営を見たんです」

ウォルターズは声をあげて笑った。ハーロウが与太を飛ばしていると決めつけるかのように。

「ご冗談もほどほどに」

「どういうことです？」

「話す相手を選んだほうがよろしいようで」ウォルターズはまだ笑っていた。「私は十一時にファーズ・ホローを通りましたが、野営なんぞありませんでしたよ。別のお話になさるんでしたな。おい、ロブ、おとなしくしてろ！……おはようございます……よいお日和で……今晩も行ってみられるとよろしいかと。それと、モファット先生をおかつぎにはならないほうがよろしいでしょうな」

ウォルターズは手を振ると、当惑するハーロウを後に立ち去った。困惑のあまり笑みを浮かべたまま、彼は見送った。それから、ぶらぶら歩きはじめた。

もしウォルターズの話が本当なら、なんともおかしなことになる。彼が昨夜ファーズ・ホローを通ったのは確かなのか？　野営に人の気配がなく静まり返っていて、それなのに火が焚かれていたのも妙な話だが。それにしても、モファットをかつぐなとは、どういうことだろうか。もとよりふざけて人をかつぐようなまねはしないし、野営を見たのは確かだ。おまけに、笛を吹いている者もいた。

ライト家の前を通りかかると、パッチワーク・キルトの肩掛けをしたばあさまは、玄関先に座っていつものように何かをつぶやいていた。今朝は、その目はいつになく生き生きと輝いているように見えた。ハーロウはふだんどおりに、聞こえていなくてもかまわずに、挨拶をした。

「おはようございます、ライトさん。ごきげんはいかがですか」

　五十歳になる孫娘が、玄関から答えた。

「とてもいいんです。いつもありがとうございます。このところ、言葉がはっきりしていて、ゆうべはなかなか寝につこうとしなかったんですよ。立って歩くなんて言いだすんじゃないかしら。かえって心配になるくらい、元気なんです」

　ハーロウは老女の顔にまっすぐ目を向け、耳を澄ませた。ライト夫人は応えるように見返した。彼は屈み込み、口元に耳を近づけて、老女が何を言っているのか聞き取ろうとした。

「ききましたよ。ききました。ときが、きました。したくは、できています」

「何と言っていますか?」孫娘がたずねた。

　ハーロウは答えられなかった。日差しは暖かいのに、冷気に体を刺し貫かれたように覚えた。適当な挨拶をして、足早にモファットの別荘に向かった。ファーズ・ホローを通って近道をする気にはなれず、遠回りになっても道なりに歩いた。

　出迎えたモファットは起き抜けで、まだ顔も洗っていなかった。身支度を調えるのは午後になってからなのだろう。ハーロウの早い来訪には驚く様子もなかった彼だが、彼の話を聞くや興味を示し、手早く身支度をはじめた。

「どうもこの件には」と、ハーロウは話をしめくくった。「私の知らない話があるようです。ウォルターズは、私があなたに尋ねると見越した様子で、先生をからかうんじゃない、などと言いました」

　モファットはカラーを付ける手を止めた。灰色の眉の下で光っていた目は、訝(いぶか)しげな色を浮かべた。

「わが友よ」彼は言った。「きみはウォルターズからは何も聞いていないし、私をからかうつもりもないのだね?」

「もちろんです。何も知らないんですから。それに、私が先生をからかうなんて思えますか? いったいどういうことなのか、教えていただきたいくらいだというのに」

「まあ待ちたまえ、ハーロウ君。その前に窪地を見ておきたい。もし昨夜、野営をしていたなら、今もまだいるかもしれないし、いなくても跡くらいは残っているはずだ。さあ、行こう!」

二人は共有地を通り、ファーズ・ホローに向かった。ハーロウは話を引き出そうとあれこれ尋ねたが、モファットは終始黙っていた。

窪地の淵に来ると、ハーロウは立ち止まり、叫んだ。

「行ってしまった！」

昨夜に見た馬車もテントも、そこにはなかった。カップのように深い窪地の底には、何一つ遺されてはいなかった。

「そう、かれらは行ってしまった」モファットはそう言うと、口髭の端を咬んだ。「おや、ラトフォードが来る。ウォルターズから話を聞いたか」

「ラトフォードというのは？」

「荘園の主人さ」

「お知り合いですか」

「そう言うほどの間柄ではない。会えば挨拶を交わすくらいなものだ。おや、こちらに気づいたようだ」

二人に気づいたか、ラトフォードは大股で足早に、坂道を上ってきた。額の狭い、鷲鼻の若い男で、尊大だが愚鈍にも見える。彼はモファットに黙礼すると、ハーロウに目を向けた。

「あんたがハーロウさんだね」

「そうですが」

「ゆうべここでジプシーを見たと、管理人から聞いたが、どういうことかね？」

「見たことを話したまでです」

「どこで見たというんだ。何もないじゃないか。本当に見たのか？　今度うちの地所に余計な口を出したら、只では済まないからな」

言い終えると、驚きと怒りとで言葉も出せないハーロウをあとに、さっさと来た道を戻っていった。

モファットは口髭の奥で笑いを噛み殺していた。

「なんとまあ、迷信深いことだ」

「迷信深い？」

「信じていなければ怖れることもない。少しでも信じているから、怖れを隠そうとして、あんな態度をとる。迷信深い者の見本のようだ。野営の跡を探してみよう。ラトフォードには悪いがね」

二人は窪地の底を調べた。馬車の車輪、馬の蹄、テントの支柱の跡もなければ、草が倒れてもいない。ハーロウは急に冷たい風に吹かれたような気がした。

「焚き火をしていた、と言っていたね」と、モファット。

「はい」

地面に火を焚いた跡がないか、金雀児の合間まで見てみた。何もなかった。

「なんてこった！」ハーロウが叫んだ。「こんな馬鹿なことがあるものか。納得できない。いったいこれはどういうことなんだ」

「落ち着きたまえ」とモファットは言うと、枯れた蕨(わらび)の茂みに身を屈めた。「怖れることはない。これから私は、知っているかぎりのことを話そう。馬鹿げた、迷信深い話で、自然に反することは起こりえないという事実の一例だ。私はこれまで、このことについては、信じるか信じないかではなく、自分の理解の及ばないこととして、偏見なく捉えようとしてきた。だが、今は信じはじめている。まず落ち着きなさい、ハーロウ君。そして、私たちのこの世界が、つねに新たなことの発見と、古いことの忘却を続けていることを思い出そう。失われた大陸アトランティスの住民たちが何を知っていたか、私たちには知る手立てもない。魔術として伝えられてきた古き叡智のうち、私たちが取り戻せたのは、天文学という純然たる科学に裏打ちされた占星術くらいなものだ。私たちの科学はかの時代の魔術師たちを驚かせるかもしれないが、私たちがかれらの魔術を知れば、やはり驚くことだろう。そんな古き秘法が今も残っている。中世に用いられていた魔法を知り、用いる者たちがいて、私たちはかれらに気づいていないだけなのだ」

モファットがここで言葉を切ると、脇に坐り込んだハーロウは、待ちかねたかのように口を切った。

「わかりませんね。何をおっしゃりたいのですか。この話はどこに向かっているのですか」

「昔話をひとつ聞いてもらおう」モファットは言った。「このあたりでは知られていて、きみが見たことにも関わる話だ。百年ほど昔のこと、この窪地でジプシーが野営していた。彼らが盗みをはたらいたので、土地の農民たちは怒り、盗みだけでなく魔術まで使う、と言って非難した。ついには領主——あのラトフォードの先祖が、かれらに立ち退きを求めた。ジプシーたちは、立ち退かせれば魔術で領主の屋敷を焼き払う、と言って抗(あらが)った。その言葉どおりに、夜になって屋敷は火事になり、二時間もかからずに全焼した。だから、きみが見たラトフォードの屋敷は、建ってまだ九十年もしていないのだよ。

領主の屋敷の火事で、状況はさらに悪くなった。領主の従者に扇動された村人たちは、この窪地を襲撃し、ジプシーたちの野営に火を放った。もちろん、それだけでなく、さらに酷いことをした。ジプシーの一人が死に際に、いつかここに帰ってくる、そのときはラトフォード家に惨事が起きるだろう、と言いのこした。今もジプシーのあいだでは、このファーズ・ホローは不吉な場所として知られていて、かれらは近づこうともしない。

かれらの中で一人、小さな女の子だけは殺されることなく、子供を亡くした村の女性に引き取られた。その子が、あの長寿で知られるライトのばあさまだよ」

ハーロウは深く息をついた。

「まさか!」彼は声高に言った。「本当ですか?」

「本当だとも。興味深い、驚くべき話だろう。そのときすでに、まだ子供だったライトのばあさまは、邪悪な智慧を身につけていると思われていた。村人たちは彼女が魔術の修業をしていると噂した。彼女が起こしたという不思議なことのあれこれを、話に聞くこともできるだろう。自分の一族が帰ってくるときまで、ライトのばあさんが死ぬことはない、とまで言われたくらいだからな。そして、かれらが帰ってくるとき、ラトフォード家に怖ろしいことが起きる、と予言されたのは、話したとおりだ。ライトのばあさんは、百歳までにはまだ間があるが、あのとおりまだ健在だ。

ここまでの話は、できるかぎり正確に思い出してしたつもりだ。ウォルターズがきみの話を悪ふざけだと言ったのも、今ならわかるだろう。予言を怖れるラトフォードが、きみにあのような態度をとったのもね」

「ライトのばあさまが、ですか! そういえば、あの笛の音は、誰かを呼んでいるようでした。あの夜、ばあさまは寝付きが悪くて、遅くまで起きていたがっていたそうです。今朝はこんなことをつぶやいていました。『きましたよ。きました。ときが、きました。したくは、できています』と」

モファットは細長い指で蕨の葉をちぎっていた。「ばあさまはそんなことを言っていたのか」驚いたような口調だった。「ゆうべ、ばあさまはなかなか寝付かなかったんだね。ハーロウ君、落ち着いて考え、このことを理解しよう。私たちはこの世に生きていて、めったに経験できないことに直面しているようだ。見届けようじゃないか。ライトのばあさまはジプシー、東方から来た古い民族の出身だった。時代が下っても外との接触がなかったので、昔からの秘法が伝えられていたとしても不思議ではない。たとえば予言のような、私たちが不用意に〈魔術〉と呼んでいるものをね。今夜また、ここに来よう。一見の価値あることが起きるだろう」

ハーロウはハンカチを取り出し、額の汗を拭った。ようやく出したその声は、なんとも苦しげだった。

「さっきからずっと話しどおしですね。休みもせず。ほとんど頭に入りませんよ。お願いします、モファット先生。何をお考えなんですか」

「何かって?」モファットはおうむ返しに言った。そして、平静な口調で続けた。「今夜、ライトのばあさまの一族が帰ってくる、と考えている。笛吹きがばあさまを呼んだ。一族がどうやって帰るか、彼女は知っている。帰ってきて何が起きるかは、私には想像もつかない。きみは今夜ここに来るのが怖いのかね?」

ハーロウはすぐには答えなかった。

「先生が来るなら、御一緒しますよ」

モファットは蕨の茂みに寝転がり、共有地から立ちのぼる陽炎（かげろう）を眺めていた。

「おかしな話だから、きみが理解しきれないのも無理はない」と、彼は言った。「今は昼間、年は一九二六年だ。ほんの二マイル先の郵便局に行けば、電話も電報も使える。十マイルも行けば競馬が開催されている。私たちが今ここで見つけたことを、あり得ないと一蹴する人たちもいるだろう。そう言うほうが間違っていると思うがね」

そして、目の上に手をかざして日差しを避けながら、これまでとは違う口調で言った。

「ハーロウくん、早く雨が降らなければ、この共有地には悪い火が燃え上がることだろう」

その晩、ハーロウはモファットと夕食を共にし、火を焚かない暖炉を前に話をしていたが、十一時半をまわった頃、勇を鼓して外に出た。月はとうに沈んでいたが、夜空は星明かりに満ちていた。

この日、ハーロウはずっとそわそわしていたが、いよいよ冒険か、と思うと、かえって落ち着いた。これからするであろう奇妙な経験も恐るるに足らず、という気がしていたし、モファットがいつもと変わらず平静でいたからでもある。この牧神めいた髭面の小男は、目前にした冒険に興味津々といった様子だが、昼間の饒舌は影を潜めていた。共にいれば怖いものはない、というほどに、ハーロウを信頼しているようだ。

二人は真っ暗な林に向かったが、モファットの足取りは怖じることなく、活発でさえあった。知りたいことを常に学び取ろうとする、永遠の学生のようだった。林を出て、その先の林を抜けて共有地に踏み込むと、彼は足を止め、柵の脇に屈み込んで聞き耳を立てた。後に続いたハーロウには、木の枝がアーチを描く下で指を立てている彼の影が、牧神そのもののように見えた。

「笛の音だ」彼は声をひそめた。

ハーロウにもその音色は聞こえた。高く響いたかと思うや、その音はやわらいで、誰かを呼び寄せるように繰り返し響いた。その魔笛も今夜はハーロウの心にまでは響いてこなかったが、しばらく柵に身を寄せたままでいるところを見ると、モファットは心惹かれているようだった。

　だが、すぐに彼は柵を乗り越え、ハーロウも後に続くと、歩調を落とさずに金雀児の茂みを通る小道に踏み込んだ。だが、急いだものの、笛の音は急に、扉を閉めるかのように絶えた。

　先を行くモファットは、窪地の淵に着くや、足を止めた。

「あそこだ！」彼は言った。

　ハーロウがモファットの肩越しに目をやると、窪地の底に赤く燃える篝火が見えた。今夜は予期していたせいもあってか、昨夜より野営の様子がよく見えた。星の光と篝火に影になって見えたのは、テントと馬車だった。だが、他には金雀児と蕨が影を落とすばかりで、動くものは何も見えなかった。

「これからどうしますか」ハーロウはモファットの耳元で尋ねた。

「ゆうべ、きみは降りていったろう」モファットは身じろぎもせずに答えた。

「ええ。でも、今夜はできません。ゆうべは何も知らなかったものですから」

　モファットは彼に顔を向けた。落ち着いているようだが、興奮した馬のように汗をかいているのは、彼も怖いのだろう。額から湯気が上がるのが見えた。

「私もだ」モファットはきっぱりと言った。「怖れるのは愚かしいとは思うが、たとえインドじゅうの財宝をそっくりくれると言われても、降りてはいけないな」

　ハーロウは恐慌しかける自分を抑えた。モファットは落ち着いた口調で、自分も恐怖を覚えていると言うと、またも身を屈めた。窪地の底の、動かない影のあいだには、目に見えず、名づけようもなく形もない、邪悪なものが潜んでいる。もし目にすることができたら、そのときはこちらも見られていることだろう。幼い頃に感じた恐怖を今また覚え、ハーロウは子供のようにモファットの手をつかんだ。

「どうすればいいのでしょう」モファットの答えを期待して、彼は尋ねた。

「私たちに何ができる？　英雄でもなんでもない、ただの男が二人いるだけだ。ここにいて見ているほかないだろう」

　ハーロウが突然、声をあげた。すぐ脇の蕨の茂みが音を立てたかと思うや、男の姿が現れたからだ。

「私です！　私です！」

　荘園管理人のウォルターズだった。怯えきった形相で、歯がかたかた鳴るほど震えている。

「犬がいなくなってしまいました！」彼はかすれた小声で言った。「何かを追っていったんです。モファット先生、いったい何が起きているんですか」

「わからんね」その答えも震え声だったが、投げやりでもあった。「下にかれらが来ているが」

「ええ、ゆうべも来ていましたが、朝にはいなくなっていました。今夜も三十分前までは、影も形もなかったというのに。夕方から見張っていたんですが、来る気配もありませんでした。でも今は、馬車もテントもあって、焚き火までしている。隠れて様子を見ていたら、犬がいきなり吠えだしたかと思うや、駆け出していっちまいました。何か気づいたんでしょう。密猟者を絞めてやるくらい仕事のうちですし、前の戦争では兵隊に行きましたが、あの窪地にはとても降りられやしません」

　モファットもハーロウも答えようがなかった。三人はそのまま、夜の静寂（しじま）に響く音に耳を澄ませた。蕨の茂みを揺るがす風。遠くで吠える狐の声。さらに遠くの、雄鶏の声。

「お二方」と、ウォルターズ。「一緒に行ってくれますよね」

「どこに？」ハーロウが唸った。

「ご主人に、あいつらが来たとお知らせにいかなくては。でも、今は一人じゃ足元もおぼつかない。お二方、ここにいることはありません。いないほうがいい。お屋敷に行きましょう」

　モファットはハーロウに目を向けた。

「一緒に行ってやろう。私たちは戻ればいいだけだ」

　ウォルターズは共有地を隅々まで知っていた。道を通らなくても、金雀児の茂みの合間を抜け、藪の隙間を縫って、窪地の淵からすぐに道路まで出た。宿の前を過ぎると、夜も晩いというのに玄関が開き、蠟燭の黄色い光がぼんやりと漏れ出ていた。酒瓶を持った女が中を振り返り、誰かにおやすみと声をかけた。ライトのばあさまの孫娘、ハケットのおかみさんだ。ハーロウは立ち止まり、声をかけた。

「何かあったのですか？」彼は声をかけた。

「うちのおばあちゃんが」彼女は答えた。「ゆうべよりも聞きわけがないんです。もう十年も歩いていないのに『行かなくちゃ』なんて言いだしたもので。止めるのも大変でした。力も思いのほか強くて。ようやく落ち着いて、眠ってくれたので、また起きたときのために飲ませようと、ブランデーを分けてもらったんです」

おかみさんは挨拶もそこそこに足早に帰っていき、三人の男は顔を見合わせた。

「窪地には戻らなくてよさそうだ」モファットが言った。「今夜は何も起きないだろう」

翌朝はよく晴れたが、午後には雲が南から西にかけて流れ、風向きが変わると広がって空を覆った。遠雷が砲声のように響いてきた。だが、空模様が荒れる気配もなく、雨の一粒も降ってはこなかった。

モファットはハーロウの部屋の窓辺に腰を落ち着けて、夕食の時間がくるまで暮れていく外を眺めて過ごしていた。パイプをくわえたハーロウは、彼に空模様を尋ねた。

「稲妻が二度走った。雨になればいいんだが！」

「なぜ？」

「土砂降りになるといい。この乾いた土地が、洪水になるほど水浸しになれば。溝も貯水池も溢れるほどにね」

「それほど乾いている、ということですか」

「荘園の主人がそれを望んでいる、ということさ。あの若者を待ちうけている危機は、それくらいのことが起きないかぎり避けられないだろう。ライトのばあさまの一族が来ると信じるに足るだけのことを、私たちはすでに見聞きしてきた。墓からか地獄からかは知らないが、帰ってくると言っただけで、もう十分に脅しは効いた。だが、帰ってきて何をするか、百年前には言っていない。かれらは積年の恨みを力にしているが、幸いにも私たちには向けられてはいない。前回に起きたのは火事だった。もしかれらが今度も火による禍を起こすのだとしたら、雨が降れば避けられるだろう。だが、時は迫っている。早ければ今夜だ」

「どこで起きるというのですか」ハーロウは苛立ったようにパイプを吹かした。「私は、今夜は窪地には行きたくありませんね」

「そうはいかない」モファットは穏やかに言った。「ここまで見てきたんだ、最後まで見届けない理由はないだろう。嵐が近い。雨も降るだろう。今夜がそのときだと私は思う」

十一時になる頃、モファットはハーロウと共に宿を出た。通りから共有地の歩道にさしかかると、遠くから笛の音が聞こえた。

「やはりか！」モファットが小声で言った。「話したとおりだ。今夜だよ」

笛の音は高らかで心地よく、勝利を告げるかのように鳴りつづけた。その音はときに割れ、淫らな笑い声のように揺らいだ。今夜はしつこいほどに長く繰り返し、聞いているだけで手足がリズムに合わせて動きだしそうになる。ハーロウは自分がその調べに合わせて足を運んでいることに気づかず、モファットに腕をつかまれてようやく我に返った。

「気をたしかに！　あの笛を聞くな！」

窪地に近づくほど、笛の音は大きくなってきた。窪地の淵に立つ二つの人影が見えたので、彼らは立ち止まった。モファットはハーロウの肘に手を触れ、声をかけた。

「安心したまえ。あれはラトフォードとウォルターズだ。暗くても、ステッキを持った立ち姿で、あの若者だとわかる」

荘園主と管理人は、近づいてくる足音を聞きつけたか、二人に向かって歩いてきた。ラトフォードは震える手を差し出した。

「ハーロウさん、昨日の失礼をお詫びします。信じがたいのですが、本当のことでした。ここでまたお会いできて幸いです」

ハーロウは返事を口ごもり、四人はあらためて窪地に向かった。笛の音は刻々と高まり、さらに誘いかけるように、そして、さらに狂おしく響いた。

「一昨日の夜もこうでしたか?」ラトフォードが声をひそめて尋ねた。

「いや」ハーロウが答えた。「もっと小さい音で、早く止んだ。今夜とは違う」

見下ろすと、窪地の底では篝火があかあかと燃えていたが、周囲は闇に閉ざされたままだった。四人はただ黙って耳を澄ませていたが、笛の音のほかに聞こえるのは、互いの息遣いばかりだった。ラトフォードは深く息をついた。

「このまま、ただ立っているわけにはいかない」とひそめた声で言った。「俺は下に降りる」

すぐさまモファットが腕を伸ばして彼を止めたが、そのさまはなんとも奇妙だった。非力そうな小柄な髭面の男が、長身の屈強な若者を腕一本で止めているのだから。

「駄目だ、行ってはいかん！」モファットは声をあげると、あとの二人に呼びかけた。「きみたち、この人に行かせないように」

取り囲まれたラトフォードは、すぐにおとなしくなった。

「ラトフォードさん、もし私があなたの立場だったら」モファットは厳しい口調で言った。「今夜は家の前に立って動かないでしょう」

「家ですって？　ことが起きているのはここなのに」

「いるべきなのです。おや！」彼は叫びかけた声を抑えた。「見えたか?」

赤い稲妻が空を走り、ほんの一瞬だが、窪地の底を照らした。

「馬車とテントが見えた！」ラトフォードがつぶやいた。「それだけですか？　聞こえるでしょう。笛吹きが歩いているのが。窪地を行き来しながら奏でているのが。次の稲妻で姿が見えるはずです」

その声に応えたかのように、すぐに稲妻が走り、四人の目は窪地を見下ろした。

その光は長かったのか短かったのか、誰にもわからない。が、ハーロウも見たはずなのに、自分が目にしたものが何だったのか、頭では捉えられなかった。ただ、そのとき見たものは死ぬまで忘れないだろう、と思った。

窪地の底には人影が大勢あり、みなが笛の調べに合わせて体を揺らしたり、くるくる回ったりしていた。暗くなってもその方から目が離せないでいると、モファットが腕をつかんだ。

「見たまえ！」彼は声をかけた。「明かりが増えたぞ」

篝火のわきに火が点った。火は見るみるうちに広がった。空に舌先を伸ばすように炎が燃え上がる。甘いような匂いと刺激臭の混じった煙が流れてきた。

「金雀児だ！」ラトフォードが叫んだ。「金雀児に火が移った！」

油が撒いてあったかのように、炎は藪から藪へと広がっていく。すぐさま窪地は火を満たしたようになり、煙が黒いカーテンのようにはためいた。馬車もテントも、人々も消えていた。ただ笛の音だけが響いている。

煙が塊のようになって吹きかかるなか、四人はただ立ち尽くし、身じろぎもせずに炎を見ていた。やがて、ウォルターズが下を指さして叫んだ。

炎は窪地の中を満遍なく覆い、立ちのぼる煙を照らしていた。管理人が指し示す先、五十フィートも離れていないところに老女が一人、屈み込んでいた。

ハーロウは呻き、思わず目を閉じた。だから、他の三人が見たものを目にしてはいない。あとで聞いたが、老女は素早く斜面を降り、自ら炎に飛びこんで、そのまま見えなくなったという。そのあと笛の音は止み、ウォルターズが声を殺して泣く声が聞こえた。

「ライトのばあさまだ！」彼は叫んだ。「まちがいない！　ああ、なんてことだ、ばあさまが！」

ウォルターズは窪地に背を向けて駆けだし、恐慌がうつったか、他の三人も彼を追って走りだした。その失態も長続きはせず、通りに出る前にラトフォードが我に返った。

「村の衆を起こさないと」彼は叫んだ。「共有地を守らなくてはならない。急ごう！」

　四人が駆け足で村に戻り、宿の前にさしかかると、一人の女が不安げな様子で家の玄関先に立っていた。ヒケットのおかみさんだ。

「おばあちゃんが死んだ！」彼女は泣きだした。「おばあちゃんが！　どうすればいいの。死んでしまった！　起き上がりたがっていた。でも、わたしが体を支えたら、死んでしまった。大きな声で笛吹きを呼んで、そのあとすぐに」

　宿からもひどく取り乱した声がした。二階の窓が開いて、主人が身を乗り出して、声をかぎりに叫んだ。「火事だ！　火事だ！」

　ラトフォードは駆け寄り、窓を見上げた。

「そう、火事だ！」彼も叫んだ。「今、知らせに来たんだ。手を借りたい。火元は共有地だ！」

「いや、共有地じゃない！　あっちだ！」

　北の空が赤く染まり、屋敷の白く高い壁に炎が這い上がるのが見えた。

　百年前と同じように、荘園主の屋敷が燃えていた。いったい何が起きたのか？　わかる者はいなかった。

魔女たちの集い

ミス・コーネリアス

Miss Cornelius

ウィリアム・F・ハーヴィー William Fryer Harvey

岩田佳代子訳

ウィリアム・F・ハーヴィー（一八八五—一九三七）のもっとも有名な怪奇小説は、八月の炎暑のさなかに、新品の墓石に自分の名前を見つける「炎天」だろう。この作のように、怪異をあからさまに描くことなく、語りにユーモアを含めながらも、無気味な読後感を残す作風は独特というほかない。怪奇現象の謎解きを試みた科学教師を見舞う災禍を描いた本作の初出は、一九二八年の短編集 *The Beast with Five Fingers and Other Tales*。『世界怪奇小説全集4 消えた心臓』（東京創元社 一九五九）所収の初訳「コーネリアスという女」（大西尹明訳）以来六十二年ぶりに、新訳でお届けする。

アンドルー・サクソンはコーンフォード校に勤める古株の科学教師だった。コーンフォードは新しい学校だが創立は古い。勅任視学官たちは、ごくまれに経済的な余裕があり、なかんずく息子が科学に関心を持っていれば、この学校に入れる。アンドルーが校長になるべきだと考える父兄は多かったが、本人は身の程をわきまえていた。管理するよりも教え導く方が、教え導くよりも、生徒をわくわくさせる方が向いており、派手に物議を醸した彼とバトラーとの共著『有機化学原理入門』を読んだ人なら、それがおわかりだったかもしれない。

生徒たちからは「アングロ・サクソン」や「アルフレッドさん」と呼ばれていた。皆、気軽に、それでいてきちんと尊敬しながら接していたが、彼がライフルの名手で、かつてビズリーで行われた王室杯で準優勝したことがわかると、尊敬の念はさらに深まった。

サクソンはこれまで、心霊研究に格段の興味を抱いたことはなかったが、イースタン・カウンティーズ銀行の支店長を務める友人のクリントンから、メドーフィールド・テラスで起こっていることを一緒に調べてほしいと頼まれると、嫌とは言えなかった。その家にいたのは、銀行の出納係パークとその妻と子どもふたり、五年にわたってパーク家で働いている料理人、少々血の巡りの悪い十六歳の子守兼パーラーメイド、そしてミス・コーネリアスだった。サクソンは、この年配の婦人が牧師館近くのかなり感じのいい家で暮らしていたときに、顔だけは見知っていた。クリントンから聞いたところでは、その家が目下大規模改装中で、配管工と塗装工が作業をしている間、いつでも下宿人を大歓迎しているパーク家に住まわせてほしいと、ミス・コーネリアスから申し出ていたとのことだった。

心霊現象は三週間以上にわたって続いていた。どうやらラップ現象が起きたり、やたらと重いものが落ちるような音がしたり、テーブルや家具がいつの間にか動いていたり、なぜかドアの鍵がかかったり外れたりといったことがあるらしく、中でも特に奇妙だったのが、誰も実際に手を触れていないのに、チェスの駒から蓄音機の針、石炭の塊に金属製の燭台にいたるまで、ありとあらゆるものがあちこちに投げられることだった。

「運がよければ、面白い晩になりそうだ」サクソンは妻に言った。「メイドの娘がなにかしら関わっているんじゃないかと見当をつけているんだ」

確かに、面白い晩ではあった。メドーフィールド・テラスの客間で、サクソンはクリントンからパーク夫妻とミス・コーネリアスに引き合わされた。サクソンの言葉に従い、パークはこの三週間の間に起こったことを改めて説明し、夫人とミス・コーネリアスがときおり細かいことをつけ加えたり訂正したりした。語られた話はわかりやすく、サクソンは感心した。その上三人とも、取り乱しているような様子はなかった。ただ、自分たちが目の当たりにしてきたものに心中穏やかでないのは明らかだった。ミセス・パークは見るからに疲れ切り、困り果てていた。なのに彼女もミス・コーネリアスも、ユーモアを忘れてはいなかったのだ。

「話を進める前にひとつ、確認しておこうではありませんか」サクソンは言った。「わたしはポルターガイスト現象には詳しくありませんが、この手の話に偏見は持っていません。しかしながら、これが意図的であれ無意識であれ詐欺行為ではないと断じられるまでは、常軌を逸した――超自然的という言葉ではなく、あえてこの言葉を使うのですが――解釈は控えなければなりません。また、詐欺行為という問題を別にしても、これまで目にしてきたことには何らかの形で人の手が加わっている可能性もあります。我々は互いの様子に目を光らせていなければなりません。むしろ、互いを疑ってかかる必要があります。穏やかな暮らしのためには、何だってやらなければ。そうではありませんか、ミセス・パーク?」

全員が同意した。

「使用人たちはどうするんだい?」クリントンが聞いた。

そこはなにも問題はなかった。その夜、メイドは遊びに出かける予定だったし、料理人は友人と過ごすためにすでに暇をもらっていた。

ミス・コーネリアスは、そのふたりの部屋に施錠すべきだと言った。さらに、この中のふたりがすべての部屋を入念に調べて、いたずらをする者が隠れていないか確かめるべきだとも。

「なら、あなたがミスター・クリントンとお行きになるといいわ」ミセス・パークはぎこちなく笑った。「わたしのベッドの下に男が隠れてでもいたら、最悪ですもの」

クリントンとミス・コーネリアスが家の中を見て回っている間、残りの面々は客間で座っていた。サクソンが自分の時計を見た。「ちょうど八時半ですね」するとパークが、「そろそろ、あれこれ活発になってくるころです」と応じた。「ほら! もうラッピング現象が始まってます」まるで誰かが金槌で防振ゴムを叩いているかのような、低くくぐもった音が間違いなくした。だが、その出どころを突き止めるのは無理だった。壁の向こうから聞こえてくるのか、天井からか。クリントンやミス・コーネリアスの足音でないのは確かだ。ふたりが、頭上のどこかの部屋の中を歩き回っている音が響いていたからだ。一、二分後、階段を降りながら話しているそのふたりの声が聞こえてきた。そのとき、凄まじい音がして、ミス・コーネリアスが大きな声をあげた。「今のはなんでしたの?」パークとサクソンは玄関ホールへ走っていった。子どもたちの木馬が階段の下に落ちていた。首が折れている。クリントンはその木馬が、階上にある子ども部屋の前の廊下に置かれていたのを見たと明言した。

その晩のショーは、もう始まっていたのだ。

ショーは多種多様な出し物がふんだんに用意されており、矢継ぎ早に繰り広げられ、次は一体何が起こるのだろうという、緊迫した、しびれるようなわくわく感に満ちていた。サクソンとクリントンは、目にしたものを記録しておこうと取り決めておいたので、ひたすらペンを走らせていた。九時半少し前、一連の騒動がしばし止んだ。

「連中、いつも今ごろになると止めるんですよ」パークがいささかわざとらしい笑い声をあげた。「コーヒーでも飲むかい、メイジー?」

「ダイニングルームをお借りして、ミスター・クリントンと、互いに書いたものを読み返したいのですが構いませんか?」サクソンは聞いた。「さほど長くはお待たせしないと思いますので」

ふたりでとなりのダイニングルームに入ると、クリントンが驚いたことに、友人はドアの錠に鍵を差しこんだ。

「おいおい、一体何の真似だい?」支店長が問いかけた。

「ぼくにはわけのわからないことばかりだな」

サクソンはしばし口を閉ざしていたが、突然いらだたしげにしゃべりだした。「まったく、よくもこんなところへ連れてきてくれたもんだな、クリントン。おかげでとんでもない厄介ごとを引き受ける羽目になったじゃないか。こうなった以上、ぼくたちで何かしら結論をださなきゃならないぞ」

「悪いがさっぱり話についていけないよ」

「じゃあ、聞くぞ。今夜目にしてきたことから、きみは誰を疑う?」

クリントンは困惑し、口を閉ざした。

「パークか?」サクソンが続けた。「彼を疑わしいと思うか?」

「そんな、まさか!」

「ミセス・パーク?」

「とんでもない」

「ならばミス・コーネリアスか?」

「いや、そうは思わないな」

「きみは思わないか。だがぼくはそう思うよ。いいか、今まで目にしてきたもののうち四分の三については、目下ぼくには説明ができない。例えば、どうして揺り椅子が勝手に揺れ続けていたのか、だ。黒い木綿糸を探したが無駄だった。髪の毛でもいいから見つからないかとも思ったんだがね。一方で、石炭の塊が部屋の中を飛んでいったが、あれはまず間違いなくミス・コーネリアスが投げたものだ。あの直前、彼女は石炭入れのそばに立っていた。きみは気づいたかどうか知らんが、彼女は絶えず、テーブルやマントルピースに置いてあるものをいじっていたんだ。彼女の手はまったくじっとしていなかった。まるで、指がかゆいのを必死に我慢しているみたいだった。この目でしかと見たし、断言するにやぶさかでないが、天井に刺さっているあのペンを投げたのは彼女だ。何もかもが胡散臭かった。少なくとも、マントルピースの上にペンが何本も転がっているなんて普通じゃない。この部屋にも一本ある。きみにもいずれわかるだろう。きっとミス・コーネリアスが、頃合いを見計らって使うために置いたんだ。今話していることについて言えば、彼女は後ろ手にペンを持って、親指で巧みにひょいと弾き飛ばしたんだな。練習すれば、ぼくだって同じようにできるとも」

サクソンはマントルピースの上のペンを取ると、自分が説明した通りの動きを繰り返した。

「ほら!」したり顔で叫んだ。「できるって言っただろ。まあ、刺さったのは、狙っていた天井じゃなく、ソファのクッションだったが。しかしぼくが後ろ手にしたのはほんの一瞬だったのは、きみだって認めざるを得まい。だいたい、ぼくがミス・コーネリアスの名前を口にしたとき、きみはきっぱりと否定しなったが、なぜだ? パーク夫妻は疑わしくないと断言したのに」

「確かに、相当な数のものが、彼女のいる方から飛んできたみたいだったな」クリントンはゆっくりと言った。

「今思うと、一、二度、やたらと素早くみんなの関心を引いていたし。『あれはなんですの?』なんて、すかさずびっくりした叫び声をあげるもんだから、みんな、あの人が見てる方を見たんだ。まあ、それで、なんだか少々怪しいなと思ったのさ。それだけだよ」

「自分が書いたものをちょっと見てみたまえ」サクソンは言葉を続けた。「今夜諸々の事象が起こった場所は、階段、このダイニングルーム、それと客間だ。その間我々は、全員でひとところにいたか、ここと客間に何人かでわかれていた。だが、いいか、物音とラッピング現象以外の事象は、ミス・コーネリアスのいるところでしか起こっていないんだぞ」

「じゃあ、きみは——?」

「そう、今まで話した唯一くつがえせない事実、それが原因だろう」

「じゃあ、一体ぼくらはどうしたらいいんだ?」

「ぼくたちとしては、まあ、そうは言っても、実際はぼくだが。きみまで巻きこまれなきゃならないいわれはないからね。となりの部屋へ行って、何もかも包み隠さずに話すしかないな。こんなことはやめさせないと。ミセス・パークが感じているストレスはさておいても、子どもたちのことを考えてやらなければならない。きっとひどく揉めるだろうし、いく晩も眠れぬ夜を過ごす者もいるだろう。だが、恐れずに立ち向かわなければ。牛の角を捕まえるんだ。さあ、行って、けりをつけよう。年老いた女性を殴るようなものだが」サクソンは一呼吸置いてからつけ加えた。「まったく！　クリントン、こんなところになんぞ、連れてこないでもらいたかったよ」

「それで、一連の出来事をどう思われますの？」全員が客間に会したところで、ミス・コーネリアスがにこやかに聞いた。「私たちの不安をすっかり取り除いてくださいますのよね」

サクソンは彼女の顔をまっすぐに見据えた。前髪のつけ毛、しわ、そして挑むような黒い目には、冷酷さが潜んでいた。

「ミセス・パーク」サクソンは口を開いた。「大変心苦しく、申し上げるに忍びないのですが、今夜我々が目にしてきた事象には、ミス・コーネリアスが深く関わっていると信じます。ミス・コーネリアス、洗いざらいしゃべってはもらえませんか。ここだけの話にしますので」

全員が彼女を見ていた。その顔からはすっかり血の気が引いていた。

「メイジー」ミス・コーネリアスは言った。「とんでもない話だわ！　いったいこの人にどんな権利があるっていうのかしら？　今夜、さも友人のように親しく話しかけてきていたと思ったら、突然手のひらを返して私の顔に泥を塗るなんて。それも私が長年親しくしていただいている方たちの前で。この人が何を言っているのか、まるでわからないわ。私、人様を騙したり担いだりしたことなんて、断じてなくてよ。階上で寝ているふたりのお子さんと同じですわ」

「失礼」サクソンが口を挟んだ。「公平を期してみなさんに思い出していただきたいのですが、我々の目的はこの事象の解明であり、個人的な問題は問わないと、一同で確認いたしました。わたしは、みなさんを疑ってかかると申し上げましたし、それは今も変わりません」

「確かに」パークが渋々言った。「だが、なぜミス・コーネリアスを責めるんです？」

「責めてなどいません。こうなったら、はっきり言わせていただきましょう。彼女がペンを投げるのを見たのです。何度も、彼女の手から物が飛んでいくのをこの目でしかと。それに今夜我々が目撃した現象は――目下そのすべてを説明できないことは先に認めなければなりませんが――決まって彼女がいるところで起こっていたのです。もう一言だけよろしいですか。それで終わりにしますから。わたしは、自分が話したり考えたりするときには寛大さを忘れないようにしたいと思っています。ミス・コーネリアスには、わたしたちを騙すつもりはなかったのでしょう。おそらく、ご自分でも意識しないままに奇妙な手先の早業を身につけられたのではないでしょうか。そしてその技を駆使して、周囲の人たちにとてつもなくしびれるわくわく感や不安を味わわせていたのでしょう。まさに今夜のように。さあ、ではこれで失礼させていただきます」

「これで失礼させていただきます、ですって!」ミス・コーネリアスは凄まじい怒りをたっぷりこめて言った。「私を一方的に貶(おとし)めておいて、ご自分はさっさと退散できるおつもりですのね。けれど、よろしいこと、ミスター・サクソン、年長(た)けた者から、まだまだ世の中をご存じないお方への忠告ですわ、あなた、今日のことを生涯後悔なさいますよ。あんなことを言うくらいだったら、この舌がすっかり干からびてしまった方がよかったと祈りたくなる気持ちになられるでしょう」

「唐突すぎたかもしれないな」クリントンと帰路につきながらサクソンは口を開いた。「妻に言われるんだ、気配りがたりないって。だが思ったんだよ、麻酔が効くまで無駄に待っていないで、さっさと深く切るしかないって」

「悪いのはぼくさ。きみを引きずりこんでしまったんだから。パーク夫妻にもだが、きみにも負けず劣らず申し訳なく思ってる。きみは正しいことをしたと思うし、ぼくにはとても、あれ以上のことはできなかったよ」

サクソンが帰宅すると、妻が起きて待っていた。「結局、お化けは本物だったの? さあ、詳しく聞かせてちょうだい」

「明日まで待ってくれないか。さほど楽しい晩でもなかったし、残念ながら、生涯の敵にしてしまった相手がひとりいてね、ミス・コーネリアスさ」

サクソンは翌日、朝食の席で妻にすべてを話した。

「誰が一番気の毒なのかしら。あなたなのか、それともかわいそうな老婦人なのか。南海岸にある寄宿舎の客間に雰囲気を添えている、静かで、当たり障りのない、感じのいいおばあさんたちがいるけれど、ミス・コーネリアスはそういう人じゃないかって、いつも思っていたのに。とにかく、この件はもう心配なさらないで。フリントンへ行って、週末はゆっくりゴルフをしていらしたら? 休暇中に時間を見つけて行くつもりだったんでしょう」

サクソンは何やら意味のない言葉を呟きつつ、そこらじゅうから中途半端な言い訳をかき集めたが、妻には、夫がフリントン行きに心を惹かれたのがわかったので、昼前には夫を見送った。

着いたのは金曜日の午後だった。フリントンは確かにとても楽しかった。ドーミーハウスでは、ことのほか気の合う仲間たちと過ごした。トリニティ・カレッジのマカリスターは、キングス・カレッジの若い生化学者を連れてきたが、彼を相手にサクソンは夜ごと充実した論戦を繰り広げた。おまけに、すこぶる体調もよかった。月曜日、妻から長い手紙が届いた。

親愛なるアルフレッドさん（と、妻は書いていた）、そちらに行らして、絶対によかったでしょ。雲は――比喩よ――晴れつつあります。わたしのしたことをお話ししても、きっと信じてくださらないでしょうね。ライオンの顎ひげを引っ張って、牛の角を捕まえたのよ。つまりね、ミス・コーネリアスに会って、話をしたの。今はまだ、向こう見ずだの、分別がないなんておっしゃらないでね。どうしてそうなったのか、ちゃんと読んでからにしてくださいな。今朝はなんだか教会に行く気がしなくて――新任の、魚の生煮えみたいな副牧師様が説教なさるんですもの――かわりに川沿いを散歩したの。すると、遠くの椅子にミス・コーネリアスが座っていたのよ。寂しげで元気もなさそうだったわ。で、かいつまんで書くと、彼女のところへ行って、こんなことになって残念ですって言ったの。最初は、どう返事をしたらいいのか迷ってたみたいだったけど、すぐに、まあ、話に花が咲いたとまでは言わないにしても、新芽が出るくらいのおしゃべりは始まったのよ。それに彼女、すごく気さくだったわ。あなたに、弁解の余地もないほど失礼な真似をしたけれど、あれは、あなたの見事な挑発にのせられただけだと、きっとあなたにもわかってもらえると思うって。騙そうなんて気持ちはさらさらないし、もし本当に自分がペンを投げたとしても、何も知らなかったそうよ。彼女、一連の現象はポルターガイスト――で、よかったかしら――の仕業だっていまだに信じてる上に、何よりすごいのが、ああいったことは、人に影響を与えやすいから、自覚はないけど、彼女も影響を受けてるかもしれないんですって。パークご夫妻は、もう気にしてないみたいだし、ミス・コーネリアスのお宅も、外壁の塗装は別にしてほぼ改装が終わったから、戻ったほうがいいって双方で――双方って使い方、これであってるかしら、学者先生？――決めたらしいわ。だから彼女はもう自宅に戻ってます。それじゃあ。

追伸もあった。

火曜日まではそちらで、ゴルフや運動を満喫していらしてね。実を言うと、火曜日までは帰ってこられると困るのよ。書斎の大掃除をするつもりなんですもの。本当はイースターにすべきだったんだけど。あなたの書類、片づけておくわね。

「モリーはさすがだな」サクソンは、妻を愛おしく、誇らしく思った。「夫の悩みを知らないうちに解決してくれて、文句ひとつ言わないとは」

水曜日、休暇を満喫して帰宅したサクソンは、先週の出来事が不思議なほど昔に思えた。それどころか、今後自分とミス・コーネリアスとの関係がどうなるかはさておき、自分がやりあったその相手と、妻は改めて親しくなっていたのだった。

「ライオンの顎ひげを引っ張ったって、手紙に書いたでしょ。でもそれだけじゃないのよ」モリーは言った。「あれからね、ライオンと、ううん、メスのライオンと、巣穴にも入ってるの。ものすごく素敵な趣（おもむき）のある家なのよ、アンドルー。コーンフォードにあんな場所があるなんて知らなかったわ。どこにしまったかしら。ミス・コーネリアスが写真をくれたの。どこにしまったかしら。あれを見たら、あなたもきっとあんな家が欲しくてたまらなくなるわよ。『カントリー・ライフ』の売家広告の写真みたいなんだから」

翌週は何事もなく過ぎた。一度、サクソンが外出中の午後、ミス・コーネリアスが妻に新品の立体カメラを見せに来た。この老婦人はなぜだかやたらと熱心に写真を撮っていて――サクソンはすでに、南海岸にある寄宿舎云々といった、モリーの抱いていた老婦人に対するイメージは修正していた――サクソン宅の写真を撮ってあげましょうかと言ってきたのだった。ミセス・サクソンはこの申し出に飛びついた。自宅を背景に、自分の元気な様子も一緒に写してもらえば、ニュージーランドにいる妹に送るのにちょうどいいと思ったのだ。

写真はどれも素晴らしい出来栄えだった。

「ねえ、アルフレッドさん、あなたの結婚相手が女優さんだったらよかったわね」モリーは言った。「そうしたら、この写真にちょっとコメントを添えてもらうだけで、十分な収入になったわよ。庭にいるわたしだったら――

そうね、お花が大好きなの、とか。書斎にいる写真は――本なしにはどうしていいかわからないわ。キッチンの写真は――いつもオムレツは自分でつくるの。寝室にいるところは――そうだわ、あの古い鏡はスペインで買ったの、って感じかしら」

「まったく、よくもまあそう次から次へとくだらない話を思いつくもんだな」

ミス・コーネリアスは、自宅内を撮った写真も何枚か同封してきた。誰が見ても素人が撮ったとは思えないものばかりで、立体カメラを通したそれには重量感や奥行きが感じられ、ミセス・サクソン曰く「まるで本当に部屋の中にいるみたい」だった。

やがて、一週間にわたって蒸し暑さと雷鳴に見舞われ、もう八月も終わろうというころになって、奇妙でわけのわからないことが起き始めた。おかげで小さな家の中は、それまでまったく無縁だった緊張感に包まれた。最初、トーストラックが階段の最上段にあるのを見たときは、ふたりして声をあげて笑った。それからある晩は、モリーの寝室のスリッパが、部屋の奥にある、火の入っていない暖炉まで移動し、火格子の中にきちんと揃って並んでいた。枕の下に置いたサクソンのパジャマが消え、さんざん探したあげく、クローゼットの一番上に、くしゃくしゃの状態で置いてあったことも。書斎の書類は散乱した。ある朝などは、モリーが編んでいたセーターが石炭入れに入っていた。しかも糸はほどけ、テーブルや椅子の脚にきつく絡まっていて、容易にはずせなかった。いったいどうなっているのか、ふたりにはさっぱりわからなかった。

「なんだか」モリーがつくり笑いを浮かべた。「ミス・コーネリアスに対する判断を早まったぞって、幽霊たちがわからせようとしてるみたいね」

「馬鹿なことを言うな」サクソンはきつい口調で応じた。「あの女が女中たちを抱きこんでいるっていうほうがはるかにあり得る話だ。いいかね、さしあたっては油断しないように。それと、この件は誰にも言わないこと」

だが実はサクソン自身がひどく動揺していた。超自然的なことに偏見を持っていないと公言していながら、冷たく、不愉快極まりないこの疑惑の隙間風に対する心の準備がほとんどできていなかったのだ。気づけばミス・コーネリアスのことを、そして彼女が爆発させた、あの悪意に満ちた憎しみのことを考えていた。それもうんざりするほど頻繁に。もしもあの女が――。いや、まっとうな説明ができないはずがない。そうやって、その週はのろのろと過ぎていった。

日曜日の朝だった。朝食を終えてサクソンが席を立ち、窓の外を眺めて不意に振り返ると、妻がパン切り用ナイフの柄を弄んでいた。次の瞬間、ナイフはさっと宙を飛び、マントルピースの上にあった花瓶に命中した。

「アンドルー！」妻が叫んだ。「ナイフはどこから飛んできたの？　ああ、もう耐えられないわ。アンドルー、わたしに刺さっていたかもしれないのよ。嫌よ！　もう嫌！」

彼は妻のもとに駆け寄り、抱きしめた。「モリー、大丈夫だ。心配しなくていい。とにかく落ち着こう。動揺しちゃダメだ。さあ、庭へ行こう。あそこなら、もっとちゃんと話ができるから」

サクソンは、自分で自分が何を言っているのかよくわからないほどだった。妻を哀れむあまり心が千々に乱れていたからだ。求めていたのはまっとうな説明だ。それがよもやこんな恐ろしいことになろうとは想像だにしていなかった。だが今、すべてが明らかになった。自分はあの晩パーク家であったことを、微に入り細をうがって説明しすぎた。それでモリーはすっかりその話に魅入られてしまったのだろう――ミス・コーネリアスの怪しさにも――そしてついに、気づかぬうちにモリー自身が欺瞞や策略というこの恥ずべき欲望に取り憑かれ、その愚かな思いを実行に移し、恐怖に変えてしまったのだ。こうした考えが、意識と無意識のはざまで押し合う中、それでも彼は必死に妻を安心させようとした。

「ぼくらはこの問題を気にしすぎていたんだ。どうだい、先週までのことは忘れて、新しいことを始めようじゃないか。弁当を持って、ピクニックに行くんだ」

「アルフレッドさんがそう言うときは、かなり深刻なのよね」モリーは元気なく笑った。

「笑えるなら大丈夫だ。弁当には、好きなものを全部詰めればいい。涼しい森の中で、ひんやりした石に座って、イワシのサンドイッチを食べよう。それから、毎日お茶か夕食のときに誰かを招待するんだ。ついでにぼくは、映画を見に行くぞ」

モリーは夫にキスをした。「あなたの言う通りね。じゃあ、今度はわたしの番よ。このことを誰にも話さなかったのは間違いだったと思うの。きっと、溜めこみすぎたのね。お互い、誰かに打ち明けるべきなのよ。それでね、あなたはあまり社交的とは言い難い科学者さんだから、あなたが秘密を打ち明けられる人は、わたしに選ばせてもらいたいんだけど」

「ミス・コーネリアスと牧師たちは願い下げだぞ」

「ええ。ドクター・ラトレルよ。明日のお茶にお誘いするわ。あなたはドクターに好感を持っているでしょ。それにすっかりご無沙汰しているけれど、二年前の冬のご恩は決して忘れられないもの」

「わかった」しばし間を置いてからサクソンは言った。「いいだろう。じゃあ、今度はきみの相手だ。教区牧師はダメだし、ミセス・ソーンダーソンは問題外だし。そうだ！　ぴったりの相手がいるぞ。一石二鳥の人物が。きみのいとこのアリスだ。二、三日泊まりに来てくれるよう手紙を書きたまえ。アリスも遊びに来たいと言っていたからね」

　モリーの顔が明るくなった。

「きっと来てくれるわ。あなたは宣教師がお好きじゃないけど、彼女は医療宣教師だし、とてもウマが合うわよ。手紙は今日書くわ」

　妻の言葉に耳を傾け、その声にいつもの陽気な響きが戻ってきたのを感じながら、気づけばサクソンは悶々としていた。さっきのことは、ぼくの見間違いだったんじゃないだろうか。勘違いだった、そう信じることさえできれば！　ぼくの目の調子が悪かった、そう納得さえできれば！　ドクターが来たら、視力を検査してもらおう。

　モリーはその日の午後、短い手紙を携えてドクターのところへ立ち寄った。ドクターは翌日、招待の時間に少々遅れてやってきた。サクソンは実験室で仕事をしており、母屋に戻ると、ラトレルがモリーと客間で話をしていた。お茶が終わるとすぐにサクソンは、先刻ラトレルと会話をしていた妻がかなり無理をして明るく振舞っていたように見えたことを思い出し、ラトレルを、実験棟にある書斎へ誘った。そこなら、ふたりきりで話もできるしタバコも吸えると言って。

「それじゃあ、三十分したら声をかけるわね。ドクター・ラトレルが、帰られる前にわたしのロック・ガーデンを見て、いろいろ教えてくださるって約束してくださったから」

　その三十分の間、アンドルーはひたすらしゃべった。ラトレルはときどき質問を挟んでくるだけで、申し分のない聞き手だった。アンドルーの目も診てくれた。

「ぼくの視力がすっかり落ちていて、この視覚は信用できない、そう言ってくれれば、ああ、きみ、耐え難い不安が取り除けるんだが」

「確かに」診察を終えてラトレルは言った。「正常な視力、というわけではないがね」

「じゃあ、このまるっきりわけのわからない出来事をどう考える？　今話したのは、嘘偽りのない、ありのままの事実だし、知ってるだろう、ぼくは想像を好むわけでもなければ、大げさに話すきらいもない。科学的に考えるのが専門なんだから」

ラトレルは考えこみ、長い人差し指で痩せた頬をこすった。

「今の話から言えることはふたつだな。まず、ぼくがどう思うかだが、今のところは答えかねる。きみが説明してくれた現象を、この目で見られたらよかったんだが。次に、それよりももっと重要なのは、まさに当面の、ミセス・サクソンについての問題だ。きみは当然ながら奥さんのことを心配している。そこでだ、信頼に足る人物に来てもらったほうがいいだろう。看護婦はダメだ。それは少しも勧めない。明るくて、気の合う人がいい」

サクソンは、妻のいとこの医療宣教師ミス・ホーダンにすでに手紙を送り、招いていると話した。

「実に結構！　この大変なときに、一緒にいてもらうには申し分のない人だ。来たら、ぜひとも話をしたいな」

ミセス・サクソンが入ってきたので、ふたりの会話には終止符が打たれ、ラトレルは、帰る前に庭を見なければならないことを思い出した。

「ついでに、『実験室』の新しい機器も見ないか。ちょうど前を通るし。せいぜい二、三分だから」

だが、実際はかなり時間が延びた。アンドルーが、心にかかった黒雲の存在を半ば忘れるほど夢中で新しい機器の素晴らしさを長々としゃべっていたためだ。彼が、かなり複雑な装置の説明に励んでいたときだった、何かが落ちる音、そしてガラスの割れる音がし、皆がびっくりした。

「いや、実に申し訳ない」ラトレルが言った。「ぼくの不注意だ、お詫びの言葉もない。体の向きを変えようとしたときにぶつかって、作業台から落としてしまったんだ」

「リチャード」叫んだサクソンの声は妙に上ずっていた。「今やっている仕事はいいから、すぐに来て、この散らかったものを片してくれ。硫酸の入った瓶が、床に落ちて割れたんだ。モリー、きみはここから出るんだ。ドクターもぼくも、後からすぐに行く。リチャードのやつがやるべきことをわかっているか、確かめたいだけだから」

モリーが出ていくと、サクソンは言った。「ラトレル、ごまかしてくれたんだな。まさに紳士だ。だが、あの硫酸を投げたのはモリーだ。きみの位置からは見えなかっただろうが、ぼくには見えた。瓶はそこにあったんだから」彼が指差したのは、ふたりが立っていた作業台の奥にある、棚のぽっかりと空いた場所だった。「ぼくらでモリーをここから遠ざけないと、ラトレル。ぜひそうしてやってくれ。さもないとぼくが正気を失う」

「思った以上に深刻だな。奥さんは二、三日、実家の母上のもとへ帰れるか?」

「ああ、だが義母はロンドンに住んでいるし――愛情深いが心配性で、いざというときに力になってくれそうな人じゃない」

「構わないとも。奥さんにとっては実の母上なんだから。出発は今夜で。ここを離れれば奥さんは大丈夫だ。確実に保証する。今は説明を控えるが、絶対に間違いないとも。奥さんはすぐに支度ができるだろうから、駅まで送って、六時二十分の汽車に乗せよう。いや、ぼくがきみなら、奥さんと一緒には行かないな。奥さんを不安にさせるだけだから。奥さんの母上に打つ電報の文面を考えろ。帰りがけに打ってこよう。またここに戻ってくるから。よく効く睡眠薬を持ってくるよ。きみはもうじゅうぶん頑張ったからな。奥さんのことは任せろ。いいか、奥さんは、いとこの宣教師が泊まりに来られるようになったらすぐに戻るから」

「ラトレル、真の友人だ」サクソンは感動した。「どうすれば――」

「とんでもない! ぼくがきみの状況にあれば、きみだって同じことをしてくれるさ。大したことじゃない。すべて、奥さんとぼくに任せろ」

その晩サクソンは、ほっとしながら床についた。いろいろなことがあったが、絶対的に信頼できる相手が万事取り仕切ってくれた上に、自分のためにあれこれと賢明な決断もしてくれたとは。彼はもらった睡眠薬を飲んだ。おかげで、波乱に富んだその日の記憶を、優しい忘却の霧がかき消してくれるのを長々と待つこともなかった。


ミセス・サクソンが家を空けてから一週間近くがたった。ほぼ毎日、楽しげな長文の手紙が届いたが、アンドルーが同じような心持ちで返事を書けたのは、半分ほどにすぎなかった。昼間は実験室にこもり、大幅に遅れた研究の仕上げに没頭してみた。だが夜には、どうにも集中ができなくなり、何時間もぶっ続けで庭を歩いた。体を疲れさせて、願わくは疲れた心も休めたかったからだ。彼は、あの運命を決した夜のことを思い返してぞっとした。ミス・コーネリアスと出会いさえしなければ! 彼女の人生を横切りさえしなければ! パーク家を訪ねて以来、彼女を見かけてはいなかった。ただある日の午後、留守中に彼女が訪ねてきて、名刺を置いていった。彼女はモリーと親しくなろうとしているんだ、と思うと嫌でたまらなかったが、あからさまに仲を引き裂くような真似をするのも気が引けたので、妻は家を空けており、いつ戻るか不明とぞんざいな手紙を書くことでよしとした。

モリーの不在中、サクソンはさんざん考えてから、思い切ってある行動に出た。オックスフォード時代の知り合いで、今はラドルバーン精神病院の副院長を務めているベストウィックに手紙を書き、モリーが精神分析を受けるべきか意見を求めたのだ。返事には――彼はその手紙を自分の机の引き出しにしまって施錠した――もっと詳しく知りたいので、夫妻の地元の医者から連絡をもらいたいとあった。

モリーが戻ったその日に、アリス・ホーダンも到着した。五十歳くらいで、笑うと魅力的だが、悲しげな顔をした女性だ、というのが、モリーのいとこに対するサクソンの第一印象だった。アリスは口数も少なく控えめだったが、彼女がいてくれると、サクソンもモリーも、長い間忘れていた穏やかな気持ちになれた。

ラトレルが居合わせたときの実験室での出来事以来、露骨に不安を煽られるようなこともなく、ようやく悪夢から目覚められそうだとサクソンが思った矢先、またしてもミス・コーネリアスが訪ねてきて、一時間ほどモリーとふたりきりで過ごしていった。

そのことをサクソンが問うと、モリーは言った。「お招きしたわけじゃないし、来てほしくもなかったわ。だけど、そんなこと面と向かって言えないでしょ。最低限の礼儀はわきまえなくちゃ」

「わざわざ毒ヘビをなでなくていい」サクソンは躍起になり、声を荒げた。「ぼくらが煩わされてるのは、全部あの女のせいなんだぞ。もうつき合いは願い下げだと手紙を書いてやるんだな」

「そんなこと、できるわけないでしょ、アンドルー。どうしてそんなにわけのわからないことを言うの？　誰より気の毒な方なのよ。でも、お願いだから、こんなことで言い争うのはやめましょう。無意味だわ」

確かにふたりは、口論もままならないほど疲れていた。というより、口論のあとの和解に至るまでの大変な思いに耐えられないほど疲れていたのだった。だがサクソンは意を決した。翌日の午後、モリーには何も告げずにミス・コーネリアスを訪ねたのだ。

「きっとお見えになるだろうと思っておりましたよ、ミスター・サクソン」客間に通されたサクソンに彼女は言った。「どうぞお座りになってくださいな」

「申し訳ないが――」サクソンが口を開いた。

ミス・コーネリアスは笑った。

「よおくわかっておりますわ。とてつもなく恐ろしいんですわよね、私のことが。失礼、話の腰を折ってしまいましたわね」

「お邪魔したのは、申し上げたいことがあったからで――」

「奥様とのつき合いをやめてくれ、ということでしょう。それがご用向きですわね? 失礼ですけれど、なぜ私があなたのご要望に重きを置かなければなりませんのかしら?」

サクソンは返答に窮し、しばし口ごもった。

「あなたがお困りなのは、そして不安でいらっしゃるところもおありなのは、私のことをどう考えたらいいのかおわかりにならないからでしょう。二週間前までの私は、寄宿舎に雰囲気を添えているような、周囲をあっと言わせることをしたくてうずうずしているかわいそうな老人でしたわね。ところが今は、その考えにまるっきり自信が持てなくなっていらっしゃる。ですけど、元気をお出しなさいな、ミスター・サクソン。私たちが暮らしているのは、まともな世の中なんですよ。私が魔女だなんて思う必要は微塵もないんです。たいていのことはテレパシーで説明がつくでしょうし、最近あなたを悩ませているいろいろなことも、それで説明ができてしまうと思いますよ。そういった諸々にきちんと納得がいけば、悩みも消えて、さぞかしほっとできるでしょうねえ。まあ、私なら、誰か精神分析医に手紙を書いて、奥様の治療をお願いしますけど。ラドルバーン精神病院には、この手のことを専門にしている方がいらっしゃると思いますよ」

彼女を見つめるサクソンの目は怯えていた。

「そうね、あなたはひどくうろたえていらっしゃるに違いありませんわね。お気持ち、よおくわかりましてよ。恐ろしい板挟みですものね。私が、ミスター・サクソン、あなたのお考えを読み取り、お宅であったことを知っているのは、私にとてつもなく不気味な力があるからなのか、それとも、あなたの善良でかわいらしい奥様があなたを欺いて、あの机の引き出しをあさり、例の手紙を読んで、その内容をあなたの敵に漏らしたのか。頭の中が真っ白になりそうなのも当然ですわねえ。

「しかもその板挟みの状況は、私がお察しする以上に酷いと思いますわ。なぜって、あなたが勇気をお出しになって、施錠しておいた引き出しをこじ開けたのかとミセス・サクソンにお聞きになったとしても、そして奥様が憤然として、そんなことはしないときっぱりおっしゃられたとしても、この二週間で起こったことをお考え合わせになれば、奥様は決して嘘などついていらっしゃらないと無条件にお信じになることなど、どうしたっておできになりませんものねえ」

ミス・コーネリアスは突然、声をあげて笑い出した。

「一体何が言いたいんだ?」サクソンは逆上して叫んだ。

ミス・コーネリアスはベルを鳴らした。

「チャルマーズ」そして女中に告げた。「ミスター・サクソンをお送りして。それとね、また訪ねていらしたら、私は留守だと伝えてちょうだい」


この訪問について、サクソンは妻に一言も話さなかった。妻の目ににじむ疲労の色や、無理やり笑みを浮かべて明るく振舞っている姿に心が乱れた。彼女はもう、耐えきれなくなっていた。だが翌晩、モリーが床についてしまってから、サクソンはアリス・ホーダンと腰を据えて話をした。その晩は肌寒く、書斎でおこしておいた火は、胸の内を打ち明けるよう促していた。ミス・ホーダンは、編み物も刺繍もしなかったが、紙巻きタバコか何かあれば、と言って誘いに応じてくれたのだった。

「これは失礼」サクソンはにこやかに詫びた。「医療宣教師の女性がタバコをたしなむとは思ってもみなかったものですから」

「おっしゃるとおりね、アンドルー。だけどわたしは、何にも増して女なの。次が医者。宣教師は三番目。しかもこの三番目は、目下休暇中だってことを忘れないで。悩みがあるみたいね。でも、モリーのことじゃないでしょ? さしあたって、あの子のことで悩むような理由はなさそうだもの。話してごらんなさいな」

そこでサクソンはすべてを語った。その間妻のいとこはタバコの青い煙越しに、思慮深く優しい眼差しで彼を見つめていた。

「だから、おわかりでしょう、気にするなと言われても無理なんです」一通り話し終えると彼は言った。「こんな腹黒い憎しみを抱いたうえ、それを相手の大事な人間を使ってぶつけてくるなんて、まるで悪魔だ。誰だって気が変になる」

「確かに。でも、ミス・コーネリアスがあなたの考えているような人――」

「あの女のことなんか、恐ろしくて考えたくもない」サクソンはうめいた。話の腰を折られたが、アリス・ホーダンは気にも留めなかった。

「確かにあなたは、彼女の邪悪な憎悪にハメられて、いいように操られているだけだわね」

「宣教師の言葉とは思えませんよ」苦々しげな口調だった。

「ええ、わたしの言葉だもの。誰かを嫌うには、その人のことを四六時中考えていなくちゃならない。だから憎しみは、愛みたいなものね。よく言うでしょ、水に流せって。恨みを忘れて許せってこと。だけどそれって、馬の前に荷車をつなぐようなもので、順序が逆だわ。ちゃんと許さなきゃ、忘れられない。心から安らぎたいなら、ミス・コーネリアスのことは忘れなきゃならない。そのためには、彼女を許さないとね」

「口じゃなんとでも言える。ぼくは、あの女がしたことも、していることも知っているんだ。なのにどうやって？　しかも、ぼくにあの女を許すどんな権利があるんです？　ぼくよりモリーのほうがはるかに傷つけられているのに」

「さあ、どうかしら。ともかくやってみることね。だけど、忘れないで。モリーに、引き出しを開けて手紙を読んだか聞いたとして、あの子がノーと言ったら、信じること。ミス・コーネリアスだって、モリーに嘘をつかせることはできない。そこまで意のままにはできないもの」

　時計が十一時を打ち、ふたりは寝室へ行こうと腰を上げた。揃って階段をのぼっていったが、サクソンは窓を閉めようと、しばし踊り場で足を止めた。

「大変だ！」大声をあげた。「あの女が庭にいる。イチイの木の陰から家を見上げてる」

　ミス・ホーダンが駆け寄ってきた。

「どこ？　見当たらないけど」

「もういない。だが、つい今し方までそこにいたんだ。顔を見たんだ」

「来て。庭に降りてみましょう。ミス・コーネリアスが本当にいるなら、警察沙汰よ」

　ふたりは庭を探したが、徒労に終わった。

「幻を見たのかも」サクソンはうんざりして言った。「いまいましい幻だったんだ」だが考え直して言い足した。「もっともあれが、憎しみの持つ、人を引きつける力のなせる技なら話は別だ」

　サクソンはその後もう一度だけミス・コーネリアスを見かけたが、それを最後に、昼は苦悩し、夜は絶望する日々から解放された。彼女が自動車事故で命を落としたからだった。サクソンがドクター・ラトレルに頼んでベストウィックに手紙を書いてもらったところ、モリーとの面談の日にちを告げる返事が来た。ラトレル自身はサクソン夫妻に同行できなかったが、車を貸してくれたし、ミス・ホーダンが同乗してくれた。彼女が気を利かせて助手席に座ってくれたことがありがたかった。彼が見たところモリーはふさぎこんでいて、せっかく一緒に来てくれるいとこに田園風景を説明するような気分ではなさそうだったからだ。サクソンは、モリーの気持ちが明るくなるよう精一杯のことをした。ベストウィックと腹を割って話をすれば、きみもぼくもまっとうに物事を考えられるようになるかもしれないと説明し、彼は穏やかな男だから何も心配はいらないと安心させた。

目的地が近づくと、サクソンはモリーが泣いているのに気づいた。

「アンドルー、大好きなアルフレッドさん、わたしを信じてくださるわよね? あなたを騙したとか、手段を選ばずに苦しめたり傷つけたりしただなんて絶対に思わないでね。約束して」

「信じているに決まっているじゃないか。心の底から信じているし、これからもずっとそうだよ」

「それからね、ドクター・ベストウィックと話をするときは、アリスにも同席してもらいたいの。構わないでしょ? ほら、アリスはわたしの聴罪司祭だし、全部知っているから」

「ぜひそうするといい。ぼくはきみのいとこ殿をとても信頼しているからね」

そんなわけで、一行がベストウィックと会ってそれぞれに握手を交わすと、ドクターは、診察の前にお話を伺いましょうと言って、女性ふたりを自分の書斎へ案内し、サクソンはひとり、かなり薄暗い待合室に残された。十分後、戻ってきたのはドクターだけだった。

「さてと、今度は一連の出来事について、きみの意見を最初から聞かせてもらいたいな。急がなくて大丈夫。きみのペースでいいから。ただし、すべてを話してくれたまえ。どんなに取るに足りないと思うようなことも、全部だ」

アンドルーが話し終えると、ベストウィックは言った。

「サクソン、ぼくがこれから言うことに、きみはひどくショックを受けるんじゃないかと思う。だが、ひとつ、安心できることがある。きみにとってはきっと、それが何より大事だろう。奥さんには、なんの問題もない。診察しなくて大丈夫だよ、奥さんは」

最後の言葉がわずかに強調されたことで、サクソンはどきりとした。「どういう意味だ?」

「きみは、ものすごく不安を掻き立てられる経験をしてきた。しかも、仕事が一番大変な時期で、精も根も尽き果てていた。だから、ミス・コーネリアスと初めて会ったときのことや、そのあと経験したこと全部が相まって、一時的に心のバランスを崩してしまったんだ。奥さんの無事を気にかけるのは当然だが、その心配も、事態を悪化させた」

「それは――つまり」サクソンはゆっくりと言った。「ぼくが狂ってるってことか」

「その言葉には、いろいろな意味がある。だが、パン切り用ナイフを投げたり、ラトレルが目撃したという硫酸を投げたきみは、いつものきみじゃなかった。踊り場の窓からミス・コーネリアスを見たと言ったときもそうだ。そしてね、いいかい、サクソン、きみの友人たちはみんな、きみのためを思ってごまかしてくれていたのかもしれない。だがぼくは今、嘘偽りなく本当のことを話している。きみがよくならないわけがないとも。ここにいるのも、比較的短期間でいいだろう。ただし、完全に回復するまでは――わかるだろう、ぼくは今、昔のきみを前にしているつもりで話しているんだよ。だからきみも、絶対に希望を持たなくちゃダメだ――ぼくらは奥さんが危険な目にあわないように考えなくちゃならない。これまで奥さんがしてきたことは、たいていの女性にはまずできないことだ。奥さんは、勇気と献身的な愛情で、危険や誤解に立ち向かったんだからね。ぼくが奥さんを説得したんだ、このまま黙って帰るのが、奥さんにとってもきみにとっても一番いいって。二、三週間後にはまた会いにきてくれるだろう、きっと」

「だが、ミス・コーネリアスは」サクソンはあえぎながら言った。「ミス・コーネリアス！　あの女はどうなんだ？」

「ミス・コーネリアスは、本当にタチの悪い、ひどい女だ。そもそものきみの見る目は正しかったんだと思う。その女はたぶん心霊術をかじってたんだな、それと常軌を逸した力が相まって、自覚もないまま人を騙したり、奇妙な手先の早業を駆使するのが習慣になっていたんだろう。本物を謳っている霊媒師の多くが、まったくもって信用できないからね。だがミス・コーネリアスは、きみの問題を明らかにするきっかけであって、原因ではないんだ」

「じゃあ、彼女はあそこで何をしてるんだ？」サクソンが不意に大声をあげた。すでにさっと席を立ち、やみくもに窓の外を指差していた。「ほら、向こうへ走っていくあの箱型自動車だ！　早く！　あの女が窓を下げて、ぼくに手を振ってる」

　ベストウィックは一台の車と、その中から振られている手をちらりと見た。

「ミス・コーネリアスかどうかわからないな」彼は言った。「さあ、行こう。病室へ案内するよ」

アリ・アスター監督が好きなのは君、そう、そこにいる君だよ

斜線堂有紀

『ミッドサマー』（二〇一九）を作ったアリ・アスター監督は人間が好きである。『ミッドサマー』公開時に「みんなが不安になるといいな」と、笑顔でコメントしているのを見て、噛みしめるようにそう思った。そうじゃなきゃ、『ミッドサマー』も『ヘレディタリー　継承』（二〇一八）も作ったりしなかっただろう。今回は『ミッドサマー』と比較して語られるロビン・ハーディ監督『ウイッカーマン』（一九七三）の話を交えながら、そういう話をしたい。『ミッドサマー』は、いわゆるカルトホラー映画、あるいは村ホラー映画に分類される映画だ。アメリカの大学生達がスウェーデンにある共同体ホルガ村に訪れたことで、夏至祭の人身御供に選ばれることとなるまでを描いた物語である。

　明るく楽しい夏至祭と穏やかなホルガ村の住人達は、最初は主人公・ダニー達を幸せに導いてくれる。だが、ホルガ村の住人達との価値観の断絶が徐々に露わになっていくにつれ、彼らはその断絶の谷に足を取られていくようになる。そうして気づけば、未曾有の危機に陥ってしまう。今までは全くその素振りも見せなかった恐怖が、じわじわと忍び寄っていく様は何とも言えない。カルトホラー映画の中でもトップクラスの恐ろしさだろう。

　だが、一方で『ミッドサマー』はホラー映画とも言い切れない独自の立ち位置を持った映画である。冒頭で『ミッドサマー』をカルトホラー映画（あるいは村ホラー映画）と言ってしまった手前言いづらくはあるのだが、当のアリ・アスター監督もジャンルを重要なものとは考えていない。むしろ、ジャンルに当てはめられることで、映画における〝混乱〟が無くなることに懸念を示しているくらいだ。

　『ミッドサマー』公開時のインタビューにて「ただ、僕はそういう映画（テーマがはっきりとしていて何か）って、何も残らないとも感じていて。期待していた通りのものを手に入れると、すーっといつもの生活

に戻れちゃうので、特に振り返って考えることもなくなってしまう。僕は、人に取り憑いてなかなか離れないような、簡単には解決できない映画をつくるというアイディアが好きなんです」と語っている。これはある意味で、異化効果にこだわっているということではないだろうか。
『ミッドサマー』は、終始色鮮やかな色彩の画で、ホラー映画にあるまじき雰囲気を醸し出すことに成功している。ホルガに暮らす人々の何とも言えぬ俗っぽさもユーモラスで、中盤なんかは特に相容れぬ文化を前にした恐ろしさと、この親しみやすさの緩急が素晴らしい。

『ミッドサマー』米版ポスター

　また『ヘレディタリー　継承』では、恐怖が最高潮になるクライマックスで、本当にささやかな面白い画や描写を入れてくる。これによって、『ヘレディタリー　継承』はただの恐怖映画ではなく、独特な余韻を与えるものになっている。母親がツリーハウスの入口に引っかかるシーンを観せられた時のあの気持ちよ。初めて見た時は「あ、物理……」という謎の感想を抱いてしまった。

　けれど、考えてみればこの二つの映画が単なるホラー映画であるはずがないのである。何故なら、主人公達の中では恐怖の対象であるものが、ペイモンを信仰する教団の信徒達やホルガ村の人々にとっては恐怖でもなんでもない日常だからである。確かに儀式や祝祭といった特別な場ではあるが、あくまで彼らにとっては日常の延長線上なのだ。その感じ方の違いが、これらの映画の異化効果に繋がっているのではないだろうか。『ヘレディタリー　継承』のラストも、彼らにとっては大願成就のお祭り騒ぎだし、『ミッドサマー』も、無事に終わった良い祝祭であった、なのである。メイクイーンとなったダニーがホルガ村の人々と溶け合うことも、両面性を示すものなのかもしれない。ダニー達もホルガ村の人々も、隔てられし一線さえあるものの、同じ人間なのだ。

　一方で『ウィッカーマン』では、主人公のハウイーが同じように閉鎖的な集落・サマーアイルで五月祭の人身御供に捧げられるまでが描かれている。ハウイーは柳の枝でできた人型の像「ウィッカーマン」の中に入れられ、生きたまま火に掛けられることとなった。彼は敬虔なキリスト教徒であり、カルトを信仰するサマーアイルの人々は徹底的に異物として描かれる。あるいは、サマーアイルの人々にとってはハウイーがサマーアイルを見下す姿こそが傲慢な異教徒だ。そこに溶けあう可能性はない。『ミッドサマー』と『ウィッカーマン』の大きな違いはそこにあるのだと思う。

　だが、この二作品には祝祭をテーマにし、人身御供を描いたカルトホラー映画という以外にも大きな共通点がある。それは、不条理において人間が能動的に選択を行う映画でもあるのだ。ホルガ村のメイクイーンに選ばれたダニーは、最後の場面で生贄に村の若者であるトービヨンを選ぶか、恋人のクリスティアンを選ぶかの選択を迫られる。そして、自らの意思で恋人に引導を渡すのだ。ここには、単に村の理不尽に振り回される異邦人ではなく、ホルガ村の女王としてのダニーがいる。

　『ウィッカーマン』のハウイーはダニーのように選ぶ立場になれるわけではなく、騙し討ちのような形で生贄に捧げられる、いわばクリスチャンの役割を担わされているようにも見える。だが、クリスチャンは死の恐怖に怯えながらも、燃えるウィッカーマンの中でキリスト教の詩篇二十三篇を唱える。ハウイーは最後までサマーアイルに馴染めない異教の人間であるが、これを唱える自由だけは失わない。

　サマーアイルの人々がウィッカーマンで焼く生贄を求めるのは、昨年に不作があったからであり、ハウイーは豊作の為の捧げ物だ。つまり、ハウイーの死はサマーアイルを救う為のものなのである。異教の徒ハウイーは、彼の信仰するキリストのように人々の幸福の為に自己犠牲を行う存在に——死の間際まで信仰を失わないことで、なれるのである。この点において、私はハウイーもまた選んだ側の人間であるのだと思う。憐れにも焼き殺されるただの被害者ではなく、ハウイーは自ら信仰するものに拠った存在になることが出来たのである。

　というわけで、私の中でこの二作品は共に人間の選択の物語であると考えている。大きな波の中で、人間がどう漣(さざなみ)を立てるか、という映画なのだ。その結果ダニーは狂気に堕ち、ハウイーは殉教者となってしまったが、それはそれで一つの結実だ。選択して溶け合うことを決めたダニーの物語と、選択して異教徒としての在り方を貫き、最後まで溶け合わなかったハウイーの物語では、構成要素が似てはいるものの、まるで正反対の結末に至った映画である。その点が、この二作品を見比べる面白さあのではないだろうか。

『ウィッカーマン』に影響を受け『ミッドサマー』を作ったアリ・アスター監督は、人間が大好きなのだな、としみじみと思う。二作品に共通する構成要素は――人間関係の妙も共同体の働きも、人間の選択も、アリ・アスター監督が全て好きなものなのだろう。だから、それをふんだんに詰め込んだ作品を作る。アリ・アスター監督作品には何とも言えないおかしさと、それをつついて笑うシュールさがある。どの作品にも、アリ・アスター節とでもいうような奇妙なユーモアが差し挟まれているのが特徴だ。

アリ・アスター監督のホラーショートフィルムには、実の息子からの性的暴行に悩む父親を描いた『The Strange Thing About the Johnsons』や自分の性器がどんどん小さくなっていく男の恐怖を描いた『The Turtle's Head』などがあるが、この二つは両方とも恐ろしい事態を描きながらも、何となく恐怖一辺倒では割り切れない描写があるのだ。笑えない状況だからこそ、おかしく。笑ってはいけないことだからこそ、面白く。そういう哲学がアリ・アスター作品にはある。『C'est La Vie』（二〇一六）では、ホームレスが韻を踏みつつこちらに語りかけてくる背景で、淡々と凄惨な暴力と犯罪が描かれる。

この面白さと恐怖の境目にある作風だからこそ、アリ・アスター作品を観ているとスクリーン越しに「お前、何笑ってんだよ。そう、そこのお前。お前だよ」と語りかけられるような気持ちになるのかもしれない。ホルガ村の人々に同化していくダニーだって、元はこちら側にいたのだ。

先述したように、アリ・アスター監督は人間が好きなのだろうと思う。だから彼はインタビューや作品解説なんかでも観客のことを人一倍意識するし、楽しませようと努める。彼の好きな人間とは、スクリーンの前の私達のことでもある。「アリ・アスター監督が好きなのは君、そう、そこにいる君だよ」と語りかけられているような気分にもなる。

だからこそ、新鮮な恐怖が忍び寄ってくる。アリ・アスター監督の世界は、私達を取り込もうとしている。境目などなく、私達が普通に生きている日常の延長線上に、ホルガ村の祝祭がある。アリ・アスター監督に目線を合わされ「君のことが好きなんだよ」と語りかけられる時、私達はその世界の一部に取り込まれる。

秘儀と魔道書
聖所

Sanctuary

E・F・ベンスン　E. F. Benson

坏香織　訳

信心が篤い人ほど、キリスト教の対極にある黒魔術に関心を持つ、という話を聞いたことがある。E・F・ベンスン（一八六七―一九四〇）には、カンタベリー大司教まで務めた父と、カトリックの聖職者だった弟ロバート・ヒューがいたことを思うと、自身の怪奇小説の題材に黒魔術を取り上げそうな気もするが、八十を数える彼の短編には意外に少ないようだ。黒魔術の儀式を正面から描いた本作は、生前最後の怪奇短編集 More Spook Stories（1934）に収録された。ユイスマンスの『彼方』が登場するのも興味深い一編である。

I

その一月、フランシス・エルトンは、二週間の休暇をスイスのエンガディン地方で過ごしているときに一通の電報を受け取った。叔父のホレス・エルトンが亡くなり、結構な遺産が彼に相続されることを告げる電報だった。さらには遺体の火葬がその日のうちに行なわれ、どのみちフランシスには出席が不可能なため、急いで駆け付ける必要はないとも記されていた。

二日後には事務弁護士のアンガスから手紙が届き、詳細を知らされた。遺産には八万ポンドの価値がある安定した有価証券と、ハンプシャー州のウェダーバーンという小さな田舎町郊外にある地所が含まれていた。地所には素敵な屋敷に加え、小さな宅地がついている。そのすべてがフランシスに遺されたのだが、相続に当たっては、オーウェン・バートン牧師に年五百ポンドを与えること、という条件がついていた。

フランシスは、長年引きこもった暮らしをしていた叔父のことをほとんど知らなかった。実際、ウェダーバーンの屋敷で三日を過ごしたのを最後に、四年近く、顔も見ていなかった。そのときの滞在については、ぼんやりと、どことなく不快な記憶がかすかに残っているだけだった。旅先から帰宅の途についたフランシスは、揺れる列車の寝台に身を横たえてうとうとしながら、その埋もれた記憶を呼び覚まし、掘り起こそうとした。だが、どうもはっきりしない。いわばすべてを目の隅で眺め続け、一度も正面から焦点を当てることがなかったかのように、断片的で側面的な斜角からの印象が残っているだけなのだ。

当時のフランシスは学校を卒業したばかりの少年だった。蒸し暑い八月で、フランス語とドイツ語をロンドンの塾で学ぶ前に、夏休みを過ごそうと叔父を訪れたのだ。

その家にはもちろん叔父のホレスがいたし、叔父に関する記憶ははっきりしていた。白髪頭の中年で、ひどく太り、だぶついた顎の肉が襟の上まで垂れている。だが肥満にもかかわらず、その動きは機敏で軽やかだ。青い瞳は陽気でかつ用心深く、常にフランシスを観察しているかのようだった。ほかにも女がふたりいた。親子だ。すると、フランシスの頭にはその名前も蘇ってきた。イザベル・レイとその娘のジュディス。ジュディスはフランシスよりも、おそらくはひとつかふたつ年上で、フランシスが到着した最初の夜、夕食が終わるなり庭の散歩に連れ出した。ジュディスはフランシスを旧知の友人のように扱い、片腕をフランシスの首にからめながら、学校のことをあれこれとたずね、好きな女の子はいるのかときいてきた。そのあまりに親しげな態度に、フランシスはむしろ困惑を覚えた。ふたりが庭から戻ると、母が娘に、はっきりと何かを問いかけるような視線を投げ、ジュディスは肩をすくめてそれにこたえた。

すると今度は母親のイザベルのほうがフランシスの手を取り、窓腰掛に並んで座らせると、これから入ることになっている塾のことを話題にしはじめた。塾であれば、学校よりは自由な時間が持てるだろうし、フランシスのような少年ならそれを有効に活用できるだろうという。イザベルはフランシスのフランス語を試し、かなり話せることを確認すると、ちょうど読み終わった本があるからそれを貸してあげようと言った。ユイスマンスという素晴らしい名文家の手によるもので、『彼方（ラ・バ）』という小説なのだと。だが内容については、自分で読んで確かめなさいと教えてはくれなかった。話のあいだ、イザベルは灰色の細い目をじっとフランシスに据えていた。それから寝る時間になると、自分の寝室へフランシスを連れていき、その本をフランシスに渡した。ジュディスも一緒にいた。本は彼女も読んでいて、内容を思い出したように笑った。「ちゃんと読むのよ、可愛いフランシス」ジュディスは言った。「本を閉じたら、すぐに眠って。明日は、どんな夢を見たのかきかせてちょうだい。あんまりひどい夢でなかったらね」

一定のリズムを刻む電車の揺れに眠気を催しながらも、フランシスは記憶の欠片（かけら）を掘り起こし続けた。あの屋敷には、もうひとり男がいた。叔父の秘書だという二十五歳くらいの若い男。きれいに髭を剃り、痩せた体つきで、叔父たちと同様、ほがらかな態度でフランシスに接してくれた。彼に対しては、みんなの態度が微妙に違っていた。どことはいえないのだが、確実に違うのだ。その晩の夕食の席で、秘書はフランシスの隣に座った。そしてフランシスのグラスに、フランシスの意向も構わずにワインを注ぎ続け、翌朝はパジャマ姿のままフランシスの寝室に現れると、ベッドに腰を下ろし、何かを問いかけるような奇妙な目つきでフランシスを見つめた。秘書は『彼方』の進み具合を確かめてから、庭の一番端の、木立の向こうに作られたプールへと水浴に誘った。水着がないと言うと、そんなものは必要ないと言う。ふたりはプールで泳ぎを競い合ってから、水を出て日光浴をした。すると木立のなかからジュディスとイザベルが現れたので、フランシスはすっかり動転し、慌ててタオルを体に巻きつけた。上品ぶることはないと、みんなにひどく笑われたけれど——あの男の名前はなんだったかな？　そう、そうだ、オーウェン・バートンじゃないか。事務弁護士からの手紙にも、オーウェン・バートン牧師という名前があった。だが〝牧師〟というのはどういうわけだ？　おそらくは、あのあと聖職についたのだろう。

あのとき彼らは一日中、フランシスの容姿をはじめ、水泳やテニスの腕前を褒めそやした。生まれてこのかた、あんなに持ち上げられたことはなかった。すべての視線が、誘い招くように自分に据えられているのを感じた。その午後は叔父に呼ばれ、階上の部屋で、いくつかの宝物を見せられた。叔父はフランシスを自分の寝室に招くと、見事な衣類の詰まった巨大な洋服ダンスを開いて見せた。金の刺繍が施されたマント状のコープ、丁寧な針仕事の見える生地を真珠で飾ったストールやチャジブル、宝石のついた手袋。目に見えるもの見えないもの全てに対する神を、崇め祈る聖職者に光輝を与える祭服だ。それから叔父は、ちらちら光る厚手の絹でできた緋色のキャソックと、極上のモスリンを使ったコッタを取り出した。コッタは首の周りと身頃の裾が、十六世紀のアイリッシュレースで飾られている。どちらもミサの際、侍者として奉仕する少年が身に着けるものだ。フランシスは、叔父に言われるままに上着を脱いでキャソックとコッタをまとうと、靴も、聖所用の特別な履物だという音のしない緋色のスリッパに履き替えた。そこへオーウェン・バートンがやってきて、叔父にこうささやくのがきこえた。「これは！　素晴らしい侍者だ！」それから自分もきらびやかなコープの一着をまとうと、フランシスに跪くように言った。

フランシスは完全に困惑していた。これはいったい何かのお遊びなのか？　だがバートンは熱のこもった真剣な顔で、祝福を与えるように左手を上げた。さらに驚いたことには、叔父が唇を舐めながら、涎でもこらえるように唾を飲み込んだのだ。フランシスには何がなんだかわからなかったけれど、叔父とバートンにとって、この正装が秘められた大きな意味を持つことは明らかだった。気詰まりなうえに不穏なものを感じたので、フランシスは跪かずにコッタとキャソックを脱いだ。「いったいなんなのですか？」フランシスがそう言うと、ジュディスとイザベルが目を合わせ、またしてもなんらかの問答が交わされた。どうやら、フランシスの興味の不足がみんなを失望させたらしい。だがフランシスとしては興味どころか、ぼんやりと嫌悪を覚えただけだった。

その日の娯楽は仕切り直しとなった。またテニスをしたり泳いだりしたが、みんなのフランシスに対する熱意はその鋭さを失ったかに見えた。その晩、フランシスは早めに着替えを済ませると、居間にある深い窓腰掛に座ってイザベルから借りた本を読んだ。が、話にうまくついていけなかった。不可解なうえに、フランス語も難しかったのだ。自分には難解過ぎるからと言い訳して、本は返そうと思った。そのときに、イザベルと叔父が部屋に入ってきた。フランシスには気づかぬまま、話を続けている。

「いや、そんなことをしても無駄だ、イザベル」叔父が言った。「あやつには興味が、その傾向がないのだ。続けてもうんざりさせ、遠ざけるばかりだろう。そんなふうにして魂を勝ち取ることはできん。オーウェンも同じ意見でな。それにあやつは無邪気過ぎる。わしがあの年頃だったときには――おや、フランシスではないか。何を読んでいるんだ？　おお、なるほど！　それで、その本はどうかね？」

フランシスは本を閉じた。

「もうあきらめました」フランシスは言った。「内容がよくわからなくて」

イザベルが笑った。

「あなたの言う通りね、ホレス」イザベルが言った。「でも、残念だこと！」

フランシスはそのとき、先ほどの会話は自分のことだったのだ、と感じたことを思い出した。だが傾向がないとは、何に対してなのだろうか？

その夜、フランシスはブリッジのゲームを途中で切り上げ、早めにベッドに入った。なんとなく、そう促されたような気分だった。それからすぐに寝てしまったが、目を覚ましたときに、何かを唱えているような声をきいたように思った。それからベルの音が三つ。間をおいて、また三つ。だがなんだろうと思うまでもなく、睡魔に襲われ眠りに戻った。

これが、夜を駆け抜ける列車のなかでフランシスが思い出した、オーウェン・バートン牧師に対する年五百ポンドの支払いという条件つきで、自分に財産を遺した男の家を訪問したときの印象の大体のところだった。その記憶は、ぼんやりとした不安を伴いつつも、じつに鮮やかだったので、四年間も心のどこかに眠っていたのが嘘のようだった。だが深い眠りに落ちるとともにまた薄らいでいき、翌朝目覚めたときには、ほとんど考えることさえなかった。

ロンドンに着くと、まずは事務弁護士のアンガスに会いに行った。相続税の支払いのため有価証券の一部は売り払う必要がありそうだったが、財産の管理自体は単純なものだった。フランシスは自分の恩人についてもっと知りたく思ったが、アンガスからきき出せることはほとんどなかった。ホレス・エルトンはここ数年、すっかりウェダーバーンに引きこもった生活をしており、近しい付き合いをしていた人物としては、秘書のオーウェン・バートンのみだったという。それ以外には、女性がふたり、しばしば叔父の家に長期滞在をしていたそうだ。名前は――アンガスは思い出そうと言葉を切った。

「イザベル・レイ夫人と、その娘のジュディスでは？」

フランシスが言った。

「そうそう。あの親子は、叔父上の屋敷にちょくちょく滞在していましたな。ほかにも時折、かなりの人数が夜の遅い時刻に集まっていたようで。十一時など、もっと遅いことさえあり、一、二時間で解散はするのですが、なにやら謎めいていました。エルトン氏の亡くなるほんの一週間ほど前にも大規模な集まりがあり、十五人から二十人は来ていたはずです」

フランシスはしばらく黙り込んだ。まるでパズルのピースが、収まるべき場所を求めているかのようだった。だがその形があまりに突拍子もないようで――。

「叔父の病気と死についてなのですが」フランシスは言った。「遺体は、亡くなった当日に焼かれていますよね。少なくとも、電報にはそう書いてあったかと」

「ええ、その通りです」アンガスが言った。

「なぜですか？　本来なら、ぼくもすぐに帰国して火葬に立ち会うべきだったのに。当日に行なうなんて、普通だとは思えないのですが」

「確かに普通のやり方ではありませんな。ただ、それには理由がありまして」

「教えていただけませんか」フランシスは言った。「相続人であるぼくとしては、どうしても火葬に立ち会うべきだったとしか思えないのです。何があったのでしょう？」

アンガスは一瞬ためらった。

「当然の質問ですし」アンガスが言った。「わたしとしてもこたえるべきでしょうな。話はしばらく前にさかのぼるのですが――叔父上は死の一週間前までは、見るからに健康そうでした。太ってはいても、身ごなしは軽やかで機敏で。それから問題が起こったのです。当初は深刻な心の病（やまい）か、精神錯乱のように見えました。とにかくなんらかの理由で、叔父上は自分に死が迫っていると思い込み、死に対する異常なまでの恐怖でパニックに駆られてしまった。わたしにも電報を送って寄越しましてな。遺書に訂正を加えたかったのです。ところがわたしは留守にしており、訪問が翌日になってしまった。わたしが着いたときには、すでに病状が絶望的で、なんらかの指示を出せるような状態ではありませんでした。おそらく叔父上の気持ちとしては、遺書からオーウェン・バートンの名前を削除したかったのではないかと」

ここでアンガスはまた言葉を切った。

「わたしが」と、アンガスは続けた。「ウェダーバーンに出向いた日の朝、叔父上は教区牧師を呼んで、告解を行なっています。その内容については、もちろん、想像することもできませんが。それまでは死の恐怖に取り憑かれてはいても、叔父上はまだ健康体だったのです。それがあっという間に、なんらかの恐ろしい病魔に冒されてしまって。そう、まさに侵されたのです。ロンドンとボーンマスから呼ばれた医者も、原因を突き止めることはできなかった。未知の病原菌が、恐るべき速度で、皮膚、組織、骨に大規模な損傷をもたらしたという診立てでした。それこそ体内から汚染され、腐敗が進んでいたかのようで。その姿は、すでに死んでいるとしか――本当に、こんなことを話すべきなのかどうか」

「ぼくは知りたいのです」フランシスは言った。

「ふむ、あれは腐敗でした。死んだ体から生きた有機体が出てきたのです。看護をする人間でさえ気分が悪くなるほどで。おまけに部屋のなかは常に蠅だらけでした。でっぷりと大きな蠅が、壁やベッドを這いずり回っているのです。それでも叔父上の意識はしっかりしており、死に対するすさまじい恐怖も消えることはありませんでした。なにしろ魂も、あのような住処(すみか)であれば、おさらばできたほうがありがたいに決まっていますからな」

「それで、オーウェン・バートンは叔父のそばにいたのですか?」フランシスが言った。

「叔父上は、告解を済ませたときからバートンに会うことを拒んでいました。バートンが部屋に入ったときには、それこそ大変な騒ぎになりまして。叔父上は半死半生の態で、恐怖に叫び、わめき散らしたのです。前に触れた母娘も面会を拒まれました。まったく、それでもあの家に顔を出し続けた理由はなんなのでしょうな。そして最後の朝――叔父上はもう話すことさえできず――紙の上に、何かの言葉を指でなぞってみせました。おそらくは聖体を受けたいのだろうということで、牧師が呼ばれたのです」

　年老いた弁護士がそこでまた言葉を切った。フランシスにも、その手の震えているのがわかった。

「それからおぞましいことが」アンガスは言った。「わたしはそのとき部屋にいて、叔父上にそばに来るよう手招きされたものですから、この目ではっきり見たのです。牧師が聖杯にワインを注ぎ、聖皿にパンを置いて聖別しようとしたとき、先ほども話した蠅が、叔父上の周りに雲のように群れたのです。蠅は蜂の群れのように聖杯を埋め、その不潔な体でパンを汚しました。そして二分もすると杯は空になり、パンも食いつくされてしまった。それからまるで穴を穿たれた宿主のように、叔父上の顔には蠅が群がり、何も見えなくなりました。叔父上はむせてはあえぎ、それから大きくひとつ身悶えするようにひきつけを起こしたかと思うと、ありがたいことに、何もかもおしまいになったのです」

「それから?」フランシスは言った。

「蠅が消えました。それこそ、あとかたもなく。とにかく急いで遺体と布団を焼く必要がありました。まったくひどい話で！　頼まれさえしなければ、こんなことは話さないつもりでいたのですが」

「それで遺灰は？」フランシスは言った。

「遺書に指示がありますよ。遺体はウェダーバーンの庭のプールのそばにある、ユダの木（セイヨウハナズオウ）のそばに埋めるようにと。その通りになっています」


　フランシスという若者には想像力など無きに等しかったから、迷信的な小話や無益な推測には縁がなかった。弁護士の話についても、底流に不気味なものを感じはしたが、興味を引かれることはなく、不安な妄想をふくらませることもなかった。ぞっとする話だが、もうすべては終わったのだ。フランシスはイースターを、夫に先立たれた姉と、その十一歳になる息子をつれ、ウェダーバーンで過ごすことにした。三人とも、その地がすっきり気に入った。まもなく姉のシビル・マーシャムが、夏の数か月、ロンドンの家を人に貸し、ウェダーバーンで過ごすことに決めた。息子のディッキーは虚弱なたちで、いくらか変わったところのある小妖精のような子どもだったから、田舎の空気は体にもいいようだった。フランシスとしても、姉が屋敷にいて家内を見てくれれば、仕事を離れることができたときには、いつでも共に過ごすことができるわけだった。

　木材と煉瓦でできた屋敷には、六人が暮らせるだけの部屋があり、小さな町を見下ろす小高い場所に立っていた。フランシスは到着するなり屋敷を見て回ったのだが、自分がじつに細かいところまで、鮮明に覚えていたことにいくらか驚いた。居間には背の高い本棚があって、奥行きのある窓腰掛からは庭が見渡せる。叔父とイザベルは、フランシスがこの窓腰掛に座っていることに気づかず、話しながら入ってきたのだ。上階には、叔父の寝室だった羽目板張りの部屋がある。祭服の入った大きなタンスのあるこの部屋は、フランシスが自分で使うことにした。タンスを開けてみると、例の祭服は薄葉紙に包まれていた。緋色と金がチラチラと輝き、最上のローン生地は泡のようなアイリッシュレースで飾られて、かすかな香（こう）の匂いがしみついている。寝室の隣は居間で、さらにその先には以前滞在した際にフランシスの泊まった部屋があるのだが、ここはディッキーの部屋にするつもりでいた。これらの部屋はすべて屋敷の表側に面しており、西側に向かって庭を見下ろしている。次にフランシスは、庭を見に行った。窓の下に延びている花壇では、春の花が陽気にほころんでいた。そこから芝が広がり、その向こうにはプールを囲う木立がある。フランシスはサクラソウやアネモネのタペストリーのなかを縫うように小道を進み、水場の周りに広がる空き地に出た。水浴び用の小屋はその一番奥まったところに立っており、そばの水路からは、下の川へと水が勢いよく落ちている。三月に降った雨で、プールに水を供給している小川の水かさが上がっているのだ。遠い側の木立の前にユダの木があり、見事な花をたっぷりとつけていた。その影が水面（みなも）に映り込み、さざ波に揺れている。あの赤い花をつけた木の下のどこかに、遺灰を入れた棺が埋まっているのだ。フランシスはプールの周りを散策した。四月の風もここまでは届かず、赤い花には、蜂がせわしなく群がっている。蜂のほかには肥えた大きな蠅もいて、どちらも大変な数だった。

　黄昏が落ちるころ、フランシスとシビルは、窓腰掛のある居間で過ごしていた。そこへ使用人がやってきて、オーウェン・バートン氏がお越しだと告げた。ふたりが在宅なのは明らかだったので、バートンは屋敷に案内され、まずはシビルに挨拶をした。

「おそらくわたしのことは覚えておられないでしょうね、エルトンさん」バートンが言った。「だが、あなたが叔父上のところに滞在されたとき、わたしもここにいたんですよ。たしか四年前だったかと」

「いやいや、よく覚えていますとも」フランシスは言った。「一緒に泳いだり、テニスもしましたっけ。内気な少年だったぼくに、とても親切にしてくださった。まだこのあたりにお住まいですか？」

「ええ、叔父上が亡くなったあとは、ウェダーバーンに家を借りています。叔父上の秘書として過ごした六年は非常に充実していましたし、すっかりこの土地になじんでしまいまして。わたしの家は、お宅の庭柵のすぐ外にあります。プールを囲む木立に面した、掛け金付きの門の向こうに」

　扉が開き、ディッキーが入ってきた。ディッキーは、見知らぬ人がいるのに気づくと足を止めた。

「さあ、『はじめまして、バートンさん』とご挨拶をなさい、ディッキー」シビルが言った。

　ディッキーは礼儀正しく挨拶をすると、立ったままバートンを見つめた。ディッキーは内気な少年なのだが、相手の観察を終えると、バートンに近づいて、その膝に両手を当てた。

「ぼく、あなたが好きだ」ディッキーはしっかりした声でそう言うと、バートンにもたれかかった。

「お邪魔をしてはいけません、ディッキー」シビルはいくらか厳しい声で言った。

「いや、邪魔なものですか」バートンがそう言いながら少年を引き寄せると、ディッキーはバートンの脚に挟まれる格好になった。

シビルが立ち上がった。

「いらっしゃい、ディッキー」シビルが言った。「暗くなる前に、お庭を散歩しましょうね」

「バートンさんも一緒?」ディッキーが言った。

「いいえ、バートンさんは、フランシス叔父さんとお話があるのよ」

居間にふたりきりになると、バートンがホレス・エルトンについて軽く触れた。自分にとっては常に寛大な友であったが、急過ぎる恐ろしい最期で、臨終前の二日間、故人に面会を拒まれたことは、自分にとってひどく辛かったと。

「思うに、叔父上の心はひどい苦しみに冒されていたのでしょう」バートンは言った。「その結果、最も近しい人を遠ざけてしまうことも時折はあることです。わたしとしても嘆かずにはいられませんし、深く悔やんでもいましてーーあなたに対してもいくらか説明が必要かと思いましてね、エルトンさん。叔父上が遺書のなかで、わたしに〝牧師〟の敬称を使っているのを不思議に思われたはずだ。まあ、間違いではないのだが、わたしが自分にその呼称を使うことはありません。わたしは精神上の迷いや困難にぶつかって、聖職を捨てているのです。ところが叔父上は、一度聖職についた人間は死ぬまで聖職者だとお考えで。それについては非常に頑固でしたが、事実、その通りでもあるのです」

「叔父に宗教的な興味があったとは」フランシスが言った。「いや、あの祭服を忘れていた。だがあれはおそらく、美術品として蒐集していたのではないのかな」

「いいえ、違いますとも。叔父上はあの祭服を神聖なものとして、典礼用に聖別していたのですーーところで、叔父上の遺体はどうなったのでしょう? プールのそばに埋葬してほしいと言っていたのを覚えているのですが」

「遺体は火葬にされました」フランシスが言った。「遺灰があそこに埋葬されています」

バートンは、そのあとしばらくして帰った。戻ってきたシビルは、バートンが帰ったことに気づくと、あからさまにホッとした。単純にバートンが好きになれなかったのだ。どことなく、奇妙で不気味なものを感じるという。フランシスはシビルを笑った。なかなかの好人物ではないかと。

夢というのはもちろん、近々に心に作用した映像が連携し合って生まれる混沌に過ぎないわけだから、そういった物事が、その夜、フランシスに非常に鮮明な夢を見させたのも不思議ではない。夢のなかのフランシスはオーウェン・バートンとプールで泳いでいた。ユダの木の下には、でっぷりした血色のいい叔父が立っていて、ふたりを見ている。夢の常で、叔父の死んでいないことも自然に思えた。バートンと一緒に水から上がると、フランシスは服を探した。けれど見つかったのは緋色のキャソックと、レースで縁取られた白いコッタで、これがまたごく当然に思えた。バートンがそこで、金色のコープをまとったことも。

叔父はじつに上機嫌で、唇を舐めながらふたりに合流した。ふたりが両側から叔父の腕を取り、三人で聖歌を歌いながら屋敷に引き返した。歩くにつれて日が陰り、芝地を横切るころには黒い夜に包まれていて、屋敷の窓には明かりが灯っていた。三人は相変わらず歌いながら階段を上がり、いまはフランシスのものになっている叔父の寝室に入った。と、ベッドの反対側に、それまではあることにも気づかなかった扉が開いていて、まばゆい光がこぼれていた。そこから夢は悪夢の態を取りはじめる。叔父とバートンががっちりとフランシスをつかんだまま、その扉のほうに連れていこうとするのだ。向こうにある恐ろしいものの存在を感じて、フランシスはもがく。一歩、また一歩と引きずられながらも、激しく抵抗を続ける。すると扉の向こうから、肥えた大きな蠅の群れが出て来て、うなりながらフランシスにたかりはじめる。蠅はどんどん増え続け、フランシスの顔を覆い、目に這いずり込み、息をしようとあえいだ口にまで入ってくる。恐怖が頂点に達したところで、フランシスは汗だくなり、動悸を激しくしながら目を覚ました。電気をつけてみると、部屋はいかにも静かだった。表には夜明けの光がにじみつつあり、鳥たちもちょうどさえずりをはじめていた。

数日の休暇はあっという間に過ぎた。フランシスは村にあるバートンの家を訪ねた。じつに居心地のいい小さな家で、住み主のほうもこのうえなく感じがよかった。バートンはある晩、フランシスたちと夕食を共にした。シビルでさえ、バートンに対する最初の印象は間違っていたようだと認めた。バートンがディッキーを可愛がっていることも、シビルの意見を変えさせたようだ。ディッキーにいたってはバートンに心酔していた。まもなく、ディッキーには家庭教師が必要だということになり、バートンが快くその役目を引き受けた。そこでディッキーは毎朝、庭を小走りして、プールのある木立を抜けては、バートンの家に向かうのだった。ディッキーは病弱なために勉強も遅れがちだったのだが、いまや先生を喜ばせたい一心で熱心に学ぶようになり、その成果も目覚ましかった。

II

わたしはフランシスと出会うと、ロンドンで数か月を過ごすうちにすっかり親しくなった。フランシスは、最近、叔父からウェダーバーンにある地所を相続したという。当時のわたしも、前章で記録したところまでは事情を把握していた。七月のある日、フランシスから、八月は向こうで過ごすつもりだと言われた。向こうの家を守っている彼の姉は、息子を連れて海辺に出かけるため、最初の一、二週間を留守にするという。そこでわたしは一緒に出掛け、彼の孤独を共有しつつ、向こうで邪魔されることなく、手元の仕事を進めることに決めた。じつに魅力的な計画に思えたから、わたしたちは八月のはじめの、雷を約束する猛烈に暑い午後の早くに車で出かけることにした。フランシスによると、その夜は、オーウエン・バートンという叔父の元秘書を夕食に招いているという。

到着したときには、夕食まで、まだ一時間ほどあった。わたしはフランシスから、水浴びがしたいなら、芝生の向こうの木立の奥にプールがあると告げられた。フランシスには片付けねばならない家内の雑事がいろいろとあったので、わたしはひとりで行くことにした。じつに魅力的な場所だった。澄み渡った静かな水場に、葉の茂る木々と空が映り込んでいる。わたしは服を脱いで飛び込んだ。冷たい水に横たわり、背中で浮かんだ。泳ぎ、また飛び込んだところで、男の姿が目に入った。中年を過ぎた、極端に肥満した体で、プールの向こう岸のあたりを歩いている。男はディナージャケットと黒いタイで正装していたから、わたしは瞬時に、村から夕食に来ることになっているバートンに違いないと思った。どうやら思ったより時間がたっていたようだ。わたしは慌てて、服の置いてある水浴び小屋のほうへ泳いで戻った。水から上がり、周りを眺めた。ところがだれもいなかった。

少し驚いた。とはいえ、ほんのわずかだ。木立からいきなり現れ、忽然と消えてしまったのだから奇妙ではあったが、さほど気にかかりはしなかった。急いで屋敷に戻ると、素早く着替え、一階に下りた。てっきりフランシスと客が、客間で自分を待っているのだろうと。だが慌てる必要はなかった。なにしろ時計を見ると、夕食の時刻まではまだ十五分あったのだから。バートンは、上階にあるフランシスの居間にでもいるのだろう。そこでわたしは時間潰しのために、たまたまそこにあった本を手に取った。しばらく読んでいるうちに部屋が暗くなってきたので、電気をつけようと立ち上がった。するとフランス窓の向こうの庭に、立っている男の姿が見えた。嵐の前の夕暮れに輪郭を縁取られ、家をのぞき込んでいる。

わたしが何を思ったにせよ、男が、先ほど水浴びしていたときに見た男と同一人物であることに間違いはなかった。電気をつけると、顔が煌々と照らし出され、それがますますはっきりした。きっとバートンは、早く来過ぎたことに気づいて、夕食の時刻まであたりを散策していたのだろう。なんにしろわたしの心からは、夕食の席を楽しみにする気持ちがかき消えてしまった。まじまじと男を見つめているうちに、何かぞっとするようなものを感じたのだ。この男は人間なのか、本当にこの世のものなのだろうか？　それから男は静かに去った。と、部屋のすぐ外から、玄関をノックする音がきこえた。フランシスが階段を下りてくるのがわかった。フランシスは自分で玄関を開けにいった。挨拶の声がきこえてから、フランシスが背の高い痩せた男を伴って部屋に入ってくると、わたしに紹介した。

非常に愉快な夕べだった。バートンの話しぶりは滑らかで感じがよく、一度ならず、友のホレスと、教え子のディッキーのことに触れた。十一時頃、バートンがいとまを告げて席を立つと、フランシスが近道だからうちの庭を横切って帰ればいいと勧めた。近づいていた嵐はまだ来ていなかったが、フランス窓の外に出てみると、空は真っ暗だった。バートンの姿はすぐ闇に飲み込まれた。それから稲妻の閃光が走り、その一瞬、芝地の中央に、バートンを待ち受けるように立っている男の姿が見えた。わたしがすでに二度、目にしていた男だった。「あれは誰なんだ?」という言葉が口元まで出かけたとき、フランシスには何も見えていないのだと気づき、黙っていることにした。なにしろ、あれは血肉を持った生者ではないのではという疑いが、このときには確信に変わっていたから。石敷きの歩道に重たい雨粒がポツポツと落ちてきたので、わたしたちは家の中に戻ろうとしたが、その前にフランシスが声を張り上げた。「おやすみ、バートン!」すると、明るい声で挨拶が返ってきた。

それから間もなく、わたしたちは寝室に引き上げた。羽目途中、フランシスが自分の寝室にわたしを招いた。羽目板張りの広い部屋で、ベッドのかたわらに巨大な衣装ダンスがあり、そのそばにはキットキャットポートレイトサイズの油絵の肖像画が一枚飾られていた。

「明日には、このタンスの中身を見せてあげよう」フランシスが言った。「かなり見事な品なんだ——あれは、叔父の肖像画だよ」

描かれていたのは、その晩、すでに目にしていた顔だった。

その後の二、三日は、おぞましい訪問者の姿を見ることもなかったが、あの霊が近くにいることはわかっていたので、心は一向に休まらなかった。どんな本能や直感がそう思わせるのかはわからなかったが、またあの男を見ることになるのではという恐怖は、確信にまで高まっていた。フランシスに、ロンドンに戻る必要ができたと言い訳することも考えた。だがもっと知りたいという欲望がその邪魔をし、わたしを冷たい恐怖と闘わせた。まもなく、フランシスのほうでも、わたしに劣らぬ不安を抱えていることがわかった。晩にふたりで過ごしているとき、しばしば、フランシスの異様な警戒を感じた。たとえば話の途中で、何か音でもきこえたかのように突然言葉を切ったりする。でなければベジークの最中に顔を上げたかと思うと、部屋の隅をはじめ、とくに開いたフランス窓に切り取られた長方形の闇に向かってちらりと目を向けるのだ。フランシスには何かわたしには見えないものが見えていて、わたしと同様、打ち明けることができずにいるのかもしれないといぶかしくなった。

それは束の間の印象で、さほど頻繁でもなかったが、いっぽう、何かが起こりつつある、未知の邪悪な存在が力をつけつつあるという不安がわたしの胸を去ることはなかった。その何かはすでに屋敷に忍び込み、いたるところに存在している——が、目覚めて日差しに輝く素晴らしい朝を迎えると、無駄に気をもんでいるだけなのではという気がしてくるのだ。

滞在して一週間ほどが過ぎたとき、その先の展開へとつながることが起きた。わたしは、普段ならディッキーが使っている部屋で寝起きしており、その晩は不快な暑さに目が覚めた。毛布をはごうとしたが、壁に押し付けられたベッドの側面とマットレスにきつく挟みこまれている。ようやく毛布がゆるんだときに、何かがパタリと床に落ちた。朝になってそれを思い出し、ベッドの下を調べると、小さな紙のノートが見つかった。わたしは見るともなくそのノートを開いたのだが、子どもっぽい丸みを帯びた筆跡で十二枚ほどのページに書きつけられた文字を読んでいくうちに、目が釘付けになった。

『七月十一日（木）。朝、また木立のところにホレス大叔父さんがいた。叔父さんはぼくのことを何か言っていて、ぼくにはなんだかよくわからなかったけれど、大きくなったら、ぼくもきっと好きになるはずなんだって。だけど叔父さんに会ったことや言われたことは、バートンさん以外には、誰にも言ってはいけないんだ』

　わたしは、少年の私的な日記を盗み読みしていることなど気にも留めなかった。そんなことを考慮に入れる余裕などなかった。わたしはページをめくり、また別の書き込みを見つけた。

『七月二十一日（日）。またホレス叔父さんに会った。この前叔父さんに言われたことを、バートンさんには話したって伝えた。そしたらバートンさんがもっといろいろ教えてくれて、喜んでくれたことも。バートンさんによると、ぼくはどんどん成長しているから、近いうちに、お祈りに連れていってくれると言ってた』

　この書き込みによって呼び覚まされた、興奮や恐怖については表現のしようもない。なにしろすでに目にしていた亡霊が、完膚なきまでに現実化し、より不吉な様相を呈したのだ。堕落した悪意ある霊が、この屋敷を冒そうという意図をもって取り憑いている。だが、どうすればいいのか？　フランシスからほのめかされたわけでもないのに、彼の叔父の霊――そのときはまだどのような人物かも知らなかった――が、わたしだけでなく、彼の甥にも目撃されており、その心に働きかけようとしているなどと告げることができるだろうか？　それからバートンについて書かれていることもあった。当然、これまでの付き合いを続けるわけにはいかないだろう。バートンは、霊の邪悪な謀（はかりごと）に協力しているのだ。堕落的なカルト（わたしの考え過ぎでなければ）が、姿を現しつつあった。それにしても『お祈りに連れていく』というのはどういうことだろう？　とにかく、ディッキーがこの家にいなくて本当によかった。おかげで考える時間が持てる。あの痛ましい小さな日記帳については、書類ケースに入れて鍵をかけておいた。

　その日は、表に見えているかぎりにおいては気持ちよく過ぎていった。午前中は仕事をこなし、午後にはフランシスとゴルフを楽しんだ。だがその裏には重たいものが垂れこめていた。日記帳により得た知識が、しつこい電話のように『どうするつもりだ？』とわたしの胸を責め苛み続けている。フランシスのほうも何か悩んでいるらしく、それが何かまではわからなかったものの、やはり底流として存在していた。沈黙が降りがちだった。親しい仲によく見られる自然で気の置けない沈黙ではなく、互いに何かが心にありながら、思い切って口にできずにいるときの沈黙だ。その感じはその日が過ぎるほどに強くなり、緊張の度を増していった。ありきたりな会話などはことごとく陳腐に思えた。なにしろそれは、ある別の話題を覆い隠しているに過ぎないのだから。

蒸し暑い夕べが来ると、夕食を前に、ふたりで芝地の椅子に腰を下ろした。定期的に訪れていた沈黙を破って、フランシスが家の表側を指差した。

「奇妙なことがあるんだ」フランシスが言った。「見てくれ！ 一階のこちら側には部屋が三つあるだろ。食堂と居間、それからきみが書き物に使っている小さな書斎だ。では、今度は二階を見てくれ。やはり部屋が三つある。きみの寝室、ぼくの寝室と居間。それを測ってみたんだ。十二フィート分が浮いている。どこかに隠し部屋でもあるみたいにね」

この話題には、どうやら話す価値がありそうだった。

「おもしろい」わたしは言った。「探してみないか？」

「よし。食事が済んだら早速はじめよう。それからもうひとつ、まったく要領を得ない話ではあるんだが。以前見せた祭服のことは覚えているかい？ 一時間ほど前に、しまってあるタンスをまた開けてみたんだが、そうしたら太った大きな蝿が大量に飛び出してきたんだ。それも、一ダースもの飛行機が頭上を飛んでいるような音をさせて。要は、大きな音なんだが遠くからのようにきこえるんだよ。それから気づくと、蝿はいなくなっていた」

これまで互いに言えずにいたことが、表に出てきつつあるという感じがした。それを目の前にするのは辛いかもしれないが——。

フランシスがサッと椅子から立ち上がった。

「もう黙っているのはやめにしようじゃないか」フランシスが叫んだ。「あの人は、つまりぼくの叔父は、この家にいるんだ。きみには話していなかったが、叔父は死ぬ間際、蝿の大群にたかられている。叔父が最期に秘跡を受けようとすると、蝿が聖杯に群がり、ワインは汚されてしまったんだ。そして叔父はこの家にいる。くだらない話にきこえるだろうが、確かにいるんだ」

「わかっている」わたしは言った。「わたしは彼を見ているんだから」

「どうして言わなかったんだ？」

「笑われるだけだと思ってね」

「数日前までならそうだったろうな」フランシスが言っ

た。「だがいまは違う。続けてくれ」

「到着した日の夕方に、プールのところで見たんだ。その夜、オーウェン・バートンが帰宅するときにも見えた。稲妻の閃光が走ったとき、あそこの芝生に立っているのが見えたんだ」

「だが、どうして叔父だと？」フランシスが言った。

「同じ晩、きみが寝室で肖像画を見せてくれたからさ。きみも叔父上を見ているのかい？」

「いや、だか叔父はこの家にいる。ほかには？」

ここで切り出すのは自然なだけでなく、必要なことでもあった。

「ああ、大いにある」わたしは言った。「ディッキーも彼を見ているんだ」

「あの子が？　まさか」

居間からの扉が開いて、メイドがシェリーのトレイを持って庭に出てきた。メイドは、わたしとフランシスのあいだに置かれた籐のテーブルに、デカンタとグラスを並べた。わたしはメイドに言って、寝室から書類ケースを持ってこさせると、例のノートを取り出した。

「昨晩、マットレスの下から出てきたんだ。ディッキーの日記だよ。読むぞ」わたしは最初に気になった部分を読み上げた。

フランシスは顔だけを動かし、例の不安そうな視線をサッと肩の後ろに投げた。

「まったく夢でも見ているんじゃないのか」フランシスは言った。「まさに悪夢じゃないか。ああ、この屋敷には忌まわしき何かがある！　叔父に言われたことをバートン以外には言うなとは、いったいどういうことなんだ？　ほかにもあるのかい？」

「ああ。『七月二十一日（日）。またホレス叔父さんに会った。この前叔父さんに言われたことを、バートンさんには話したって伝えた。そしたらバートンさんがもっといろいろ教えてくれて、喜んでくれたことも。バートンさんによると、ぼくはどんどん成長しているから、近いうちに、お祈りに連れていってくれると言ってた』だが、わたしにはなんのことやら」

フランシスは椅子からパッと立ち上がった。

「なんだって？」フランシスは叫んだ。「お祈りに連れていくだと？　ちょっと待てよ。ぼくが最初にこの屋敷を訪れたときに何かあったはずだ。ぼくはまだ十九歳で、その年齢にしては恐ろしいほど無邪気で、いっそ愚かといってもいいくらいだった。その当時、この屋敷にはある女が滞在していて、ぼくに『彼方』という本を読ませようとしたんだ。当時は何についての本だかさっぱりだったが、いまならわかる」

「黒ミサ」わたしは言った。「悪魔崇拝だな」

「そうだ。それからある日、叔父がぼくに緋色のキャソックを着せたんだ。そこへバートンがやってきてコープをまとうと、ぼくを侍者にするようなことを言っていた。バートンが、もともと聖職者だったことは知っていたかい？　それからある晩、目を覚ますと、祈りの声とベルの音がきこえてきた。ところで、バートンは明日の夜、夕食に来ることになっているんだ――」

「どうするつもりなんだ？」

「バートンをか？　まだわからない。とにかく今夜中になんとかしないと。この家では恐ろしいことが起こりつつある。連中がミサに使っている部屋、礼拝所がどこかにあるはずだ。ほら、さっきも言ったように、二階には浮いているスペースがあるんだよ」

　夕食が済むと、早速作業に取り掛かった。一階の部屋の配置を考えると、家の表側に、説明のつかないスペースがあるはずだった。表側の部屋の電気をすべてつけてから庭に出ると、わたしたちは二階を見上げた。フランシスの寝室とその隣の居間の窓のあいだが、不自然に開いている。つまりそのあたりに、表立っては出入口のない空間があるはずだった。そこで二階に上がってみた。居間の壁はしっかりしているように見えた。煉瓦と木材でできており、太い梁が狭い間隔で渡されている。だが寝室の壁は羽目板だ。羽目板を叩いてみると、反対側に普通の部屋があるような音がしなかった。

　わたしたちはそこを調べはじめた。

　使用人たちは寝に行き、家は静まり返っている。だが庭から家に入り、居間から寝室へと移動するあいだも、何らかの存在がそばで見守りながらついてきているという気がしてならなかった。寝室の、廊下へと続く扉は閉めてあった。だが羽目板を調べ、手で探っていると、その扉が勢いよく開き、また閉まった。何かが部屋に入ってきて、わたしの肩をかすめるのがわかった。

「なんだ？」わたしは言った。「だれかが部屋に入ってきたぞ」

「気にするな」フランシスが言った。「それよりもこれを見てくれ」

　羽目板の一枚の端に、黒檀の押しボタンのようなものがついていた。フランシスがそれを押してから引くと、その羽目板の一部が横に動き、開口部に赤いカーテンがかけられていた。フランシスが金属製のリングを鳴らしながらカーテンを横に引いた。向こうの暗闇からは、よどんだ香の匂いが漂ってきた。わたしは戸口を手探りし、スイッチを見つけた。まばゆい光が、一気に闇を追いやった。

　そこは礼拝所だった。窓はなく、西側（東ではなく）に祭壇が置かれていた。その上には絵が飾られている。明らかに古いイタリアの宗派の絵であり、フラ・アンジエリコの『受胎告知』の流れを踏んだものだ。聖母が外に面した柱廊に座っており、花の見える表には天使がいて挨拶を行なっている。広げられた天使の翼はコウモリの翼で、黒い頭から首はカラスのものだった。しかも右手ではなく、左手をかざして祝福を与えている。聖母のまとっているローブは、ごく薄い赤の綿モスリンで、裾がおぞましいシンボルで縁取られており、頭部は犬で、あえぐように舌を突き出していた。

　東側の壁には、くぼみが二か所にあった。それぞれに大理石でできた男の裸体像が飾られており、〃聖ユダ〃と〃聖ジル・ド・レ〃と銘が入っている。像の片方は足元に転がっている銀貨を拾おうとしており、もう片方は惨殺された少年のぐったりした遺体をいやらしい目つきで見下ろしながら笑っている。礼拝所は、天井から吊るされたシャンデリアに照らされていた。シャンデリアは棘（いばら）の冠をかたどり、銀の小枝の巣のようなもののなかに電球が収まっている。祭壇に近いところには、ベルがひとつ、天井から吊るされていた。

　この汚らわしい冒瀆を見た瞬間は、グロテスクだと思っただけで、通りの壁に描かれた猥褻な落書きに接したときのような印象しか持たなかった。だがその冷めた印象はすぐに消え、この部屋を飾った人々の狂信を意識しぞっとした。なにしろ絵や像などの装飾品には優れた技巧が感じられ、才ある人々の、邪悪なものへの信奉がひしひしと伝わってくる。その崇拝の念は、作品上にも力強く活き活きと現れていたし、この部屋は、黒魔術を崇める人々の強烈な喜びに息づいていた。

「あれを見てくれ！」フランシスが叫びながら、祭壇前の手すりのそばの、壁沿いに置かれた小さなテーブルを指差した。

　写真が飾られている。その一枚には、プールの飛び込み板に立ち、いまにも飛び込もうとしている少年の姿が映っていた。

「ぼくの写真だ」フランシスが言った。「撮ったのはバートンだ。下にはなんと書いてあるのかな？『フランシス・エルトンのために祈る（オラ・プロ・フランシスコ・エルトン）』か。これはイザベル・レイだ。こっちは叔父。それからコープ姿のバートン。どうか、彼のためにも祈ってやってほしいね。まったく子どもじみた真似を！」

フランシスが突然噴き出した。礼拝所の丸天井に、その声が驚くほど大きくこだまし、響き渡った。フランシスが笑うのをやめたというのに、その音は止まらなかった。誰か笑っている者がほかにいるのだ。だがどこで？　誰が？　わたしとフランシスを除けば、目に見える者など誰もいなかった。

笑いはやむことなく続き、わたしとフランシスは募りゆくパニックのなかで目を交わした。シャンデリアのまばゆい光が陰って、薄闇が集まると、そのなかに何か地獄を思わせる恐ろしい力が沸き立ちはじめた。暗がりに、ホレス・エルトンの顔が見えた。空中に浮かび、隙間風でもあるかのように、かすかに揺れながら笑っている。フランシスにも同じものが見えていた。

「戦うぞ！　抵抗するんだ！」フランシスはホレスの顔を指差しながら叫んだ。「この場所を聖別しているものを何もかも汚すんだ！　ああ、この香と腐敗の臭いときたら」

わたしたちは写真を破り、飾られていたテーブルも叩き壊した。祭壇の前部をむしり取り、その忌まわしい台に唾を吐きかけると、引き倒し、大理石の天板を真っ二つにした。壁のくぼみに飾られていた二体の像は、石敷きの床に叩きつけ、粉々にした。だがそこで自分たちが行なっている偶像破壊の激しさに気づいて愕然とし、手を止めた。例の笑い声はやんでおり、薄闇のなかで揺れていた顔も消えている。わたしたちは礼拝所を出ると、羽目板を引いて入口を閉ざした。

フランシスはわたしの部屋で寝ることにした。わたしたちは長いこと話し合い、翌日の計画を練った。礼拝所を破壊した際、例の絵は引き倒した祭壇の上に忘れてきていたが、それがうまく使えそうだった。ふたりとも、その夜は邪魔されることなく眠った。少なくとも、不浄な目的なために聖別されていた装置だけは破壊したわけで、それだけでもなんらかの意味はあるはずだった。だが依然、恐ろしい仕事が残っており、展開は予想がつかなかった。

次の晩、バートンが食事に来た。バートンの向かいの壁には、二階の礼拝所から持ってきた絵を掛けておいた。はじめのころは電気をつけるほどではないが部屋がかなり暗かったため、バートンはその絵に気づかなかった。バートンはいつものように陽気で明るく、気の利いた愉快な話で周りを楽しませ、小さな友人のディッキーはいつ戻るのかとたずねた。夕食が終わりに近づいて電気が灯されると、バートンも絵に気がついた。わたしはバートンを見つめた。みるみる土気色になった顔に、汗がにじみはじめた。それからバートンは自分を取り戻した。

「奇妙な絵ですね」バートンは言った。「前からあそこにあったかな？　いや、なかったはずだが」

「ああ。あの絵は二階にあったものだ」フランシスが言った。「ディッキーだって？　それならいつ戻るのかはわからないな。だがあの子の日記を見つけてね。いまは、その話をする必要があるようだ」

「ディッキーの日記？　なるほど！」バートンは舌で唇を湿らせた。

　何か絶望的なことが起こりつつあると、バートンも察しているようだった。わたしは構えているバートンを見つめながら、目の前に迫った死刑を、看守とともに独房で待っている囚人の姿を連想した。バートンは片肘をテーブルにつき、額を手で支えていた。そこへ間をおかずに使用人がコーヒーを運んでくると、そのまま部屋を出て行った。

「ディッキーの日記には」フランシスが静かに言った。「あなたの名前が書かれている。叔父の名前もです。ディッキーは叔父の姿を一度ならず目にしている。もちろんそれについては、あなたも知っての通りだが」

　バートンはブランデーのグラスを干した。

「それは何かの怪談かな？」バートンが言った。「どうぞ続けてください」

「そう、部分的には怪談とも言えるな。だが全体としては違う。叔父は――でなければ叔父の幽霊と言ってもいいが――ディッキーになんらかの話をし、それをあなた以外の人間には言うなと命じた。そこへあなたが、さらなる何かを吹き込んだんだ。そしてあの子に、近々お祈りに連れていってやろうと言った。それはどこで行なわれるんです？　この真上にある部屋でかな？」

　罪を宣告された男は、ブランデーの力を借りて、束の間、勇気を取り戻した。

「それは全部嘘ですよ、エルトンさん」バートンは言った。「ディッキーの心は堕落している。あの年頃の子どもならば知るべきでさえないことを口にしては、声を上げて笑う始末でね。母親にも警告したほうがいいのではないかな」

「それにはもう遅い」フランシスが言った。「先ほど話した日記についてだが、明朝の十時には警察の手に渡っているはずだ。警察は、あなたが黒ミサを行なっていた上階の部屋も調べることになるでしょうね」

　バートンがフランシスのほうに身を乗り出した。

「そんな、だめだ」バートンが叫んだ。「やめてくれ！　頼むから、どうかお慈悲を！　何もかも正直に話そう。

何も隠し立てなどするものか。わたしは冒瀆的な人生を送ってきた。だが間違っていた。悔い改めよう。あのような忌まわしい信仰は捨て去ると誓う。全能なる神の名のもとに、冒瀆行為とは縁を切ると約束するから」

「手遅れだ」フランシスが言った。

そこで、いまだにわたしを悩ませてやまない、恐ろしいことが起こりはじめた。哀れな男が椅子の背に身を投げ出すと、その額から白いシャツの前に細長い灰色の虫が落ちて、くねりはじめたのだ。その瞬間、頭上からベルの音がした。バートンはハッと立ち上がった。

「やめてくれ!」バートンはまた叫んだ。「いま言ったことは撤回する。何も捨てたりはしませんとも。わたしの神が、聖所でわたしをお待ちになっている。いますぐ御前（みまえ）に出て、慎ましい告解を受けてもらわなければ」

バートンはこっそり逃げる動物のような動きで部屋を出た。それから階段を慌てて上がる足音がきこえてきた。

「見たかい?」わたしが小声で言った。「どうしたらいいと思う?　あの男は正気なのか?」

「これ以上は、ぼくらの手には余るよ」フランシスが言った。

頭上の天井から、誰かが倒れたような音がした。わたしたちはひと言もなくフランシスの寝室へと駆け上がった。祭服がしまわれていたタンスの扉が開いており、何枚かが床に落ちていた。礼拝所への羽目板は開いていたものの、中は暗いままだ。何を見ることになるのだろうと恐れながらも、わたしはスイッチを手探りし、電気をつけた。

数分前に鳴ったばかりのベルは、まだそっと揺れていたが、音はしていない。バートンは金糸で刺繍のほどこされたコープをまとい、顔を痙攣させながら、ひっくり返った祭壇の前に倒れていた。痙攣が止まり、死がその喉をゴロゴロ鳴らしたかと思うと、バートンの口がパックリと開いた。するとどこからともなく巨大な蝿の群れが現れて、その口に群がりはじめたのだった。

秘儀と魔道書
奥義書
The Grimoire

モンタギュー・サマーズ Montague Summers
夏来健次 訳

カトリックの聖職者モンタギュー・サマーズ（一八八〇―一九四八）は、日本では日夏耿之介『吸血妖魅考』の原著者として知られている。その魔術やオカルティズム関係の研究は広範囲にわたり、デニス・ホイートリには『黒魔団』などの魔術小説の執筆に際し協力したと伝えられている。怪奇小説のアンソロジー編纂や創作もしており、作品は近年、二冊の短編集にまとめられた。本作は、一九三六年に刊行された短編集の表題作。魔道書ものの怪奇小説の古典の一つに数えられる。蒐集欲ゆえ怪異に見舞われる主人公の姿は、古書好きの共感を呼ぶことだろう。

「今日はなにかわたしの趣味に適（かな）いそうな本は入っているかね、メリット？」

眼鏡顔の痩せた古書店主は事務机の席で青鉛筆を手にしつつ、読み耽っていた新聞『党派』からすばやく顔をあげると、年旧（ふ）りた陸亀にも似た細長い首をぐいと前へ突きだし、小ぢんまりした店内の薄闇を透かして、ためらいがちに客をさぐり見た。よく晴れた午後でさえ明るすぎる場所とはならない店だが、薄暗い隅や怪しげな角の書架には、古書店巡りの冒険家たちが好む埃の目立つ大冊がぎっしりと収められている。そうしたところではトマス・ダーフィー（十七〜十八世紀イギリスの劇作家・詩人）の戯曲の四つ折り判アンカット本や、なかなか出まわらない十八世紀の冊子本や、あるいはまた愛好家たちが長いあいだ辛抱強く探しつづけているエライザ・ヘイウッド（十八世紀イギリスの女流劇作家）の長篇小説すら見つかるかもしれない。

「これはどうも、よくいらっしゃいました。はい、あなたさまのためにとっておいたものがございますとも。ちょうど昨日仕入れたばかりです。今日の夕方にでも葉書をお送りして、お知らせしようと思っていたところでして」

「それは今覗いて幸いだったよ。明日になるとシルチェスター（ロンドンの西に位置する町）に十日から二週間ほども滞在するために出かけなければならないので、立ち寄る余裕がなくなるからね」

店主メリットは事務席をなす背の高い椅子から用心深くおりると、奥にあるガラス扉付きの小ぶりなチッペンデール様式の書架へそろそろと近寄っていった。ひとつひとつの鍵に札の付いた鍵束をポケットからとりだして扉を開け、モロッコ装や金箔付き仔牛革装が並ぶ背表紙の列のなかから、仔羊革装の八つ折り判の厚い本を一冊抜きだした。

「これでございます」

「まさかまたジャン・ボダン（魔女狩りで悪名を馳せた十六世紀フランスの法学者）の著作のどれかやら、『魔女への鉄槌』（十五世紀ドイツの異端審問官ハインリヒ・クラーマーによる魔女告発の手引書）の後代の版のひとつやらじゃないだろうね……おお、これか」客はそう言うと、きわめて珍奇な尋常ならざるその掘り出し物を手にとった。錬金術や魔術や隠秘学の典籍を長年渉猟しつづけてきた蒐集家であるこの客にして、たった今熱烈な関心とともに扉ページに視線を走らせているその書物は、かつて一度も目にした記憶のないものだった。目にしていれば到底忘れるはずのない品でもある。「『Mysterium Arcanum, seu de daemonibus cum evocandis aliis secretis abditissimus,Romae, sine permissu superiorum』——すなわち『秘めたる奥義、あるいは邪悪なる精霊召喚の術、その他の比類なく奇異にして内密なる諸事』ローマにて印刷——この部分はまやかしにちがいない——刊行年月日なし、当局検閲なし、というものだ。著者が何者かはわからないが、多少のユーモアを持っていたご仁ではあるようだね。おそらくは十七世紀初めごろに印刷されたものだろう。内容は——なかなかに興味をそそりはするが、まあいずれは、小アルベルトゥス（十四世紀ドイツの哲学者アルベルトゥス・パルヴァス・ルシウス）かホノリウス三世（十三世紀のローマ教皇、後世魔術師と噂された）あたりの著作の焼きなおしといったところじゃないかな」

「左様ですか。こうしたものに関しては、わたくしめなどよりもはるかによくご存じでいらっしゃいますからね。

いずれにせよ、めったにない出物だとは思います。わたくしめにしましても、これまで二十五年に及んでこういう分野の書物を取り扱ってきましたが、それでもこの本を目にしたのは初めてですので」

「あんたにはいつごろの本と見えるのかね、メリット？」

古書店主は『秘めたる奥義』を手にとると、より明るい戸口近くへ移動し、鼻先数インチの宙に本をかざして、判断しかねるように目をしばたたいた。「じつのところ、まだ仔細には検分しておりませんでして。なにしろ初めて見た瞬間に、『これは如何にもホドソル博士向きだな。博士ならきっとお買いあげくださるだろう』そう自分に言い聞かせるなりぴたりと本を閉じて、それきりになってしまったものですから」

「で、そのホドソル博士にはいくらふっかけるつもりだ？」

メリットは頭をわずかに片側へかしげると、黙ったまま束の間本をじっと見た。「なるほど、もし売り値のことをお尋ねなのでしたら、目録には六ギニー（ギニーはかつてのイギリス金貨。ポンド金貨より一シリング分高価値）と載せたいと存じます。それより一ペニーもさげるつもりはございません。ただし、あなたさまには五ギニーでお買いあげいただこうと思っております」

ホドソル博士と古書店主メリットは長年の知己だが、こうした場合にはいささか芝居がかった交渉が演じられる。

「ほほう、これはまた」ホドソルはそう言うとページをパラパラとめくりながら、「こういう日付も検閲もない本は、今し方も言ったように、『ソロモンの鍵』の異本のひとつといったたぐい以上のものではあるまいが――」その評価には嘘があり、自分でもそうと承知しているが、それが蒐集家というもののやり方でもある。「――そんなものに五ポンドも要求しようというのか。いやはや！」

「五ギニーです、博士。ギニーでお願いしたく存じます」

「なおさらよくないじゃないか。阿漕（あこぎ）な商売だぞ、メリット。怪しげな福袋を買わされるに等しい」

「左様ですか。もしそれだけの価値がないとおっしゃるなら、いたし方もございませんが……でもわたくしめとしましては、必ずやご蒐集品として望まれるべきものと確信しております。すでにご入手されているわけではもちろんないと存じますし、売れずに長く残るものでもないと思っております。スパイサーさんならきっと欲しがるであろうと」小賢しい老店主はそう言って、本を書架に戻そうとするそぶりを見せた。

好敵手の名前を耳にしたホドソル博士は、毛を逆立てる豪猪（やまあらし）もかくやの苛立ちをあらわにし、すばやく制止の手を突きだした。「まあそう急ぐな、メリット」と声を高める。「まずはもう少しよく見せてみたまえ」

あとはざっとめくるにとどめた。ポンド紙幣五枚と半クラウン銀貨（二シリング六ペンス硬貨）二枚を手わたし、そのあと商品がきちんと包装されていくあいだに、ホドソル博士は質問した。「ところでメリット、昨日仕入れたばかりだと言ったな？　仕入れ元を訊くのは、さしつかえがあるかね？」

「さしつかえということはございませんが、残念ながらあまり詳しくは申しあげられそうにありません。まったく未知の年若い方が閉店間ぎわに持ちこみ、今すぐ買いとってほしいがいくらになるかと尋ねました。それで、いわゆる即断即決（オーバー・ザ・カウンター）で買いあげた次第でして」

「なるほど。いや、ちょっと気になっただけでね。たしかに風変わり（アウト・オヴ・ザ・ウェイ）な珍本なのはたしかだ」

「なんでしたら、ご自宅宛てにお送りいたしましょうか？　三十分ほどでお届けできると思いますが」

「いや、自分で持ち帰れるよ。まっすぐ帰宅するつもりなのでね。そんなに重くもあるまい」

じつのところ、ホドソル博士はまっすぐに帰宅できたわけではなかった。古書店から二百ヤードと離れていないところで知人とばったり会って、退屈な長話に付きあわされ、早めの昼食を一緒にする約束をしないうちは逃げられない仕儀となった。しかもその遅れのせいで、つぎはマーティ・デイヴィーズ老嬢に捕まるはめになった。うちの庭園の門のそばに立ち寄るぐらいなら帰り道からそう遠く逸れることもないでしょうというのが老嬢の言い分で、そのうえ新しく雇った小間使いのいいところ悪いところにホドソル博士が興味を持っているにちがいないと決めつけているのだった。

「ほんとに、昔は使用人がみんなちゃんと使用人でしたのにねえ」老嬢は灰色の細かな縮れ毛の髪に包まれた頭を振りながらそう言った。「それが今の時代と来たら――！」

そのおかげで、博士がようやく自宅の玄関の掛け金をはずしたときには、通りの角の聖マタイ教会の時計が午後六時半を数分すぎたころになっていた。博士が玄関に入るのと同時に姿を現わした有能な家政婦バーキット夫人は、主人の食生活を見事なまでに差配してくれているが、そのやり方が少しばかり専制的であり（あるいは専制的だと囁かれており）、三マイルも離れた見知らぬ家で食事しているような居心地の悪さを強いられるのだった。おまけに食事の時間を厳守するためにはいつまでも書斎で書簡や書類をまごまご見ていてはいけない気分にさせられるときている。新しく本を買ってきた結果として博士はそれを書斎の机上に置かねばならなかったが、着替えを済ませる前に本を開いてしまうほど自分を信用するわけにはいかなかった。書斎に戻ったら就寝前にほかの用を済ませてから本を読み耽ることにしようと自分に言い聞かせた。というのは、思いもよらず同席した客がいたためった。だがその決意が果たされることはなかった。というのは、思いもよらず同席した客がいたために食事の席がいつになく堅苦しくなってしかも長引き、そのせいで二階に戻ったときにはすっかり晩い時間になっており、少なからぬ疲れを感じてすぐベッドに就きたくなっていた。

翌朝もホドソル博士はなにごとも充分に楽しめる状態ではなく、バーキット夫人が整理整頓の行き届いた台所から寝室まで運びあげてくれる魅惑的な朝食もいつものようにはとても満喫できなかった。隠元豆もベーコンもヨークハムも採れたての鶏卵も遠慮し、なにも付けていないトーストを少しとお茶だけをなんとか口に入れた。あわただしく落ちつかない夜をすごしたせいか、自分でも奇妙に思えるほど元気が出ず沈んだ気分だった。寝つきはとてもいいほうで——枕に頭をつけたとたんに寝入って翌朝八時までなにもわからなくなるのを自慢するほどだが——昨夜にかぎっては輾転反側しつづけ、無数の羊を数えてもなかなか眠れず、しかもひとたび眠ったら到底快からざる夢を見なければならなかった。じつのところ夢はよくある支離滅裂な様相を帯び、しかもこれまたありがちなことながら、覚醒時の記憶と漠然と混淆しているようでもあったが、ただ、どの夢にもある一人の男の姿がくりかえし現われるのだった。いつも同じ男で、目を閉じるたびにしつこいほどはっきりとした姿で再登場するのだ。風采はごく普通の感じだが——但し顔だけは決して見きわめられない——それでいてこの訪問者には邪悪な雰囲気があり、博士によからぬことをなそうとしているように感じられた。奇妙なのは、この男がつねに寝室の外の廊下を階段の上のあたりまで行ったり来たりしているように思えることだった。ときには寝室のドアのすぐ前に立ち、顔をかしげて鍵穴に耳を押しあて、部屋のなかのようすを盗み聞きしようとしていることさえあった。実際、そのさまがあまりにも明らかに見てとれたせいで、博士は驚きのあまり明かりのスイッチを入れてベッドから撥ね起き、ドアの掛け金をはずして大きく開け放ったほどだった。もちろんそこにはだれもおらず、われながら恥ずかしいことをしているという認識をようやくとり戻した。

　お茶の最後の一杯を飲み——ことのほか喉が渇いていた——そのあと豊かに花が咲く花壇となめらかな緑の芝生を眺めやりながら、今日の朝食のときのことを、あるいはまたそれ以上に昨日の夕食のときを回顧した。だが自分の振る舞いに格別責められるべきところはなかったとしか思えない。慎重で率直な美食家たる博士は、霰（あられ）砂糖が煌めくクリームのたっぷりかかった如何にも贅沢な焼き菓子はきっぱりと避けて、より健康によさそうな林檎と米の料理を選んだ。大海老（ロブスター）の麵麭（パン）粉焼きよりは舌平目（したびらめ）を選択し、茸（きのこ）の香草料理は忌避した。つまりはあとで悔やみそうなものはまったく食さなかった。ひょっとするとなにかしらの病気なのかもしれない。もしそうなら、スペンロー律修司祭（カノン）（カトリックの大聖堂参事会員）は自邸に病人を招きたいとは思わないだろう。ホドソル博士は鏡に近寄り、舌を念入りに観察した。素人の目には病気のようには見えない。小男ディロン医師に電話をかけ、出向かずして診断を仰ぐべきか？（ジュリアン・ホドソルは文学博士（ドクター）であって医師（ドクター）ではないことを説明しておいたほうがいいだろう）単に昨夜がひどい一夜だったせいではないのか？　小言ばかりの老婆並みに心配性になっても仕方のないことだ。ただの消化不良以上のなにがありうる？　頭痛もなく体温も高くない。なんとも厭な怠（だる）さがあるだけだ。このところ少し過労気味なのかもしれない。シルチェスターではちゃんと一日休みをとってくつろげるだろう。心身を安らげられる土地でもある。スペンロー司祭は模範的な招待主で、日曜礼拝に多少とも参加する者には相応の自由時間を与えてくれるはずだ。もちろん礼拝はいつも退屈なものだが、大聖堂で演奏される音楽は例外なく一流だ。そうとも、あの老司祭を喜ばせるためなら、滞在のあいだ平日に二、三度礼拝に赴くことすら苦にはなるまい。午前十時だったか十時半だったか忘れてしまったが、とにかく赴く価値はある。シルチェスターは疑いなくよいことをもたらしてくれる地になるはずだ。

　スペンロー司祭はバーミンガムの富裕な工場経営者（身罷（みまか）って久しい）の唯一の遺児で、独身者ながら大きく古式ゆかしい邸宅を維持している。著しく保守的なものの見方を持っているがゆえに、時勢に乗り遅れた人々の一人と見なされたこともあるが、実際は大いに礼節を重んじるしっかりした老紳士で、如何なる種類のものであれ革新的なことや熱狂的なことは絶対に信用しない主義だった。そうした知見の狭さはしかし大きく改善されてきたのもたしかで、それは読書を好む性向と、とくに教会考古学というものへの強い関心によるところが大きい。ホドソル博士と初めて出会ったのは数年前のさる学会の集まりでのことで、新たな知人となったこの司祭の考え方の極端なところや懐疑的すぎるところについて博士は賛意を覚えかねたが、それでも追求する趣味と志向は共通していた。その結果シルチェスターへの招待がまずあり、以後おたがいに何度か訪問しあってきた。ホドソル博士はたやすくは交流に入りこめなかったため、知己としての間柄はある意味で一方的なものとならざるをえなかったし、司祭の強すぎる信念にはあまり共感できなかったが、反面気が利くと同時に隙のない人物でもあることや、また共通とする趣味、書籍についての会話、古器古物へのたがいの愛好など、関係をよくしていく要素は多々あった。かくて四月の終わり近いある日の晩い午後、ホドソル博士の乗るタクシーはシルチェスター市街に入っていった。タクシーの窓の外に赤煉瓦造りの方形をなす広壮な邸宅が見えてくると、博士は大いなる満足感と期待を覚えた。ジェームズ二世（十七世紀のイングランド王）治世期という古い時代のさる司教が建設した邸宅で、歳月の経過とともに荘厳な美観を増してきた。西に傾く日の光がたくさんの縦長の窓に明るく反射し、小さな窓ガラスがまさにダイヤモンドのように煌めく。邸宅前面の穏やかな高貴さ壮麗さを湛えた様相が心を和らげ慰め、精妙な唐草模様のあしらわれた鉄製の門扉と、その先にのびる黄色い小石敷きの小径（こみち）までが同様の効果をもたらす。小径は天鵞絨（ビロード）めくほどなめらかな草地とそこにこんもりと生える低木の茂みを囲むように巡ったのち、やがて広い長円形の終点を迎え、大きな両開き式玄関扉へとつづく堂々たる登り段の下にいたる。

　スペンロー司祭は喜びもあらわに友人を迎え入れ、綿密に準備された晩餐を供したあと——二人きりの食事だったので司祭は持ち前の熱心なもてなし癖を存分に発揮した——床から天井まである書架をぎっしりと書物が埋める書斎でくつろぎながら、会話の弾む長い夜をすごした。当然そこには蒐（あつ）めたての稀少本もあり、憧憬とともに話題に上（のぼ）った。明るく柔らかに燃える暖炉の火が春の宵には嬉しく、肘掛椅子は贅沢すぎず、かといって小さすぎもせず心地よい。ワインは極上の精選種だ。司祭の蒐集本のなかには真に貴重なものがあり、そのなかには何冊かの揺籃印刷本（インクナブラ）（十五世紀の最初期活版印刷本）も含まれる。話題は豊富且つ多彩だった。司祭が最近入手した稀覯書をまた一冊書架からおろしたところで、時計が午前零時を告げた。「おお、これはまた!」と司祭は声をあげた。「もう零時とは。時間などすっかり忘れていました。しかし、招待主が無分別ではいけませんな。お客さまがベッドに就くのを妨げることになっては。わたしは夜更かし癖がついていますが、あなたまでそうとはかぎりませんから。もう一杯だけワインを如何です？　よしておきますか？　ではブランデーのソーダ割りは？　もうなにも要らないと？　けっこう、それが賢明です。そろそろ床に入ることにしましょう。こんなふうに言うのを許していただけるとすれば、これまでお見受けしてきたかぎり、そう強壮ではいらっしゃらないようですからな。いつも晩くまで引き留めるわたしは、責められてしかるべきというわけです」

「そんなことはありませんよ、司祭、まったくありません。じつのところ、昨夜なかなかに落ちつけなかったのです。こんなことを正直に言うべきではないかもしれませんが、ここまでの旅で少々疲れているというだけなのです」

「汽車の旅はつねに疲れるものですからな。それに、わたしの個人的なことで言えば、自動車の旅もまた好ましかった例しがありません。もし明日の朝になっても疲れが完全には癒えないようでしたら、ベッドで朝食をおとりになるのがよろしいでしょう。呼び鈴を鳴らすか、朝食のお知らせにあがった給仕に伝えてくだされば、そのようにしますので。それとも、もう少し晩い時間まで起こさずにおくのがよろしいかな？」

「いえいえ、そこまでご配慮いただかずとも。ベッドでの朝食というのは好みませんし、そもそも、もし起きられないほどだったしたら、きっと食事もしたくないことでしょう。もちろんご親切でおっしゃってくださっているのは承知していますが、そのような場合になることはまずないと考えてよいと思います」

「それでは、朝食は九時半の予定ですので、ご一緒でよろしいですね？　けっこう。八時半にお呼びします。わたしはといえば、八時に聖餐式を行なう慣らいになっているので、九時より前に大聖堂から戻ることはほとんどありません。ではおやすみなさい。よい眠りに恵まれますように」

「おやすみなさい、司祭」

　翌朝スペンロー司祭が大聖堂の聖母礼拝堂での聖餐式から戻ってきたとき、ホドソル博士は〈肺は掃除が肝心〉という格言に沿って庭園を散策し、胸いっぱいに外気を吸いながら、聳え並ぶ古い灰色の塔のまわりを飛ぶ深山鴉の群れを眺めていた。塔が突き刺している空は幾分淡い青色で、そこを横切って白い綿雲の列が走る。世間並みの朝の挨拶とご機嫌伺いが済んだあと、司祭は客人の健康を祝す言葉を口にした。「ご気分が一新されて、お体もすっかりよくなられたようですな」

「そんな気がしています」と博士は明朗に返答した。「やはりこうした信仰の場は、どこよりも心身が落ちつきます。こんなに気分のいいことはこれまでなかったほどです」

　スペンロー司祭は郵便物をたしかめ、書簡類の束と古書目録いくつかを手中にした。ホドソル博士が食卓で『タイムズ』紙に読み耽る悪癖を発揮したため、朝食のあいだは数えるほどしか会話を交わさず、やがて食事も終わろうというころ、イタリアの切手と消印の付された一通の手紙に目を通していたスペンロー司祭が、顔をあげてこう言った。「ホドソル博士、交流をお断わりすることはまずない主席司祭と一度晩餐の席をともにすることになっているだけで、あなたが滞在されているあいだにほかの客人をご紹介する予定を立てていなかったのを申しわけなく思います」

「今のままで充分ですとも、司祭。わたしとしては、昨夜見させていただいた一部の書物を、もう一度拝見するのを楽しみにしているばかりですから。少しノートをとらせていただきたいと思います。たとえば、例のジョヴアンニ・バッティスタ・コンドロチ（十七世紀イタリアの医学者）の著作の初期版とか、あるいはまた、ジョン・ポーディジとジエーン・リード（ともに十七世紀英国の神秘家）については、あまり知悉していませんもので。一日二日書斎をお借りして、書架にある『神秘なる力』と『庭園の泉』（それぞれポーディジおよびリードの著書）を閲覧させていただければと」

「ともに古い神秘学の希書ですな」と司祭が笑みを浮かべる。「ではちょうどよい案があります。わたしは午前中ほとんどいつも早課（朝の礼拝）から戻ったあと昼食まで書斎で仕事をしますので、そのあいだあなたはシルチエスターを散策してまわられるとよろしかろう。午後になるとわたしが散歩をする時間ですので、そうしたらこんどはあなたが書斎に入り、それらの神秘家たちの著作を思う存分ご覧になれるというわけです。ところで、じつは先ほど申しあげようとしましたのは、この先数日間ほかの客を招待するのを見あわせた理由のひとつなのですが、それはつまり、月曜にある一人の客人が訪れる可能性があるからだったのです。で、つい今し方それについての手紙を受けとったところです」そう言って異国製の薄い封書をかざした。「あらためて訪問の意向を書き送ってきました」

「ほう、それはまた。わたしの知っている方？」

「まだご存じないと思います。しかしわたしの考えちがいでなければ、あなたにとってはとても興味を持ってお会いいただける方であるはずです。ドミニコ会（十三世紀の聖ドミニコを開祖とするカトリック修道会）の修道僧です。驚かれたでしょうな」たしかにホドソル博士は喫驚（きっきょう）して顔をあげた。「わたしは昨年ローマに滞在したとき、その修道僧ラファエル・グラント神父からいささかの親切を受けまして、そうでなければほぼ固く閉じられているはずの扉を開けてもらいました。神父は非常に有能な歴史学者で、当然ながら、自身が属する修道会の年代記に強い関心を持っています。修道院解散（十六世紀のイギリス国王による修道院資産没収事件）のときにこの地の黒衣修道会（ドミニコ会の異称）から大聖堂図書館に引きわたされた記録文書や弥撒（ミサ）典書の写本について、わたしからグラント神父に知らせましたら——そうした文書についてはあなたもご記憶でしょうが、ほんの数年前に発見されたばかりで、あるいはより正確に言えば認識されたばかりで、わたしはそれらについての記事を『教会論壇』誌に書きまして、おそらくあなたもお読みかと存じます——神父は是非文書を仔細に検分したいとの意志を表明しました。もちろんそのほかの写本や記録も含めて。その際多少とも神父を補佐できるならわたしも喜びとするところで、それに、ごく少ない日にちになるでしょうが、余人の家に宿泊するよりもいっそここに滞在すれば、神父にとって相当に利便性がよくなるはずですので」

「そういうご仁に会えるのはとても楽しみです」とホドソル博士も期待をあらわにした。「で、いつここに来られると言われましたかな?」

「月曜とこの手紙に書いています」と司祭は答えた。「きわめて知性に富んだ人物ですから、あなたにとっても滞在のよき同伴者になると思います」

　午前はなにごとが起こるでもなく、心地よくすぎていった。ホドソル博士は市内の狭い街路や石敷きのうねり道（と地元では呼ぶ）をほとんどあてもなく散策し、旧バター市場地区や〈悲嘆の十字架〉地区などでの見聞を新たにした。古書店も何軒かまわったが、幸運には出会えなかった。聖ベネディクト教会と聖ミルドレッド教会を覗いたときには、ともにけばけばしい真紅色や濃黄色の窓を見て身震いした。ヴィクトリア朝後半一八七〇年代のさる敬虔な市長は怒って後者を壊そうとしたという。博物館では学芸員と少し会話を交わし、昼食までには大聖堂敷地内の小暗い小径に戻っていた。

　午後からは書斎での至福のときを二時間すごし、四時ごろに司祭がお茶を持って姿を見せた。会話は予想されるとおり、書物、書物、また書物についてだった。

「そう、わたしのほうはたしかに、ここ最近じつに幸運な出会いがひとつふたつありました」とスペンロー司祭が言う。「でもその一方で、コルネリウス・タキトゥス（二世紀ローマ帝国の歴史家）の書を言い値で買うはめになったり、『ドン・キホーテ』（十七世紀スペインの作家ミゲル・デ・セルバンテスの小説）にいたっては価格をはるかにうわまわる額で買ってしまいました。しかしホドソル博士、あなたが最近特段のものに出会わないというのはどういうわけでしょう？　ご自分の望むものを見つけだす勘のよさに関するかぎり、これほどの人はほかに知らないといつも思っているのです。わたしたち蒐集仲間があくせく探しまわって途方もない額の出物ばかりつかまされているうちに、いつの間にか掘り出し物のそばまでたどりつき、ほらここにあった！　と声をあげていらっしゃるのですからな」

ホドソル博士は笑いながらパイプの吸い殻を叩き落とし、こう言い返した。「それは誇張のしすぎというものでしょう、司祭。古書市場もかつてとこんにちではすっかり事情が変わっています。安い掘り出し物などまるでないほどですから！　メリット古書店でさえ価格を吊りあげています。二、三日前に店主から五ギニーを要求された本がありましたが——やむなく支払いました。そう言えば、その本をお見せしたいと思っていたのです。あなたなら出所を推量できるのではないかと思いましてね。非常に珍しいものです。ここに持ってきてあります。すぐにとりだせますので」

ホドソル博士はそう言ってから間もなく、メリット古書店の勘定台で受けとったままの包みをスペンロー司祭に手わたした。「それです。まだ仔細には目を通していません。包みを開いてみてください。その本についてなにかご存じのことはありませんかな」

司祭は包みを縛っている紐を慎重にほどき、包み紙をきちんとたたんだあと、仔羊革装八つ折り判の古書の題扉ページをめくった。一度じっと見てから、眼鏡をはずしてレンズを入念に拭き、あらためて検分した。「なんということか！」と声をあげた。「非常に興味深いものです。まさか、なにかの冗談ではありますまいな？　贋造物とか、でっちあげといったものでは？」

「いえ、そういうことはないと思いますがね。少なくとも、奥付から受ける印象ほどに内容がいい加減というものではないと信じます。かなり真摯な執筆者の手になる本だという感触を持ちました」

「なるほど、たしかにそう思えるところがありますな」

スペンロー司祭はページを繰り、あちらこちらの文節に目を通しては、眉間に深い皺を刻んだ。「神よわれにご加護を！　この本をいったいどこで入手されたのです？」

「先ほど言ったように、メリット古書店です。店主は飛び込みの売り手から仕入れたと言っていました。わたしが買った日のまさに前日だそうです。これと同じものを以前にもご覧になったことがおありで？」

「いいえ。今後もおそらく二度とはないでしょう」老司祭は本を強く閉じると、まるで嫌悪を表わすかのように卓上にドンと置いた。「ホドソル博士、あなたはこれをもう読まれたのですか？　詳しくご覧になりましたか？」

「いいえ、まだです。読むのを楽しみに――」

「では、率直なことを言うのを許していただきたいが、是非わたしの勧めをお聞き届けになるように。この本は火にくべてください。いや、あなたご自身もしこれを読まれたら、きっとそうなさるでしょう」

　ホドソル博士はつい立ちあがり、固まったように動けなくなった。「火にくべろですと？　これはまたなんというご助言か！　真剣な仰せとはとても思えませんが」

「とんでもない。いたってまじめな話です。こんな凶々(まがまが)しいものが、恐(おそ)ろしくも悍ましい書が、実際に本になっているのをかつて見たことはありません」

「ええ、こうした悪魔学に類する書物の一部に、いささかよからぬものがあることはわたしも知っていますが、しかし――」

「これはよからぬといった程度の問題ではありません。ではまず、ご自分で少し読んでみるとよろしい」と司祭は深く心を痛めるかのように言った。

　ホドソル博士は少なからぬ当惑とともに、悍ましかるべき書を手にとり、なにが司祭をそれほどに険悪な助言に駆り立てたのかを突きとめようと試みた。長く調べるには及ばなかった。いきなりめくったまさにそのページに、なにかしらの祈禱を伴う儀式についての記述があったが、それはすさまじくも冒瀆的な暗黒の力にかかわる祈禱であり、且つまたこのうえなく不敬にして背徳的な儀式なのだった。

　こんなものをスペンロー司祭の目に触れさせるとは、なんという過ちか！　ここは社交術を発揮して老友を宥めるしかない。

「なんと！」と博士は声をあげた。「おっしゃるとおり、これは凶々しすぎます。これほどまでとは思っていませんでした。お詫びします。とはいえ、好奇心の面からすれば、あるいは純粋に書誌学的な観点から見るなら、こんな本でも記録だけは万全に残しておくのがいいかもしれませんな。如何に堕落した唾棄すべき書ではあれ」

「個人的には、この場で今すぐにでも燃やしてしまうべきだと考えます」と司祭が言い返す。「しかしもちろん、わたしの所有物ではありませんのでね。邪悪な本と見なすのみです」

「ご助言に従うことにしましょう。それでもやはり、多少の書き留めなりとも残しておかないと後悔する気がします。あるいは、題扉ページだけでも写真に撮るとか。そのページすら邪悪とおっしゃるかもしれませんが」

　スペンロー司祭は苛立ち気味の声を洩らし、細長い指をさしのばしたと思うと、強い調子でなにかの文言を引用した。『怪しき術を使いし者たちも、ついにはそれらの書を持ち寄りて焼き捨てしが、その前に書の価を算じたれば、銀貨五万枚に相当と判じたり』（新約聖書中の『使徒言行録』の一節）」

　ホドソル博士には理解の行き届かない領域の言葉だったので、やむなく「なるほど」と、不適当にも不穏当にもなるまいと思われるつぶやきを返すにとどめた。

　ちょうどそのとき幸いにしてと言うべきか、執事が主人にわたすための書面を持って姿を現わした。至急なにがしかの返答を求める書状らしかったので、博士は焚書に付されないうちにとばかりに急いで自分の本をとり返すと、隙を見てすばやく書斎を抜けだし、自分の寝室に立ち戻った。ドアに掛け金をかけ、息も切れるほどの狼狽のまま肘掛椅子に沈みこんだ。

「いやはや！」と声に出し、ハンカチで額をぬぐう。「あの老人があれほどに怒るとは、だれに想像できよう！まったく、ああいう宗教人と一緒にいるとどこにつれていかれるかわかったものじゃない。とにかくこうなったからには、いったいどういうことなのか詳しく調べる必要があるな」

　するとほどなく、『秘めたる奥義』の内容がたしかに驚くべきものであることがわかった。多くの魔術のやり方が書かれており、そのなかには愛を成就させる術、憎しみを果たす術、さらには明らかにより凶悪な目的のためとおぼしいcapitis damnatio、すなわち死を与える術。そうしたページには毒薬の調合法や、不快きわまる原料による媚薬の作り方なども書かれていた。悪魔の召喚法、魔法の呪文や経文、さらには「カインの道」「バラムの惑わし」「コラの反逆」（いずれも新約聖書中の『ユダの手紙』にある言葉）という題を付された三つの項目が見られた。あらゆる放埓と忌むべき行ないの守護たる堕落した大天使に向けられた連禱や、地獄の力を呼びだすため黒弥撒の前後――ante et post missam――に唱える呪文もあり、またホドソル博士の見るところ、missam autem quaere apud Missale Nigrumというのは〈黒弥撒の内にこそ真の弥撒あり〉を意味するとおぼしかった。

まさか、十七世紀の少なからぬ異端審問においてあげつらわれてきた、にもかかわらず異端の組織の構成員以外の者の目にはかつて触れたことがないと言われる秘められた典籍を、わが手中にしてしまったというのではあるまいか？　この『秘めたる奥義』には、常時実用に供されてきた痕跡が窺える。ページの端にはいたるところに、古い時代の人の手になる走り書きの注記や、あるいはまた神秘主義的（カバリスティック）なさまざまな象徴記号の書き込みなどもある。しかも空白となっている最後のページには、細い線による細密な文字で「Evocatio efficacissima」と題された文が書かれていた。きわめて強力にして効果的な召喚法、という意味だ。「簡潔すぎて却って難解なラテン語の呪文だ！　うむ、これはなんとしても書き写しておいたほうがいいな。それも早いに越したことはない」ホドソル博士は万年筆の蓋をはずすと、鞄のなかから四つ折り判の紙の束をとりだし、書写の作業をはじめた。そう長くはかからず、不浄にして罪深き呪文の文言をすべて書き留めた。一言半句も書き洩らしがないかをたしかめるため入念に照らしあわせ、さらには自分のみに聞こえる小声で一行一行を読みあげていった。

　すると部屋のドアを軽く叩く音が聞こえ、博士は心底からぎくりとした。「使用人がお茶用の湯を持ってきたのか。時間のすぎるのは早いものだ！　気分を変えるのもいいかもしれない」本と紙束を急いで吸取紙台の下に隠すと、肩越しに後ろへ呼びかけた。「入りたまえ」

「お呼びになりましたか？」と低い声が問いかける。

　ホドソル博士が振り返ると、一人の長身の若い男がすでに部屋に入っており、客人の指示を待つかのように立っていた。落ちついた面持ちと礼節ある態度からして、作法教育の行き届いた使用人であるようだ。仕着せではないながらも洗練された黒服を着こなし、如何にも紳士階層の主人に仕える者という身仕度（みじたく）だ。だがそれと同時に、男の様相にはなにかしら違和感がまとわりついてもいた。それはおそらく、深い悲哀と強い悔いを湛えるかのような大きく黒い目と、極度に蒼白な顔色とによる印象なのかもしれない。

（司祭はまた一人新たに使用人を雇ったのか）とホドソル博士は思った。（まったく、自分独りの世話をさせるには余るほどの、ひと家族にもふさわしい人数をかかえているな。だがこの大きな邸をしっかり維持しなければならんのだからな）それから声に出して言った。「いや、けっこうだよ。呼び鈴を鳴らしてはいない。湯を届けてくれれば、あとはとくになにも要らない」

「それは失礼しました。お呼びになったと思ったものですから」使用人はそう言うと、部屋を出ていった。

　ホドソル博士はこれまでを反芻し、たとえ使用人たちのだれもラテン語を読めないとしても、スペンロー司祭は『秘めたる奥義』をこのままにしておくことを快く思っていないにちがいないと考えた。司祭が秘かに本を持ちだして破棄したりしないよう、鞄に入れて鍵をかけておくに如（し）くはない。その処置を済ませて安堵したところで、博士が階下におりようとしたとき、部屋からそう遠からぬ廊下の一角で、先ほどの使用人がうろついていることに気づいた。最近の世間の一般基礎教育がどうなっているにせよ――と博士は考えた――この男がかつて古典文献を学習したことがあって、使用人休憩室でホラティウス（古代ローマの詩人）やリウィウス（古代ローマの歴史家）を読んでいたとしてもおかしくはないかもしれない。

　その後司祭が『秘めたる奥義』についてあからさまにせよ仄めかしにせよ口出しをしてくることはなく、博士は安堵のうちに静かな宵をすごし、たちまちのうちに午前零時をすぎて深夜になっていた。書斎から寝室に戻って部屋の明かりを点けてみると、あの使用人の男がいつの間にやら部屋のなかに入って待っていたことを知り、強い驚きに襲われた。「なんの用だ?」と口早に問い質した。

「お待ち申しあげておりました」という、完璧に丁重で恭（うやうや）しくさえある答えが返った。「なにをいたせばよろしいでしょうか?」

「なにもしなくていい」とホドソル博士は返した。「してほしいことがあれば呼び鈴を鳴らすから」

　男はお辞儀をし、物静かに部屋を出ていった。が、出ていく瞬間、ひどく険悪な表情を浮かべたという奇妙な印象を博士は持った。「あの男、いったいどうしたというんだ?」と独りつぶやく。「わたしが邸を去るとき心付け（チップ）をもらえないかもしれないとでも思ったのか? こんなことで客を悩ませるようなら、心付けなど本当にやらんぞ。まったく！　あいつを見かけるだけで厭な気分になりそうだ」苛立たしく胴着（ベスト）のボタンをはずしていく。「それにしても、暗い部屋にずっといたことになるな。わたしが点けるまで明かりは消えたままだったんだから。なんとも奇妙なことだ」

　朝になると、客人ホドソル博士が気分良好とはとても言えそうにないようすでいるのが、スペンロー司祭の目にとまった。だが問いかけてみても、昨夜よく眠れなかったという答えが返るだけで、さらに問うと苛立ちをあらわにするので、司祭もそれ以上わけを訊くのは思いとどまらざるをえなかった。さらに意外なのは、もし気分が優れなければ大聖堂での朝の礼拝には参加しなくてもよいからという司祭の勧めにも、博士が耳を貸そうとしなかったことだ。それどころか礼拝には是非行きたいとの意志をあらわにし、しかも昼食の席においては、キリスト教を信仰する者ならばあたりまえにしている祈りや、あるいはまた正式な礼拝からも、安らぎや慰めが得られるものだという、それまでは口にするのを聞いたこともなかった理解や共感の心情をあらわにしたのだった。

　その日の午後、晩禱の儀が終わったあとの夕刻にスペンロー司祭が用向きで忙しくしているとき、ホドソル博士は川岸につづく草地の散策に出かけるべく心を固めた。草地は柵に囲われてはおらず、半マイルほどつづいたのち公共庭園に接続し、そこを通りすぎると、ほとんど気づかないうちに外部の展(ひら)けた自然地帯と、そこにのびている道路にまで出ることができる。草地にはベンチがあり、茂みの濃い下生えもあって、それがある種天然の塀をなしている。日曜の午後のお茶どきのころだが、草地にはほとんど人が訪れなかった。これが夕刻になって黄昏(たそがれ)が帳(とばり)をおろし、空に星が忍び入るころになると、寄り添いあう男女の姿がそこかしこに見えるようになるのだが。シルチェスターの若い娘たちは何世代にもわたってこの草地を逢い引きの場と見なし、若い男たちとつれ立って出向いてくるのが慣らわしであるがゆえに。

　幾度か巡り歩いて疲れを覚えたホドソル博士は、ちょうどよい休み場となっている木陰のベンチに腰をおろし、見慣れていながらも魅力を失うことのない景色と相対した――市街地の古い甍(いらか)のつらなり、大聖堂の塔群、穏やかに流れる川を挟む菅草(すげぐさ)に覆われた岸辺。まだそう長くは坐りつづけないころ、急に強い不安と胸騒ぎを覚えて、思わず激しく身震いした。博士があとで告白したところによれば、なにか恐ろしいものが近くにいるような恐れに駆られたという。まるで野生の獣がどこかにひそみ、自分に襲いかかって八つ裂きにする機会を狙ってでもいるかのような。ほかのことに意識を集中しようと努め――書物のことや、現在思索中の論文のことや、バクストン（マンチェスターに近い温泉地）を訪れる予定のことなど――平静をとり戻そうと試みたが、すべて無駄だった。ついには緊迫感に耐えきれなくなり、あたかも襲撃をかわそうとして跳びあがるかのような勢いでベンチから立ちあがった。ふと顔をわきへ向けたとき、のちの今にして思いだすだけでも眠れぬ一夜をすごさねばならないほどの、邪悪さ凶悪さに満ちた表情のものが茂みを透かして睨みすえているのを目にした。死人を思わす蒼白な顔に埋まる大きく黒い両の目が、熱く燃え盛る炭のごとく爛々とぎらついていた。その顔はたちどころに退きさがってしまった。あまりにすばやい消失で、もしはっきりと見さだめていなかったらただの思いすごしと信じそうなほどだった。木の葉のあわいに躍る光と影がなした悪戯にすぎないと。ひどい身震いを止められないまま邸に戻った博士は、そこで初めてあの使用人の正体を推測しはじめたのだった。

　記録に価するそのつぎの出来事は、同じ宵の午後十時ごろ、家政婦室のドアがノックも予告もなく開け放たれ、年長の小間使いルーシー・パーキンスがいきなり駆けこんで、家政婦ベイリー夫人のそばに崩れ落ちるようにへたりこんだときにはじまる。ことさらに厳格で礼節を重んじるベイリー夫人は、就寝に先んじて暖炉の前で香料入りの温かな赤ワインを飲みながら聖書を読んでいたところだったが、そのきびしい不快の念を表わすかのように黒繻子のドレスのあらゆる襞から衣擦れを放ちつつ、椅子からすっくと立ちあがった。「これはいったいなんの騒ぎなの、ルーシー?」と冷たい声で説教をはじめた。「まさか頭がどうかしてしまったわけでもないでしょう?」そして小間使いが青褪めた顔でうろたえの嗚咽を洩らしているのを見てとると、さらに口早につけ加えた。「本当にどうしようもないわね、なにがあったというの?」

「ああ、ベイリーさん」とルーシーが泣きわめく。「わたし恐ろしいんです。ほんとにもう、どうしたらいいのかわからなくて」

「恐ろしいですって? 早くドアを閉めて、なんなのか言ってごらんなさい」だがルーシーが依然震えてばかりいるのを見ると、自分でドアを閉め、それから小間使いの娘を椅子に坐らせた。そして自分用の戸棚から小さなグラスを出してブランデーを注ぎ、それを飲んだ娘の頬に血色が戻ったのを認めたのち、鋭く言いつけた。「いい加減に泣くのはやめて、なにがそんなに恐ろしいのか話しなさい」

　ルーシー・パーキンスの話を要約すると、彼女が日曜の夜にいつもする外出のあと邸内に戻り、台所につづく廊下を通ったとき、一人の見慣れない男ときわどくすれちがい、その瞬間男が恐ろしい視線で睨みつけたのだという。彼女の表現によれば、それはただただ恐ろしいという言葉に尽きる表情で、それで怯えのあまり、ベイリー夫人のいる家政婦室こそ天の恵みのごとき逃げ場所と思って駆けこんできたのだという。それ以上は夫人がどれだけ問い質しても追及しても、返答を深めることができなかった。

「ときに、ホドソル博士」晩餐も終わりに近づくころに、スペンロー司祭がそう切りだした。「あなたが最近入手されて先日見せてくださった件の珍奇きわまる書物について、勝手ながらラファエル神父にお伝えをしたのです。神父はとても目にしたがっておいでですので、如何でしょうか、わたしともどもでじっくり拝見させていただくというのは」

「ええ、まったくかまいませんよ」ホドソル博士はそう答えながらも、罪悪感のせいでつい顔が紅潮するのを覚え、うろたえて言葉がつっかえがちになるのを止められなかった。「神父にご覧いただけるのはまったく嬉しいことですので……その……つまり……ひと言申しあげたうえで……」

「そうおっしゃるのは、ホドソル博士、わたしをひどく驚かせるにちがいないから、ということでしょうか?」とラファエル神父が尋ねかけた。「そうした面については、どうかご心配なさいませんように」と笑みを浮かべる。「あなたがお書きになったものではないのですから、内容について責任をお感じになることはありません。たとえどれほど不愉快なものだとしてもね」

「ラファエル神父ならば、その本の起源についてなにかしら示唆してくださることが可能かもしれません」とスペンロー司祭が口を挟んだ。「そうした方面の智識をお持ちですので、神父に検分していただくのは本当にお勧めできることです。もちろん、これはまったくわたしの個人的な意志による助言ですので」

「ええ、ええ、そう言ってくださるご厚意はよくわかっていますよ、司祭。ラファエル神父ならば必ずや正しく理解してくださるであろうことも……」

ドミニコ会の神父はなにも言わず、ただ丁寧に頭をさげた。

「ではちょっと失礼して、すぐに本をとってきますので」とホドソル博士。

「本は書斎までお持ちください、博士。そこでコーヒーを飲みながら拝見しましょう」と司祭が言う。

『秘めたる奥義』を手にしたホドソル博士が足速気味に階段をおりていくとき、明るい昼日中でも暗がりにしかならない踊り場の隅のあたりから、形のさだまらないひとつの黒い影が突然躍りかかった。博士はあわてて手すりにつかまったおかげで、辛うじて危険な墜落を免れた。どうにか体を落ちつけて振り返ったときには、もうなにもいなくなっていた。博士が携えていった仔羊革装の古書を書斎で受けとったドミニコ会の神父は、内容を入念に読んでいった。そのあいだ神父の表情は一抹の驚きも嫌悪もあらわにはしなかった。ひたすら沈着に、珍奇にして稀少な書物を検分するときの学者特有の細心さで読み進んだ。やがて憶えなからざるに相違ないなにがしかの文節に行きあたると、自らに言い聞かせるようにうなずいた。

「なるほど。ホドソル博士」『秘めたる奥義』を閉じて卓上に置いたラファエル神父はようやく口を開いた。「あなたが入手されたこの書物は、たしかにきわめて稀に見る、且つ尋常ならざるものです。もしわたしがこの特異な書の目的と性質についてなにか申せば、おそらくあなたのご不興を買うことになるだろうと思いますが、しかし敢えてその失礼を犯さねばなりません。どなたであれ、これほどの命にかかわる危険の前に人が立っているのを見ていながら、なにも申さずにいることはとてもできません。あなたならばその申し条を決して悪くおとりにはならないと思いますし。是非とも信じていただきたいが、もしわたしなら、ここに書かれてある種の呪文を少しでも口にするようなことがある前に、導火線を付してマッチを擦るに相違ないと、全幅の真摯さで申しあげざるをえません。この本を所持していること自体、このうえなく好ましからざる行為というほかないのですから」

ホドソル博士は神父の言葉に少なからず当惑すると同時に、大きな動揺に襲われているようすをあらわにした。必ずや避けるべきなにものかの関心を心ならずも惹きつけてしまったという身震いするような思いに囚われながらも、理屈のうえではそうしたものの存在を信じることは到底できずにいるのだった。自分が告白したこれまでの出来事の数々それ自体はどれも理に適った説明の可能なことであり（と博士は主張した）、ただの主観上の錯覚にすぎないと考えたいのだった。精神の平衡と冷静さに自信を持つ者は、宗教的な現象に対しては〈健全な不可知論〉（ここでは神の存在を疑う立場）――博士自身が好む用語だ――を主張する場合があり、他人を恐れる気持ちを口にすることすら忌むものだという。反面、嘲笑や懐疑といった厭な態度では決して臨みたくないともいう。またこの書を所持する動機にはもうひとつ大きなものがあり、それは書誌学的な価値観であって、その考え方からすると自分の手で廃棄など決してできず、むしろいっそモロッコ革装で装丁しなおして、施錠した書架にしっかりと保管することこそあれ、これほどの珍しい書を焼き捨てるのは到底忍びがたいというのだった。

その夜ラファエル・グラント神父は早めの刻限に辞去し、自分用の客室に退きあげたが、幸いにして就寝するためではなかった。

ホドソル博士とスペンロー司祭はそれぞれ午後十一時すぎに書斎をあとにした。前者は寝室に入って明かりを点けたとき、如何なる侵入者もいないのを見てとって深く安堵した。暖炉では小さくも嬉しい炎がかすかに燃えている。少しゆっくりと服を脱いで、寝巻の上に夜着を羽織ると、腰をおろして現状に思索を巡らせた。スペンロー司祭とラファエル神父という二人の僧侶は、信仰に即したきわめて伝統的なものの見方を持っているのであり、『秘めたる奥義』のような書物を悍ましいものと見なし、懸念の情を包まずあらわにするのは大いに自然なことではある。博士自身もまた近ごろは考えすぎの気味があって、そのせいで顔色が相当に悪くなっているのは否めず、とくにあの新任のお節介な使用人にはしばしば想像力を刺激されすぎる。おそらく邸内の客人たちを能くもてなすよう特段の指示を受けているのだろうが。それに加え、疲れて仮眠しかけたりしているときにかぎって、どこかの醜い宿なし男が茂み越しに覗き見ているのにたまたま出くわしたり、そのうえ――そこまで考えたところで、早くも欠伸が出た。いつの間にか午前零時になっていた。

ベッドのほうへ顔を向けた瞬間、自分のわずか数歩後ろにあの使用人が立っているのが目に入った。とたんに心臓も凍るほどの痺れるような恐怖に見舞われた。使用人がどこから来たか、正体がなにものであるか、瞬時に閃いたがゆえだ。恐ろしいまでに低く威嚇的な声が発せられるまでに数秒とはかからなかったが、数秒がホドソル博士には耐えがたい久遠にも感じられた。人が理性を失わないままどれだけ狂気に近づけるか、その限界に達するほどの激しい狼狽に駆られた。

「お呼びになりましたな」

「ちがう……呼んでなどいない……消え失せろ！」

「おまえは呼んだのだ、愚か者め。しかも、おれをたやすく退けられると思っているのか？」勝ち誇るような憎悪が男の双眸に憤然と燃えあがった。そしてホドソル博士が戦慄とともに見守るうちに、しなやかな白い手の爪が角のごとく長くのび、さらにはそれが禿鷹かあるいは猛々しい捕食獣の無慈悲な鉤爪を思わせるまでに曲がったと思うと、悪魔は突然音もなく跳びあがり、不運な獲物に襲いかかった。獲物は凄絶な恐怖に狂乱するとともに、心底からの激しい厭悪の情を滾らせ、くぐもった耳障りな悲鳴を吐きつつ後ろざまによろめき逃げた。

その瞬間寝室のドアが大きく開け放たれ、ドミニコ会修道僧ラファエル・グラント神父がひるむこともなく傲然と室内に歩み入ってきた。首に紫色の僧帯をかけ、さしあげた片手で聖なる象徴記号をすばやく宙に描きながら、あるラテン語の文言を荘重な命令口調で唱えた。後日ホドソル博士はこの出来事について尋ねられるのをことさら嫌うようになるが、それでもたった一度だけ、そこでなにが起こったかについてはじつのところほとんど憶えていないと認めた。どうにかかすかに思いだせるのは、〈最も聖なる名前〉を耳にしたことと、悪魔がけだものじみた苦悶の呻きを放ちながら辷（すべ）るように――と博士は言い表わした――消滅したことのみだという。

　邸内は騒然とした状態となり、執事および着の身着のままの姿の従僕の一人を伴ったスペンロー司祭がその場面に駆けつけたときには、すでにすべてが終わっていた。ラファエル神父が完璧な冷静さで彼らに説明したところによれば、ホドソル博士は心身の調子を損なっているが快方に向かっており、神父自身はすぐ客室に退きあげるつもりなので、どんな補佐も必要とはしないとのことだった。

　翌日になって、スペンロー司祭がラファエル神父から事態の正確な状況について秘密裡に詳細な解説を受けたであろうことはほぼ疑いなく、またホドソル博士も司祭に対し全面的に経緯を告白した。いずれにせよ、『秘めたる奥義』はその日の朝燃やされて灰燼（かいじん）に帰し、司祭は焚書に際して大いなる満足感を表明した。

　知性と教養に富む不可知論者だったジュリアン・ホドソルが精進と祈りに励むようになり、ついにはカルメル会第三会（聖地カルメル山にちなむ修道会で、第三会はその在俗会）の一員となって、茶色の修道衣（スカプラリオ）を首からかけて肌身に付するにいたった。

秘儀と魔道書

コーベット氏の蔵書

The Book

マーガレット・アーウィン Margaret Irwin

宮﨑真紀 訳

マーガレット・アーウィン（一八八九―一九六七）はイギリスの歴史小説作家で、作品のみならず時代考証の綿密さ、正確さでも高く評価された。代表作に《エリザベス女王》三部作（一九四四―五三）がある。怪奇小説は余技の産物のようで、作品数は少ないが、短編"The Earlier Service"（1935）は黒魔術ものの古典として邦訳も複数ある（個々の邦題が「暗黒の蘇生」「早朝の礼拝」「真夜中の黒ミサ」と異なるのでご注意）。本作はかねてから題名のみ知られていた古書怪談で、本書での収録が初訳となる。初出は *The London Mercury* 誌の一九三〇年九月号。

十一月の霧のたち込める夜、寝床でミステリを読んでいたコーベット氏は、三章まで読んだところでもう犯人の見当がついてしまい、がっかりしてベッドから起き上がると、もっと気持ちよく眠りを誘ってくれそうな本を探しに階下におりた。

食堂の窓は閉じられ、カーテンも引かれていたが、それでも霧が忍び込んできていて、霧に負けず劣らず重苦しい、静寂に沈む空気の中に厚く垂れ込めていた。自室にも増して息が詰まるような圧迫感を覚え、火床にはまだ勢いよく炎が燃え盛っていたにもかかわらず、ひどく寒かった。

家にある書棚の中でそれなりの規模を誇るのはこの食

堂にあるものぐらいで、家族のさまざまな趣味に応じた種々雑多な本が無造作に並べられており、学識のあったおじの蔵書の売れ残りである、難解で退屈な古い神学の本も数冊含まれている。移動するあいだが唯一の読書時間と考えているコーベット夫人が、駅の売店で買った赤い背表紙の安手の小説が、コーベット氏がオックスフォード時代に必読書と考えた、十九世紀の立派な古典作品の紺や深緑の落ち着いた装丁の中にあると、賑やかなちびの乱入者のように見えた。ほかに、子供向けの陽気な表紙の大型の物語本や色とりどりのおとぎ話全集もある。

そうした新しいクロス装の書物群のあちこちに、古い学問の黴臭い墓標のごとき書物がそびえている。茶色い色合いは、装丁の革ではなく埃の色のように見え、ぼろぼろになった背表紙にあったはずの、内容を伝えるべき金箔の文字は、色褪せたにせよ、影も形もない。地方執事だったおじの書斎からやってきた、こうした瀕死の生き残りの中には、読む者の便宜を無視して、錆びついた留め金でがっちり綴じつけられているものもある。完全に封じられ、中を覗きたくても覗けず、題名のない、人を寄せつけない背表紙が、ここには人知れず秘密の知識が隠されているのだと言わんばかりに、周囲の軽薄な同類たちを蔑みの目で上から睥睨している。その悪意の臭うページに潜り込めるのは今では紙魚ぐらいのものだ。

忍び込んできた霧が書棚のあたりにとりわけ濃くまとわりついているように見えるのは、ゆっくりと朽ちつつあるそうした書物のいずれかが毒気に満ちた湿っぽい息を吐き出しているせいかもしれない――そんなふうに思うとは、近頃のコーベット氏にしては珍しい想像力の暴走だった。その日はいつになく、とらえどころのない存在の影響力を強く感じ、彼はとまどった。邪念を振り払うように咳払いをしようとして喉を詰まらせ、苦悶する。

ロンドン名物の霧に似つかわしいディケンズを二番目の棚からそそくさと選び、階段の下までたどり着いたところで、今夜読むべきなのは、むしろ美しいリズミカルな文章でイタリアの青い空や白い彫像を描いた小説だと思い直した。そこでウォルター・ペイターの作品を求めて引き返す。

先ほどディケンズの『骨董屋』を抜き出したせいで隙間ができて、すこし傾いている『享楽主義者マリウス』を見つけた。それにしても、一冊抜き出しただけでこれほど隙間があくものだろうか。書棚の本はもともとぎっちり詰め込まれていたのだ。ディケンズを書棚に戻してみると、やはり大型本一冊分の空間がまだあることにコーベット氏は気づいた。注意深く正確な言葉で自分に言い聞かせる。「ありえない。私が玄関ホールを横切るあいだに、食堂に入って本を抜くことなんて誰にもできっこない。二番目の棚には前から隙間があったんだ」だが、心のどこかで別の自分が早口でくり返している。「二番目の棚に隙間などなかった。二番目の棚に隙間などなかった」

コーベット氏は『享楽主義者マリウス』と『骨董屋』の両方をひっつかむと、あたふたと部屋に戻った。急ぐなんて馬鹿げているし、その必要もないのに。幽霊など信じていないが、たとえ信じていたとしても、自分と家族が十五年前から住んでいる、ケンジントンのこの近代的な家にそんなものがいると疑う理由など微塵もなかった。読書は神経を落ち着かせるには何よりの薬だし、ディケンズは読み心地のよい、健全で骨太な作家だ。

しかしその晩は、ディケンズの別の一面に突然気づかされた。弱者や困窮者への感傷的な憐れみの下に、残酷さや人の苦しみに喜びを見出すおぞましさが隠れている。挿絵画家のクルックシャンクが描く登場人物のグロテスクな風貌は、彼らの心が醜く歪んでいることを如実に表している。以前はユーモラスに思えたものが今では悪魔的に見え、お気に入りだった作家と挿絵画家にうんざりしたコーベット氏は、古典精神の持つ静謐さと威厳を求めて、ウォルター・ペイターを手に取った。

しかし今はまた、ひょっとすると古典精神それ自体、自然の思惑に逆らった、冷ややかで無機質な、大理石にも似た性質ではないのか、などとコーベット氏は考えていた。「ときどき感じていたのだ」と心の中でつぶやく。「それそのものが目的であるかのように美をただひたすら崇拝することは、どこか邪悪だと」そんなふうに考えたのは初めてだったが、こういう空想に至ったことは思考がそれだけ成熟した結果だと思いたかったし、それで満足して心も静まり、眠りに落ちた。

こんなことは珍しいのだが、夜中に二、三度目が覚めた。だがコーベット氏としてはありがたかった。毎回、例のヴィクトリア時代の本来非のない諸作品の恐ろしい夢を見て、うなされていたからだ。頬髯に独楽形ズボン姿の血気盛んな悪党どもが美しき乙女をなぶりものにし、その苦しむ姿を見てほくそ笑む。神話上の神や英雄たちは人を蹂躙する。思えば、そのあからさまな犯罪や恥ずべき行為を、コーベット氏は翻訳されていないラテン語やギリシア語ではまだ読んだことがなかった。

不運なピロメラが舌を切り取られ血まみれになる惨劇を目の当たりにして、冷や汗をかいて飛び起きたときには、また階下に行って、もうすこし気持ちを上向かせるような別の本を取ってくるしかないと思った。しかし、しだいに気後れして、あれこれ言い訳を見つけてはぐずぐずした。書棚の隙間について思い出すと、それがどこか不自然に重要なことのように思えてきたのだ。そのあとまたうなされながらうとうとするなか、二冊の本のあいだのこの空間が恐ろしく醜悪な欠落のように見えた。にんまり笑う怪物の前歯のあいだにぽっかりあいた隙間のように。

しかしよく晴れた翌朝、コーベット氏は、窓から日差しが降り注ぎ、コーヒーとトーストの匂いがたち込める気持ちのよい食堂に下りてきて、たっぷりの朝食を食べるうちに、風が霧を吹き飛ばしてくれたおかげで土曜のゴルフは安泰だ、という喜ばしい思いで頭が満たされた。気分よく口笛を吹きながら、最後の一杯としてカップにコーヒーを注いでいたとき、ふと視線が書棚へさまよいだし、二番目の棚に隙間がなくなっていることに気づいて、手が止まった。こんな朝早くに書棚の本を動かしたのは誰だと尋ねたが、娘たちもディッキーもさわっていなかったし、コーベット夫人はまだ寝室から下りてきていなかった。メイドは後にも先にも本に触れたことさえなかった。どの本がないのかとみんなに訊かれたが、彼は答えることができず、騒いだ自分が馬鹿みたいだった。得てして、夜中に気になったことが、朝九時にはくだらなく思えるものなのだ。

「二番目の棚に隙間があったように思ったんだ」彼は言った。「だが、気にするな」

「二番目の棚に隙間なんてないわよ」小さなジーンが明るく言った。「パパはそこからたくさん本を持っていくけど、いつだって戻して隙間はなくなる。気づかなかった？　あたしは気づいてたわ」

三人きょうだいの真ん中のノーラは、ジーンっていつもお馬鹿さんなのよ、と言った。『薔薇と指輪』のおかしな挿絵を見ては大泣きしてるの。ここに出てくる人たち、みんな顔が怖い、だって。黒猫の絵にびくびくして、これ魔女だと思うとも言ってた。コーベット氏としては、お気に入りのジーンがそんな空想をするのはあまり好ましいと思えなかった。でもジーンも黙ってはいなかった。ディッキーだっておんなじくらい弱虫だよ、もう大きいのに、とずけずけ言った。ディッキーは本を部屋の向こうに蹴とばして、「むかつく本だ」とかなんとかわめいたらしい。ジーンは物真似上手だった。いかにも虫唾が走るといった言い方だったし、さわることさえ忌まわしいとばかりに本を床に落とすしぐさをした。さっきから妹を睨みつけていたディッキーだが、いよいよ堪忍できなくなり、おまえは忌々しい蛇みたいにいやらしいやつだ、二度と僕の自転車のペダルに乗せてってやらない、と言い放った。さすがのコーベット氏も聞き捨てならなかった。そういう言葉遣いは性格のひねくれたメイドか学校の悪い友だちのせいだろうか、と思ったが、まずは重々しく、その本をどこで手に入れたのかと尋ねた。

「もちろんあの本棚からだよ」と腹を立てながらディッキーが言った。

それはお祖母ちゃんからもらった『少年少女版ガリヴァー旅行記』だったことがわかり、ディッキーは、作者のやつが、人間は獣以下で、人類は生き物の落ちこぼれだ、みたいに書いているのが許せなかったんだ、と説明することになった。いつも学校でひどい成績ばかり取ってくる子供がスウィフトの愉快な物語の底流にある風刺を見抜き、そんなに神経質に悲観する資格があるとは到底思えないが、子供にふさわしくない部分を注意深く削ぎ落とした陽気な少年少女版でさえ、近頃ではそういう側面が暴露されているらしい。コーベット氏は、評論集などを読んでスウィフトのかの作品には皮肉がこめられていると知ってはいたものの、みずからそれに気づいていたとは言いきれない。なんとなくもやもやしながら、そんなふうに人を暗い気持ちにしたりしない、もっと明るく元気な今どきの少年向け冒険物語を読むといいと息子には勧めた。とはいえ、ディッキーは「今は読書の気分じゃない」らしく、それは娘たちも同じだった。

コーベット氏は、自分も「読書の気分じゃない」ことにまもなく気づいた。最近の本はどれも内容が薄く、味気ないし、面白みに欠けるように思えた。かといって、なじみ深い古い本は陰鬱で、理由ははっきりしないが、嫌悪感を覚えた。著者はみな性格がねじくれているに違いない。たぶん、普段口に出して言えないことを紙の上に吐露しているのだ。かつてスティーヴンソンは、文学とは病的な分泌物だと言った。コーベット氏はスティーヴンソンをあらためて読み返して、独特の病理に気づき、エッセーの中には勇気と見せかけた自己憐憫を、『宝島』には障害をもつ者が残虐行為に病的に惹きつけられる姿を垣間見た。

これをきっかけに、自分が何にそれほど嫌悪感をもつのか調べたいという強い好奇心が湧き、読書欲が再燃した。そして、愚かな連中が偉大だとか高貴だとか評価する文豪たちの隠れた欠陥を嬉々として探した。ジェーン・オースティンとシャーロット・ブロンテは、どちらも不快なオールドミスの典型例だ。前者は、周囲のありとあらゆる人々の恋模様を詮索する、少々辛辣なおせっかい焼き。後者は、捌け口のない情熱という祭壇にみずからを生贄にしたがっているすさまじい渇望を抱えた狂乱の巫女。それから、ワーズワースの自然愛を、群れから孤立した、いにしえの鈴付き羊（首に鈴をつけて群れを先導する雄羊）の強烈な利己心になぞらえた。

　そんなふうに作品の奥を見透かす自分の思いがけない力に、コーベット氏は驚いた。もっと独創的で鋭敏な頭脳があったら、偉業を成し遂げることだってできたはずだが、自分は一介の事務弁護士で、しかも成功者とは言いがたい。金に余裕があれば象牙に投資できたかもしれないが、偶然に左右される純粋な博打だし、そもそも自分には運がない。裕福な知人たちには自然、妬ましさを覚え、そこには今や彼らの愚かしさに対する蔑みもまじって、ほとんど忌み嫌うまでになっている。シティでの昼食会も、かつては付き合いやすい連中だと思っていた感傷的だが成功者である老いぼれたちが一緒だと、腹のこなれが悪くなった。連中の顔を見ただけでゴルフも調子が崩れ、天気のいい午後でも、食堂で一人ぽつんと読書をすることを好み始めた。

　それに、自分でもすこしショックだったのだが、妻に飽き飽きしていることにも気づいた。生意気な馬鹿者であるディッキーのことは進んで毛嫌いし、二人の娘はどこにでもいるハツカネズミみたいに似通って見えた。毎晩寝る前に子供たちがおやすみを言いに来る、うんざりする習慣を取りやめにしたときには、心からほっとした。

　もう誰にも邪魔されない静けさのなか、食堂に引きこもり、コーベット氏は熱に浮かされたように勢い込んで読書を進めた。まるで、知識の根源に触れる手がかりを探し、人間存在の秘密の鍵を求めようとするかのように。そういう手がかり、あるいは鍵は、読書を加速させ、さらに焚きつけ、今の鈍麻した毎日を彼や彼の力にふさわしい日々へと変えるだろう。

　コーベット氏は、おじの神学関係の朽ちかけた蔵書のいくつかにさえ手を伸ばした。読むのにうんざりし、もがきながらも、忍耐強く続け、ところどころに挟まれた、長枕のような姿かたちをし、ダリアの花に似たもじゃもじゃ頭のアダムとイブの異様な木版画や、隅っこで地獄が口をあけて悪魔たちを吐き出している宇宙の地図などに、ほっとさせられた。ある本には、余白に図形や記号が描かれ、自分の知らないたぐいの数学の公式だろうと彼は思った。

　今しも気づいたことだが、じつはそれらの記号は印刷されたものではなく、手書きだった。本自体が手稿で、黒い印字に似せた、ひねくれたとても細かい字で丁寧に書かれている。しかもそれはラテン語で、コーベット氏はひどくがっかりした。余白の記号を調べるうちに、自分の人生全体が一変する大発見を目前にしているかのような、特別な勝利感で満たされていたからだ。だが、肝心のラテン語をすっかり忘れていた。

　コーベット氏はディッキーのラテン語の辞書と文法書を勉強部屋からこっそり拝借した。そんなふうに後ろめたそうにそそくさと食堂へ戻る彼を、傍から見たら奇妙に思えただろう。よくない目的で使うわけでもあるまいに。コーベット氏は早く本の内容を知りたくて、自分でも驚くほどせっせと解読にいそしんだ。本には題名も著者名もない。最後に白紙のページがいくつか残され、記述はあるページの最下部で終わっていて、「終了」を示す装飾文様も語句もないので、未完のようにも見える。翻訳できた部分から判断するかぎり、数学ではなく神学に関する書物らしい。〝主〟や、その望みや戒めに関する記述が随所にあり、その望みや戒めというのがまたずいぶん複雑に思えた。儀式の説明にすぎないだろうと判断してそういう部分は飛ばし始めたが、それにしては異質に見える言葉が目に留まった。その箇所を一語一語丁寧に辞書で引いて読んだコーベット氏は、訳し終わったとき愕然とした。

「この本は初期の宣教師が書いたものに違いない。そして、私が今読んだ部分は、悪魔を崇拝する野蛮な部族がおこなっていた恐ろしい儀式の説明だ」〝恐ろしい〟と呼んだにもかかわらず、彼はそれを反芻し、細部まで記憶に刻んだ。それから近くの欄外にあった記号を面白半分に書き写し、意味を解こうとした。しかしふいに悪寒がして眩暈（めまい）を覚え、目の前にある図形がぼやけだした。流感にでもかかって急に症状が出たのかもしれないと思い、妻に薬をもらおうと階下に向かった。

　家族はみな客間にいて、コーベット夫人は新しいゲームをしようとしているノーラとジーンに手を貸し、ディッキーは蓄音機をかけ、アイリッシュ・テリアのマイクはさっきまでいた、いつもの居場所である食堂の暖炉前の敷物を離れ、今はこちらの暖炉脇で寝そべっている。平和で楽しい一家団欒の風景だな、とコーベット氏が思ったのもつかの間、家族はこちらを向いた瞬間、ぎょっとしたように「いったいどうしたの?」と尋ねてきた。顔も声も、やけに怯えた様子だった。鏡に映った自分を見ても、どこにもおかしなところはない。おかしいのは、こちらをまじまじと見ている彼らの表情のほうだった。

　そのとき、マイクの行動の異様さにも気づいた。敷物から飛びのいて部屋のいちばん遠い隅でうずくまり、声一つ出さずにただ目をかっと見開いて、剝きだした歯のまわりを泡だらけにしている。コーベット氏が目を向けると、かすかにクーンと情けない声を漏らしてドア近くにこそこそと逃げ出し、ご主人に「マイク」と名前を呼ばれるや、恐ろしい唸り声をあげ、首の毛を逆立てた。ディッキーが部屋から出してやると、大慌てで階段を駆け下りて台所に飛び込み、何度も何度も長々と遠吠えをしていた。

「マイクはいったいどうしちゃったの?」コーベット夫人が言った。

その言葉が、ずっとそこに居座っていたかのような静寂を突如破った。ジーンは泣きだした。コーベット氏はいらだたしげに、おまえたちこそみんなどうしてしまったのか、さっぱりわからない、と告げた。

するとノーラが尋ねた。「パパの顔についてる赤い跡、何?」

コーベット氏はもう一度鏡を見たが、何も見えない。

「ここからでもはっきり見えるよ」ディッキーが言う。

「指紋の筋まで」

「そうよ、そのせいよ」コーベット夫人がぶっきらぼうなきびきびした調子で告げる。「あなたの額に指の跡がついている。赤インクで書き物でもしていたの?」

コーベット氏は慌てて部屋を出ると自室にただちに戻り、頭が痛いので夕食はベッドでとる、と伝言を送った。誰にも邪魔されずに静かに過ごしたかった。翌朝は、流感かとやきもきしたのが嘘のようだった。こんなに爽快なのは、生まれて初めてだ。

朝食の席では顔について家族は何も言わなかったので、跡は消えたのだと思った。昨夜訳していた古いラテン語の本は書き物机の上からなくなっており、ディッキーの文法書と辞書だけがそこに残っている。日中に見ると、二番目の書棚はいつものようにきっちりと詰まっている。たしか、あの本はもともと二番目の書棚にあったはずだ。だが、今回は誰が戻したのかと尋ねはしなかった。

その日コーベット氏は思いがけない幸運に恵まれた。クラブ氏という新規顧客から巨額の投資資金をまかされたのだ。裕福な知人たちと会ってもいらだつどころか、連中の顔を見てにやにや笑うのをこらえるのに苦労した。自分のずば抜けた能力があれば、すぐにこいつらの上に立てる、そんな絶対の自信があった。夕食のときには、学生のようにはしゃいだ気分で家族をからかった。ところが家族にとってはむしろ逆効果だったらしい。ぽかんとした顔でコーベット氏を見るか、ふさいだ様子でおどおどと皿に目を落とすか、どちらかだったからだ。私が酒に酔っているとでも思っているのだろうか？　家族の下品な邪推とあまりの愚鈍さに怒りがこみ上げた。まったく、私はここにいる誰より若々しいぞ！

しかし、こんなふうに頭が新たに覚醒したにもかかわらず、その晩書かなければならない手紙には手が伸びず、軽い気晴らしのつもりで書棚のほうにぶらぶらと向かった。ところが、こんなことは初めてなのだが、読みたいと思う本が一冊もなかったのだ。何でもいいから頭上の棚から適当に一冊抜き出すと、それはあの古いラテン語の手稿だった。ごわごわした黄ばんだページを繰るうちに、最初は不快だった本の朽ちかけた匂いを好ましく感じていることに気づいた。太古の秘密の知識の匂いのように、今は思えたのだ。

その秘密主義が彼自身にも影響したのか、廊下を歩く足音を耳にすると慌てて本を閉じ、元の場所に戻した。ディッキーが宿題をしている勉強部屋に行き、古い判例を読むのにまたラテン語の文法書と辞書が必要になったと告げた。いらだたしいことに、それだけ言うのに言葉に詰まり、しどろもどろになってしまった。息子が訝しげにこちらを見たような気がして、疑り深い悪ガキめと心の中で悪態をつく。息子が何を疑う必要があるのか、自分でもわからなかったとはいえ。それでも食堂に戻ると、ドアの向こうの様子をうかがい、ドアにそっと鍵をかけてから書き物机の上で本を開いた。

昨夜と比べて、内容もラテン語も明快になったような気がして、適当に拾い読みすることができた。たまたま読んだ箇所には、七百八十三人の子供を殺して解剖したというドイツ人女性医師の一六二〇年の裁判について書かれていた。仕事柄、機会には困らなかったかもしれないが、人数が多すぎるように思えたし、殺す動機がわからなかった。コーベット氏は本を冒頭から訳してみることにした。

どうやら何かの秘密結社に関する書物らしく、組織の活動や儀式自体はひどく曖昧ではっきりせず、明瞭に書かれている箇所もあるにはあったが、それはあまりにも不道徳で恐ろしいもので、人間がここまでのことをするだろうかとコーベット氏としても最初は信じられなかったかもしれない。しかし、心の奥底で興味をそそられている自分に気づき、少なくともおのれの性質に鑑みれば、完全にありえないことではないと納得しただろう。

普段の就寝時間を過ぎても延々と読書を続け、ようやく立ち上がったときもまだ本を手にしていた。別れを惜しむようにページをめくりながら立ち、とうとう記述が終わるところまでたどり着いたそのとき、新たな異常事態に出くわしてぎくりとした。

　書物の中身の大部分を占める濃い錆色のインクと比べ、そこだけはるかに質の悪い、しかしもっと新しいインクで書かれていたのだ。よくよく見るかぎり、それは現代になって製造されたインクで、ごく最近書かれたものだと断言しようと思えばできた。ただ、ほかと同じ十七世紀末特有のひねくれた書き文字だったのだ。

　だがそれだけでは、最後の一文を目にしたとたんに感じた混乱、さらにはとまどいと恐怖を説明できない。そこにはこうあったのだ。〈*Contine te in perennibus studiis*〉。彼はすぐにそれが学生時代に叩き込まれたキケロ風の金言だと気づいた。どうして昨日これが目に留まらなかったのか、わからない。

　そのとき、本はページの最下段で終わっていたことを思い出した。ところが今は、二文だけページの最上段に書かれている。どんなに眺め続けても、それは昨夜以降に書き足されたという結論にしかたどり着けなかった。

　今コーベット氏は最後の一つ前の文を読んでいた。〈*Re imperfecta mortuus sum*〉。二文全体を翻訳するとこうなる。〈我、こころざし半ばにして命尽きたり。汝、この終わりなき研究を続けよ〉

　それを見つめたまま、コーベット氏は本を書き物机に置き、後ずさりしてドアに近づいた。背後を手探りし、ドアノブを見つけるとぐいっと引く。しかし開かず、漏れた息がほとんど声にならないかすかな悲鳴になった。そのとき、自分でドアに鍵をかけたことを思い出して、慌てて鍵を取り出し、もたもたしながらやっと開けると、後ろ向きのまま廊下に飛び出して、力まかせにドアを閉めた。

　つかのま、立ち尽くしたままドアノブを見つめた。やがてそろそろと手を伸ばし、ノブに触れ、ゆっくりと回し始める。しかし弾かれたように突然手を引っ込めると、階上の寝室へ二段飛ばしで駆け上がった。

　コーベット氏の様子は、ヒステリーを起こした十六歳の少年にしか見えなかった。枕に顔を埋め、泣き叫び、わけのわからないうわ言をくり返す。「もう二度と、二度と、二度と読まない。どうか助けてくれ、私が二度とあの本を開かないように」助けてくれという言葉で、自分が今何を言っているか認識し、そこから別の祈りの言葉を思い出し、今度はそれを口に出す。だがすべてがまぜこぜになって聞こえ、言葉が逆の順序で次々に頭に浮かぶので、ふと気づくと逆から祈りを唱えていた。これほどまでどうかしてしまった自分がおかしくて、こらえきれずに大声で笑いだす。ようやく常識やユーモア、そして正気が戻ってきたことを喜び、ベッドの上で体を起こしたとき、コーベット夫人の部屋に続くドアが開き、妻が妙に引き攣った土気色の顔でこちらを見ていた。普段は上品ぶって澄ました様子の妻が、恐怖に打たれた幽霊のようだ。

「強盗だとでも思ったか？」彼はいらだたしげに言った。「寝るのが遅くなっただけだ。起こしてしまったようだな」

「ヘンリー」コーベット夫人はつぶやいた。コーベット氏は、妻が今の自分の言葉を聞いていなかったことに気づいた。「あなた、聞こえなかった？」

「何が？」

「あの笑い声よ」

コーベット氏は黙り込んだ。慎重になれと本能が告げていた。妻の次の言葉を待ったほうがいい。そしてこちらの思惑どおりに先に妻が口を開き、ちゃんと安心させてちょうだい、と目で訴えた。

「人間の笑い声じゃなかったわ。悪魔が笑ったみたいだった」

コーベット氏はまた大笑いしたい衝動に駆られたが、なんとかこらえた。彼の笑い声だと気取らせないほうが賢明だ。おかしな空想をするな、と妻には告げた。コーベット夫人はしだいに従順な態度を取り戻し、どんなありえない命令にも従う彼女になった。夫人としても、このままではこれまでの自分ではない自分になってしまいそうだったからだ。

翌朝、コーベット氏はどの使用人より早く起きだし、食堂にこっそり下りた。前日と同じように、辞書と文法書だけが書き物机に残され、本は書棚の二番目の棚に戻されている。彼は本を取り出し、最後のページを開いた。また二行書き加えられ、ページの半ばに達していた。

Ex auro canceris
In dentem elephantis

翻訳するとこうだ。

蟹（クラブ）の金を
象の歯へ

それからというもの、シティの知人たちは、積極性に欠け、無気力にさえ見えた、冴えない〝コーベット君〟の変化に気づいた。近頃いつもいじけて不機嫌だったのにそれが消えて、二十歳ぐらい若返ったように見え、強く明るく活発になり、彼らからすればどうかしていると思えるようなビジネスに自信満々で挑んだ。いつか必ず失敗すると意地悪な期待をして見守ったが、コーベット氏の投機買いは、それがたとえどんなに気まぐれで突拍子のないものに見えても、すべて成功した。コーベット氏自身、もはや彼らを避けたりせず、むしろ自分の幸運や豪胆さ、勢いを自覚してわざわざひけらかし、彼らを茶化すものだから、あからさまに疎まれるようになった。コーベット氏としては、みんなが彼をうわてだと認め、妬んでいる証拠だと思い、喜んだ。

仕事のあと街でのディナーや観劇にはけっして付き合わず、いつも急いで帰宅して、家族の邪魔が入らないことを確認するとすぐ、食堂の書棚の二番目の棚からあの手稿を取り出し、最後のページをめくった。

毎朝、前の晩からいくつか言葉が書き加えられており、それが自分への指示だとコーベット氏は考えた。最初のうちは金融取引に関することだけで、ああなったらいい、こうなったらいい、と彼が大胆に想像することをそれが裏付けしてくれているように見えたが、クラブ氏の資金をアフリカの象牙に投資するという博打が思いがけない大成功を収めて以来、彼はすべての助言に躊躇なく従った。

ところが最近、そうした指示の合間に、無意味で子供じみた、嫌悪感さえ覚えるたぐいの命令が見つかるようになった。退廃的な馬鹿者か、これは認めるしかないのだが、たとえ普通の人間でも勝手気ままに空想の翼を広げられる者が考えだすような命令だ。コーベット氏はその中に、教会で退屈したときによく考えた、ほかには誰にも思いつきそうにないと思っていた空想が一つ、二つまじっていたのを認め、ぎょっとした。

最初はその手の指示は無視していたが、すると新たな投機がみるみる失敗し始め、怖くなった。問題は自分の資産だけではない。多くの顧客の投資が含まれていることを考えれば、みずからの評判を落とし、下手をすると身の安全さえ危ぶまれる。本の指示にすべて従うか、いっさい従わないか、二つに一つしかないと思い知り、そういう幼稚でグロテスクな冒瀆的要求にも、どこかで高をくくりながら面白がって応えるようになったのだが、やがてそういう軽い気持は消えて、そこにはきわめて重大な意味があるように思え始めた。指示はどんどん気まぐれな、実行の難しいものになっていき、それでもコーベット氏は、今では無批判にせっせと指示に従っていた。彼の背中を押すのはわけのわからない恐怖だったが、恐れているのは単に投資の失敗のみではない、それだけはわかっていた。

例の本が近くにあるほかの本に影響を及ぼしていることをコーベット氏はもう知っていたし、謎の担い手がほかの本を二番目の棚に移し、すべての本にかのいにしえの秘密の知識の力が及ぶように配慮している理由も理解していた。

それもあって、彼はわが子に、おまえたちは頭が悪いんだからもっと本を読めとせっついたが、今では子供たちは食堂の書棚からけっして本を取っていかないことには気づかなかった。コーベット氏自身はもはや本を読む必要を感じず、早めにベッドに入ってぐっすり眠った。金持ちになったらやりたいと昔からずっと思ってきたことには、もはやまるで魅力を感じなかった。何より彼をわくわくさせるのは、本の最後にある自分へのメッセージを見るためにページをめくるときの、朽ちかけた紙の匂いと感触だった。

ある晩、そこにはたった二語しかなかった。〈*Canem occide*〉。

コーベット氏は、犬を殺せという簡単で爽快なその指示を見て、声をあげて笑った。あんなによく懐いていたのに、急にこそこそと彼を避けるようになったマイクを、忌々しく思っていたからだ。そのうえ、タイミングも申し分なかった。古い机をあれこれ引っかきまわしていたときに、何年か前に買ったまま忘れていた殺鼠剤の袋をいくつか見つけたところだったからだ。だから薬の存在は誰も知らず、マイクに毒を盛っても余計な疑いを持たれずに、近所の人がうっかり置いておいたものを食べたらしい、程度の話で片づけられるだろう。コーベット氏はのんきに口笛を吹きながら階上へ駆け上がり、殺鼠剤の袋を持って戻ると、玄関ホールの犬用水入れに中身を空けた。

その夜、階段から響いてきた恐ろしい悲鳴で家じゅうが叩き起こされた。最初に駆けつけたのはコーベット氏だった。この頃は、異常はないかとつねに神経を尖らせているからだ。彼が目にしたのは、踊り場めがけ、四つん這いになって必死に階段を上がろうとしている、ネグリジェ姿のジーンだった。手がかりになりそうなものなら何でもつかみ、泣いてもいないのに不自然に喉を詰まらせながら叫んでいる。コーベット氏は娘を、姉のノーラと共有している本人の部屋へと運んだ。コーベット夫人が続いて入ってきた。

ジーンの言うことはめちゃくちゃで、何も聞きだせなかった。きっと昔と同じ悪い夢をまた見たのよ、とノーラは言った。昔の悪い夢とは何だ、と父親に訊かれ、ノーラは説明を始めた。ジーンはときどき夜中に泣きながら目覚めることがあった。食堂の書棚の上を行き来する手の夢を見るからで、その手は何かの本を見つけると、書棚から引き抜くのだという。いつもここで恐ろしさのあまり目覚めるらしい。

話を聞いたとたん、ジーンがまた叫びだし、コーベット夫人もそれ以上説明させなかった。コーベット氏は、どうして娘がベッドを出て階段に向かったのか確認しに行った。灯りのついた玄関ホールを見下ろしたとき、マイクの水入れが引っくり返っているのがわかった。近づいて調べると、毒を仕込んだ水はこぼれて、ごわごわしたドアマットに染み込んでしまったらしい。さわるとマットはびしょ濡れだった。

娘の部屋に戻ったコーベット氏は、妻に、おまえは疲れているだろうからベッドに戻りなさい、今度は私がジーンをなだめる番だと告げた。ジーンはすでにだいぶ落ち着いていた。膝に乗せようとすると、娘はとっさに身をひるませた。コーベット氏は、今では娘がちっとも自分の膝に乗りたがらないことに傷つき、むかっ腹が立って、あざけり脅して、思い知らせてやろうかと思ったが、うまく事情を聞きだすのが先だった。そのためにも、やさしくなだめすかすことにした。自分でも忘れていたと思っていた愛称で娘を呼び、パパが守ってあげるから、もう何も怖がることはないんだよ、と言って。

最初は自分の巧みな作戦に酔っていた。ジーンが自分のガウンに顔を埋めてきたときには、忍び笑いを漏らしたくらいだ。だが今は不安が胸にあふれ、守ろうとするふりをしてジーンの腕をしっかりとつかみながら、おまえは私の大切な娘だと言ってなだめた。そして、ようやくとつとつと語りだした娘の話に、かろうじて耳を傾けていた。

ジーンとノーラはその晩ずっとマイクと一緒に過ごし、せっかくなので部屋に連れてきてそこで寝かせた。マイクはジーンのベッドの足元で横になり、みな眠りについた。そのときジーンは、食堂の本棚の前で手が動く昔の悪夢をまた見たのだ。ところが今回、手は本を取り出すかわりに食堂の外に出て、階段のほうにやってきた。それは手すりを滑り上がって、ジーンたちの部屋にたどり着くとドアノブをそっと回し、開けたのだ。ここでジーンは飛び起き、灯りをつけるとノーラを呼んだ。寝る前にきちんと閉めたはずのドアが大きく開いていて、マイクの姿がなかった。

今すぐ連れ戻さないとマイクの身に何かよくないことが起きると彼女はノーラに告げ、玄関ホールに走り下りたとき、マイクが今しも水を飲もうとしていた。名前を呼ぶと顔を上げてこちらを見たものの、来ようとしないので、走り寄ってこちらに引きずり始めた。そのとき後ろからネグリジェを引っぱられ、次の瞬間、手が腕をつかむのに気づいた。

ジーンは倒れ、そのあとずっと悲鳴をあげながら、全速力で階段を這い上がろうとしたのだという。

マイクの水入れの皿は揉み合ううちに引っくり返ったのだと、これでコーベット氏にもわかった。ジーンはまた泣きだしたが、もはやなだめられる気がしなかった。彼は部屋に引き取り、自分でも理由のわからないいらだちを持て余して、室内をうろうろ歩きまわった。今までは一度も気にならなかったことについて、頭の中でずっと議論をしていたのだ。

「私は悪い人間ではない」彼は自分にそう言い聞かせ続けた。「実際には何も悪いことなどしていないんだ。顧客は私の投機でつねに利益をあげ、いっさい損をしていない。自分で儲けた金を下卑た快楽に注ぎ込んでもいない。今ではそういうことにはまるで関心がもてない」

そして、こうも付け加えた。「犬を殺そうとしたことだって、べつに間違ってはいない。あのひねくれた駄犬は私にたてついたんだ。下手をしたらジーニーに噛みついていたかもしれない」

自分が頭の中で娘をジーニーと呼んでいたことに気づいた。そんなことは久しくなかった。今夜娘を実際にそう呼んだからに違いない。今後は夜間に部屋から出ることを禁じなければならない。もうあんなふうに干渉させるわけにはいかないのだ。そもそも娘がここにいなければ、自分にとっても安全かもしれない。

またしても冷たい恐怖が体を駆け抜け、倒れてしまいそうな気がしてベッドポストをつかみ、そのまましばらくつかまっていた。「違う、私の頭にあったのは寄宿学校のことだ」自分にそう言い聞かせ、さらにつぶやく。「下に行って、確かめなければ――確かめなければ――」何を確かめなければならないのかは考えまいとした。

食堂の暖炉の火床では、まだ炎が赤々と燃えていた。ちらりと時計を見ると、まだ十二時になっていなかった。書棚を眺める。二番目の棚に、彼がそこを立ち去ったときにはなかった隙間がある。書き物机の上に開いたままの大型本が載っている。そこに近づいて、何が書かれているか見なければならないとわかっていた。すると、さっきと同様、無意識に言葉が口からこぼれ、すすり泣きながらつぶやいていた。「だめだ、だめだ、それはやめてくれ。やめろ、やめてくれ」それでも彼は机に近づき、本を見下ろした。前回と同じく、メッセージは二語だけだった。〈*Infantem occide*〉。子供を殺せ。

どんな言葉がそこに書かれているか、見る前からわかっていた。理屈で考えれば、身を守るにはそうするしかない。ジーンは知ってはいけないことを知ってしまった。あの子はスパイだ。敵なのだ。

彼は本を戻し、戸口へ向かった。これからしなければならないことは、さっさと済ませるに限る。またしても恐ろしい悪寒が全身を駆け巡っているからだ。今夜でなければよかったのに、と思う。昨夜だったらもっと楽にできただろう。だが今夜あの子はこの膝に乗り、私を不安にした。ベッドに横たわったまま動かなくなるあの子を想像する。だが、ベッドに横たわるべきはあの子であって、自分ではない。だから怖がる必要などないではないか？　自分はいにしえの秘密の力に守られているのだから。ドアノブをつかんだが、指に力が入らなくなったようだった。どうしても回せなかった。彼は震えながら身をかがめ、ただドアノブにしがみついていた。

ふいに両手がそこからはずれ、高所から落下しかけて慌てているかのように、両腕が振り回され、足がよろけた。彼は本をつかむと暖炉の火に向かって投げつけた。するとと突然喉が詰まり、息ができなくなった。首を絞め上げられているような気がする。悪夢の中にいるがごとく、何度も何度も叫ぼうとするが息は声にならず、呼吸がまったくできなかった。彼は仰向けにどうと床に倒れ、そこで横たわったまま動かなくなった。

朝になって食堂の窓を開けに来たメイドが、事切れた主人を発見した。そのニュースは、コーベット氏の最近の投資がそれと時を同じくしてがたがたと損失を出したことから、シティ界隈にはそれほど衝撃を与えなかった。すぐに、彼はきっと事前にそのことを知って自殺したのだという憶測が広まったからだ。

ただ、この説をつまずかせたのは、コーベット氏の死因を特定した検死報告書だった。それによれば、コーベット氏は手の圧迫による気道閉塞で死亡し、首には指の跡が残っていたという。

秘儀と魔道書

ひとり残る者

One Remained Behind

マージョリー・ボウエン Majorie Bowen

安原和見 訳

イギリスの小説家マージョリー・ボウエン（一八八五―一九五二）は不遇の少女時代から文筆で生計を支え、生涯に百五十点を超える著書を上梓した。複数の筆名を使い、歴史ロマンスや探偵小説などを書いたが、怪奇小説はおもにこの名で発表している。邦訳には最初の短編作品である「看板描きと水晶の魚」（一九〇九）や、平井呈一が『こわい話　気味のわるい話』に選んだ「色絵の皿」（一九三三）など数編がある。本作は慈善活動の基金を募る年刊誌 *Help Yourself Annual* の一九三六年版に発表された。魔道書を用いて富と名声を得ようとした青年詩人の運命やいかに？

リュドルフは古物商のムッシュ・デュフールと言いあいをしていた。激してはいたが、声はあくまで抑えている。通りに漏れないように。

「売ってくれないというなら――それも安値でな、それなら警察に通報するぞ」押し殺した声で言いながら、木の板と真鍮で製本された大型本をしっかりつかんでいた。店の奥の狭い部屋で、棚の最上段にあるのを見つけたのだ。

「ムッシュ・リュドルフ、警察に通報なんてご冗談でしょう」老店主は言い返し、歯のない口を怒りにぎゅっと結んだ。「その魔道書（グリモワール）、お売りするわけにゃいきませんよ、五万フランと言われたって」

「いいや、売ってもらうとも」リュドルフはせせら笑った。「五十フランでな。さもなければ、喜んで警察に行って告発してやる。この店は盗品を扱ってるし、途方もない高利で金貸しをしてるし、危険な薬物だの呪物だの黒魔術だの――」

「ほう、さようで」店主は皮肉たっぷりに言い返そうとしたが、そのじつかなりおじけづいていた。「お言葉ですがね、ムッシュ・リュドルフ。わたしがとんでもない勘違いをしてるんでなきゃ、あなただって清廉潔白にはほど遠いって評判ですがね」

「ふん！　ぼくの評判がなんの関係があるんだ。警察のお世話になるようなことはしてないからな。ぼくは貧乏学生で、詩人で、哲学者で、ここの棚で見つけた宝物を買おうとしてるだけだ」

「ほうら、宝物だと自分で認めてる！」老人は激昂した。「そのくせ、五十フランぽっちで売れだなんて！」

「あんたにとっちゃ宝物でもなんでもない」リュドルフは鼻であしらった。「あんたなんか、黒魔術のうわっつらをなでてみてるだけじゃないか。危険と魅力に満ちたこの道を、とことんまで突き詰める勇気なんかないだろう。この本にどんな秘密が隠されてるか知りもしないで」と、インクに汚れたすんなり白い指で、問題の本の表紙をつついてみせた。「表題が読めるかどうかだってあやしいもんだ」

好奇心に負けて、老人は尋ねた。

「ムッシュ・リュドルフ、それはいったいなんの本なんです、どこがそんなにすごいっていうんですか」

「ははは、それでよくも、五万フラン以下じゃ売らないなんて言えたもんだ！」

「いや、古いグリモワールだってことは知ってますとも、だから貴重なのはわかってますよ」

「そうとも」リュドルフは嘲笑った。「『真の魔道書（グリモリウム・ウェルム）』、エジプトのアリベックが書いて一五一七年にメンフィスで出版されたものだ――ほかに何本か論文が収録されてるが、そっちもすごく珍しい」

「それでなにをしようっていうんです」古物商はうさんくさげに追及した。「そのしるしや奇跡を解釈する能力もないくせに――」

「それはあんたも同じだろう。でなきゃこんなしけた店に暮らして、ちんけな悪事で食ってやしないはずだ」

「ムッシュ・リュドルフ、そりゃこっちのせりふですよ。黒魔術の研究がなんの足しにもなってないのは見りゃわかります。シャツはほころびてるし、上着は肘がてかてかになってるし、ズボンのすそはほつれてるし、靴は片つぽ穴があいてる!」

リュドルフは険悪に目をぎらつかせた。

「ところがね、下劣な守銭奴じじいのあんたは驚くかもしれないが、それじゃこれを見てもらおうか」

グリモワールを小わきに抱えたまま、胸ポケットに手を入れた。磨かれた金属らしき小さな鏡をさっと取り出し、ムッシュ・デュフールの鼻先に突き出す。

気は進まないながら、老店主はその金属の円盤から目をそらすことができなかった。寄る年波と金勘定に充血した目で、否応なく魔法の鏡を見つめる破目になる。

鏡面に小さなぼやけた像が現れた。巣にこもる鳥のように身を丸めて老人を見返してくる。その小さな黒い目が、悪意ありげに鋭く光った。

「うちの店にゃ、こんなものはないな」古物商は心を奪われた様子でつぶやいた。「いったい、なにが映ってるんです?」

学生が笑うと、小さな影が鏡から飛び出してきた。ぎょっとするムッシュ・デュフールの眼前にしばし浮かんでいたが、やがて怒った昆虫のようにブーンと音を立てて飛びかかってくる。力いっぱい鼻先をつねられ、老人は恐怖と痛みに悲鳴をあげた。リュドルフはまた笑い、金属の円盤をポケットに戻した。と同時に物の怪の姿も消え失せた。

「スズメバチかミツバチが飛び込んできたんだな」ムッシュ・デュフールはつぶやき、赤くなってひりひりする鼻をさすった。

「そうかな?」学生は嘲笑った。「それじゃ、このしけた店内を見まわしてみるがいい」

ムッシュ・リュドルフの輝く黒い目、青白い顔、あざけるような口もとに釣られ、老人は言われたとおりにした。

とたんに口がぽかんと開き、しなびた全身に震えが走った――店内の商品がすべて禍々しく変形している。壁に掛かった古い上着が、そろってこちらに袖を振っている。質草のズボンが、ポルカを踊るかのようにはねまわっている。しみとひび割れだらけの鏡から、不機嫌な顔がこっちをのぞいている。蜘蛛(くも)の巣まみれの垂木(たるき)には古ぼけた燭台が吊るされていたが、その燭台のキューピッドたちが鳩のように飛びまわっている。画学生ルグロの描いたへたくそな肖像画では、画像の貴婦人がムッシュ・デュフールに向かって大胆にウィンクし、バラの花束――へたくそすぎて酢漬けのタマネギにしか見えない――を振ってみせる。

ムッシュ・デュフールは目をこすり、次に見まわしたときにはなにもかも正常に戻っていた。

「これでわかっただろう」リュドルフは言った。「多少は術が使えるんだ。このグリモワールはもらっていく。五十フランは借りだ」

　返事など待つまでもないとばかりに、薄汚れて擦り切れたビーバー皮の帽子を取りあげる。漆黒の長い髪のうえに小粋にかしげてかぶり、大股に通りへ出ていった。ムッシュ・デュフールは貧弱なこぶしをその後ろ姿に振りまわしたが、大声をあげる勇気はなかった。ムッシュ・リュドルフには、たしかに悪魔的なところがある――少なくとも、この鼻の痛みは幻覚ではなかった。

　グリモワールをしっかり脇に抱え、リュドルフは陰気に通りを歩いていった。空は薄い紫色を帯び、その下の屋根屋根は通り雨に濡れて輝いている。町の向こうの山々から吹いてくる微風に、溝にたまったごみが揺れていた。

　酒屋の店先に、数名の学生が腰をおろしていた。クラレット（フランス産の赤ワイン）を飲みながら勉強や恋愛について論じあい、いい成績がとれるか、キスができるか、有名になれるか、果ては身内から送金があるかどうかということまで、愉快そうに推測しあっている。

　気づいたそぶりも見せずにその前を通っていくと、学生たちは黙り込んでリュドルフの姿を目で追った。なんと貧しく、なんと気位の高いやつだろう。彼のことをよく知る者はおらず、だれもが少しばかりこわがっていた。気難しく、高慢で、友だちはひとりもいない――いったいどこから、大学の学費を捻出しているのか。

　優秀な学生だが、よい成績はとれないだろう、と教授たちは言っている。めったに講義に出席しないからだ。

　いったい、ふだんはなにをしているのか。

　よくそう尋ねあってはいたものの、その問いにあえて答えようとする者はいなかった。うわさによれば、リュドルフは禁じられた技芸の研究に日々を費やし、魂を危険にさらしているという。

　学生たちは、畏怖と賛嘆に首をのばして彼の後ろ姿を見送った。なにしろたいへんな美男子なのだ。秀でたひたい、黒髪、彫りの深い目鼻だち。町じゅうの若い娘が熱い眼差しを送っていたが、彼は目もくれなかった。

　傲岸不遜で、礼儀作法など頭から無視しているところも、学生たちにとっては賛嘆の的だった。またあの帽子も羨ましい――ふつうの学帽ではなく、シルクハット（シャポー・オ・ド・フォルム）なのだ。

　たしかに古びているし、たぶんデュフールの店で買った中古だろうが、いかした帽子にはちがいない。つばの内側にはサン・オノレ通りの帽子屋の住所が入っていて、文句なく洗練されていた。

賛嘆の眼差しに気づかないふりをしながら、ふてくされつつも気をよくして、リュドルフは貧しい下宿屋に歩いていった。町の不便な一角にあって、大学からはかなり遠い。

こんな引っ込んだ場所に住む気になったのは、しかし貧乏だけが理由ではない。人けのないこの区画が気に入ったのだ。崩れた市壁の下にあばら家が寄り集まるこのあたりは、夜ともなればこそとも音がしなくなる。聞こえるのは、森から迷い出た一羽か二羽のフクロウが屋根に止まって鳴く声だけ。おまけに真っ暗で、薄汚れた街灯の投げる黄色い光が見えるだけだ。

グリモワールをしっかり抱え、螺旋階段をのぼって屋根裏部屋に向かう。彼はここのただひとりの下宿人だった。大家は老婆とその孫娘で、いまにも崩れそうなこの古家の一階に暮らしている。

リュドルフはドアに鍵をかけ（この鍵は自分で作って、粗末な掛け金の代わりにきちんと取りつけたものだった）、屋根に開いた窓のそばに腰をおろし、手に入れた本を一心不乱に読みはじめた。

室内には奇妙なものがいくつもあり、暗い隅や埃まみれの椅子の下、車輪つきベッドの下に押し込まれている。ほかにあるのは剥き出しのテーブル、そのうえに置かれたランプ、机、本の並ぶ棚、壁には吊り戸棚、衣装用の掛け具（ペグ）。あとは箱がどっさり。

リュドルフは長いことグリモワールを読みふけっていた。やがて太陽が屋根屋根の向こうに沈み、夕闇が室内を満たすころ、ドアにノックの音がした。家主の孫娘のジャネットが、細く甲高い声を張りあげて夕食を持ってきたと告げる。

リュドルフは時間を忘れていたのに驚き、小さく悪態をつくと、目にかかる髪の房を払い、立ちあがってドアの鍵をあけた。

階段の小さなブリキのランプがともっていた。その弱々しい光が、壊れた手すり、腐った床板、いたるところに積もった埃を照らしている。

ジャネットは、おびえた白ウサギのように小走りに入ってきて、テーブルにリュドルフの夕食を置いた――一パイントのワイン、黒パン二枚、塩漬けハムと酢漬けのタマネギ、萎びたリンゴ。それからランプに火を灯した。

「まったく、粗末もいいところだ」リュドルフは派手に嘆いた。「よくもこのような惨めな生を続けられるもの。滅すべき魂をもつ人間に、およそふさわしい暮らしと言えようか」

「はい、あの、ムッシュ、どうでしょうか」娘は口ごもり、膝を曲げてお辞儀をしようとした。しかし丈の短いスカートではさまにならなかったし、曲げた膝小僧が古着の穴から突き出すしまつだった。「おばあちゃんが、お家賃をそろそろいただきたいって――」

「あとにしろ」リュドルフは、品よく手をふりながら叱った。「ぼくは研究で忙しい」

ジャネットはほっとしたふうにそそくさと逃げていき、リュドルフはグリモワールで読んだことをじっくり考えた。

たしかにこの本は宝物だった。ずっと探し求めていた秘密が、そしてすぐにも試してみたい呪術や占術の方法が書かれている。ただあいにく、どれを試すにしても高価な材料が必要だった。新生児、仔山羊、黒か白の雄鶏、高価な薬品、水晶球、月桂樹のテーブル、真っ白な仔羊からとって処女に織らせた生成りの毛織物、などなど。

リュドルフは黒魔術にはくわしかったが、それで金を稼いだことはなかったし、詩人とは言いながら詩が売れたこともなく、原稿は壁際に積まれて埃をかぶっている。稼ぐどころか、禁じられた研究用の材料や論文を買うために、乏しい所持金もほとんど底をつきかけていた。

憂鬱に眉をひそめ、テーブルの粗末な食事を不興げににらんだ。贅沢がしたい。豪華な城に住み、お仕着せの召使の大群にかしずかれ、白い六頭の馬に馬車を牽かせ、ベネチアン・ベルベットに身を包む華やかな愛人を持つ身分になれたら！

ふたたびグリモワールを開き、大いに気に入った部分をじっくり読みなおした。粗い印刷のページを読み進めるうちに、血の気の薄い顔にじわりと悪魔的な表情が浮かんだ。リュドルフは全人類に災いあれと願っていたし、これまでやってきた実験（ほとんど『プトレマイオス王の鍵』による）はいずれも、「憎悪と破壊」とか、「詐欺と利益追求」とか、「善人には禁じられた驚くべき実験」とか、そういうたぐいの術ばかりだった。

いま夢中で読みふけっているのはある儀式の解説だった。四人の客を部屋に招喚し、うちひとりに命じればどんな望みもかなうというのだ――隠された財宝のありかを知ることでも、カード賭博の幸運でも、好きな職業での成功でも。

タマネギをかじりながら、リュドルフは成功の見込みを推し量っていた。儀式で招喚する客三人はすぐに決まった。あちらには大いに屈辱的だろうが、彼にとっては満悦のきわみとなるだろう。

ひとりめはサン・リュークだ。高慢ちきな若い貴族で、いつもこっちを見下しているから、リュドルフは彼を激しく憎悪していた。あいつをこのみじめな屋根裏に呼びつけてやろう。ふたりめは、あの陰険な老教授のラショー先生（メートル・ラショー）だ。頻繁に、きみは怠け者で頑固で大学の面汚しだと言われてきた。そして魔術で引きずってくる三人めはムッシュ・ルコワーヌ、太った銀行家だ。融資を頼んだら面と向かって嘲笑ってくれたやつ。

しかし、この儀式にもやはり高価な材料が必要で、実験が失敗に終わったら費やした金も努力もむだになる。

パンとハムを食べ、窓際に歩いていって空をにらんだ。日の光ははや消え失せ、屋根の上に満月が顔を出している。黒い雲がいくつか、あれは夜のお楽しみにいそいそと飛んでいく魔女たちではないだろうか、月の下を流れていく。それを見つめるうちに、狂おしいほどの強烈な願望に取り憑かれていた。グリモワールに書かれていたことを試してみたい。嫌悪する三人の男たちをぜひとも困惑させ、恐怖させてやりたいし、カード賭博の幸運と詩人として成功、それに隠された財宝が手に入ると思うと目まいがしそうだ。

「世界一偉大な詩人になり、この世のだれよりも金持ちになるんだ」

そんな夢のためなら、大きな犠牲を払う価値もある。

リュドルフは窓に背を向け、ベッドの下から旅行かばんを引っ張り出して開いた。扱いづらい錠をはずし、深くため息をつきながら古い絹の布包みを手に取る。なかから出てきたのは大きな黄金の指輪で、無色の石が嵌（は）まっている。安い油を入れた薄汚れたランプより、それがはるかに強い光を放っていた。

この指輪は曾祖父からもらったもので、けっして手放してはならないときつく戒められていた。「その理由に一点の疚（やま）しさもない場合はべつとして」と。往時の曾祖父は名うての放蕩者で、英国の騎手やボクサーやイタリアの踊り子に金を注ぎ込み、先祖伝来の財産をすべて食いつぶした男だった。

指輪を手放すのは気が進まなかった。こんな宝飾品なら持っているだけで自尊心が満たされるし、また曾祖父の祟りがこわいということもあった。それでもやはり売るしかないと肚をくくり、胸ポケットに指輪を入れて屋根裏部屋を出た。繁華街を目指して大学の前を通り過ぎる。月を背にしてそびえる大学の建物が、まるで黒い紙を切り抜いたもののようだった。

ムッシュ・コルコンベの宝飾店は、ちょうど店正面の鎧戸が閉じられようとしていたが、リュドルフは急いで入口に駆け込み、長いカウンターに掛かった黒いベルベットのうえに指輪を置いた。ガラス製のカウンターのなかには、サテンで内張りされたハート形の箱が陳列され、宝飾品が燦然と輝いている。

「先祖伝来のものでね」学生は横柄に言った。「とても高価なものだ」

　ムッシュ・コルコンベはしかし、指輪もこの客もにわかに信用しかねるようだった。うさんくさげに、まずは尊大な若者をじろじろ眺める。次に無色の宝石に目をやると、それは店内のどのダイヤモンドより明るく輝いていた。

「ベリルですな」彼は言った。

「ただのベリルじゃない」リュドルフは答え、どうだとばかりに手のなかで指輪をまわしてみせた。手入れの行き届いた銀のランプの光を受けて、石は青や緑や真紅の炎を放った。

「なるほど」ムッシュ・コルコンベはうなずいた。どうやら心を動かされたらしい。「ルイーズ女伯爵（コンテス・ルイーズ）のご婚礼にうってつけかもしれませんな」

「へえ、コンテス・ルイーズは結婚するのか」リュドルフは尋ねた。思い出すとはらわたが煮えくり返る。彼女の乗った馬車に通りで泥をはねかけられたことがあるのだが、あの気位の高い美女は気づいたそぶりも見せなかったものだ。

「ええ、お相手はC――公爵で。さぞかし華やかでしょうな」宝石商は噂話を始めた。「お父上のお城でお式ですから――礼拝堂には黄金の布が掛かってるし、このあたりはどこもお祭騒ぎでしょう。学生さんはおおぜい招待状をもらってますし、なかにはうちで贈物を買っていかれたかたもおりますよ。たとえばサン・リューク侯爵とかですね。ひょっとしてお客さまも？」と付け加えながら、こちらに一瞥をくれた。リュドルフの見すぼらしい服装を値踏みするかのように。

「その指輪、いくらで買ってくれるんだ」学生は噛みつくように尋ねた。

「無色ですが」と宝石商。「しかしダイヤモンドではないし。ただ、ほかの装身具に嵌め替えればすばらしく映えそうですな。そう、たとえばティアラの中央とか、ドレスの胸もとの――」

「いくらだ、急いでるんだがね」

　ムッシュ・コルコンベはいささか鼻白み、困惑して口ごもった。

「二千フランでいかがです」

「ほんとうはもっと価値のあるものだが、値段の交渉をするような生まれじゃないんでね。それでいい」

リュドルフが指輪をおろしたとき、カウンターに掛かった黒い布がずれて、淡青色のサテンのケースに入った真珠とダイヤモンドの装身具が見えた。

「コンテス・ルイーズがお式でお着けになるものですよ」とムッシュ・コルコンベは言いながら、札入れから札を数えて取り出した。その金を受け取り、リュドルフは通りに飛び出した。店の正面はすでに完全に鎧戸で覆われ、あたりを照らすのは昇る月の光だけだ。小さな黒い雲もいまは消え、空は晴れて澄みわたっている。

リュドルフはふさぎ込み、暗い気持ちで下宿屋に戻った。ポケットには二千フラン入っていたが、ベリルの指輪を手放したいまは、以前よりさらに貧しくなった気分だ。

コンテス・ルイーズの名が出たことで、彼はかなり苛立っていた。あの高慢な娘、ほんとうに神経に障る。人を見下したような小さな口、飛び出し気味の大きな青い目。馬車で通るのを何度か目にしていたし、一度など書店で顔を突きあわせたこともある。向こうはくだらない小説を買いに、彼はセピア色の飾り文字もみごとなアルダス版を何冊か売りに来ていたのだ。彼女のためにドアを押さえていたのに、それすら身の程知らずと言いたげに、氷のように冷たい態度で前を通っていった。あの不遜な身のこなし、まっすぐ前に向けられたままの美しい眼差しはまさに無言の叱責だった。

しかし、そんな彼女もサン・リュークの腕にはすがって歩いていた。あのこれ見よがしの伊達男、一年間にズボンやジレ（フランスふうの胴衣）に使う金は、リュドルフの年収をすべて合わせた額を軽く超えている。

憎悪と、それとはべつの絶望にも似た黒い感情に襲われ、その耐えがたい苦しみにいよいよ決意は固まった。授業も講義も片端から欠席し、すべての時間を準備に費やした。一五一七年にメンフィスで刊行された、このグリモワールの指示に従って厳密に儀式を遂行するのだ。周到に計画を練り、コンテス・ルイーズとC――公爵との婚礼の夜に、この重大な実験をおこなう手はずを整えた。

まずは魔法の杖を作るため、森に出かけて枝を二本切ってきた。一本はハシバミ、一本はニワトコ、どちらも一度も実をつけたことのない木の枝だ。枝の端には、磁鉄鉱で磁化した鋼をかぶせた。次に、旅行かばんからインクを取り出す。これは洗礼者ヨハネの祝日（六月二十四日）の前夜に集めたシダと、三月の満月の夜に切ったぶどうの枝を挽いて粉にし、美しく釉薬を塗った陶製の壺で汲んだ川の水で溶いて、まっさらな紙を燃やした火で煮詰めて作ったものだ。

　リュドルフはまた、鳩の血を集めた小壜、雄の鵞鳥の羽柄、身に着けると悪霊から守られる血玉髄も所有していた。なくてはならない護符として、以前から活躍してくれた石である。

　新月から三日め、黒い雄鶏と白い雄鶏を市場で買い求め、屋根裏部屋に持ち帰った。夜が来るのを待って、その二羽を柳細工の籠――これまた旅行かばんに入っていた――に入れて持ち出し、町を越え森を越えて、やがて開けた場所に出た。破戒修道士の霊が取り憑いているという修道院の廃墟がそびえている。

　このあたりは草丈が低く、石ころや岩が傷痕のように点在していた。異教の神々に捧げられた古いいばらの木が一本、小さな湖のそばにいじけて生えている。晴れた夜空を背景に、ゴシック様式の修道院の窓が黒い額縁のようだ。硬く黒いツタのあいだをコウモリがぱたぱたと出入りしている。湖の周囲には有毒のキノコが生え、湖じたいは暗赤色の浮草に覆い尽くされて、水面に反射する光とてなかった。

　ここには何度も来たことがある。まさしくグリモワールにあるとおり、道をはずれた儀式にふさわしい場所だ――「人の通わぬ打ち捨てられた場所」。

　ひとりつぶやくように呪文を唱えながら、白皙の秀でたひたいに汗を浮かべ、リュドルフはカバラの大円を描いた。旅行かばんから魔法の杖と山羊皮を取り出す。さらにクマツヅラの花輪をふたつ、新しい蠟から処女（まるで魅力のない娘だから、ジャネットが純潔なのはまちがいない）が作ったろうそく二本、青い鋼の剣、大きな銀のろうそく立て二個、火打ち石二個、焚きつけ、ブランデーの壜、樟脳、香、子供の柩から抜いた四本の釘――この最後の品は棺桶作りのピエールから買ったものだが、恐ろしく高くついた。サンジャン教会の地下納骨堂に忍び込み、盗ってこなくてはならなかったからだ。

　これだけの材料を揃えたうえで、大円の形に山羊皮を敷き、香と樟脳を車輪の形に撒き、中央に薪（ブランデーをふりかけた）を置いて火をつけた。右袖を肩までまくりあげて二羽の雄鶏を犠牲に捧げ、火に投じつつ招喚の呪文を唱える。

　コウモリとフクロウが廃墟から逃げていき、空の月は顔を隠し、大地は震え、湖を覆う赤い浮草が騒ぎはじめた。リュドルフは血玉髄を頬に押し当て、さらに強力な呪文を唱えた。

　水が激しく泡立ったかと思うと、湖面に美しい少年が現れた。耳に快い声で、望みはなにかと問いかけてくる。

リュドルフはその愛想のよさにだまされなかった。ここに出現したのはルシフェルそのひと、悪霊のなかでも極めつきに邪悪な存在であり、術者が円から足を踏み出すか、あるいは血玉髄を取り落としでもすれば、ただちに八つ裂きにされるだろう。また、アスタロトがやって来たのにリュドルフは気づいた。黒白まだらのロバの姿をとっている。ベルゼブブはおぞましい姿に身をやつし、ベリアルは炎の戦車に乗り、ベレトは白馬にまたがり、楽師の一団に先導されて現われた。

「おまえの望みはなんだ」ルシフェルは穏やかに尋ねたが、怒りに赤く染まった頬をふくらませている。

リュドルフはうやうやしく答えた。「わたくしはまもなく——正確には今月末なのですが、重大な実験をおこなうつもりでおります。一五一七年にメンフィスで発行された、魔術師アリベックの『グリモワール』二十三ページに説明されている儀式です」

「珍しい版だ」ルシフェルが言った。「よく見つけたな、運のよいやつよ」

話しながらも、ルシフェルは鋭く学生を観察していた。少しでもへまをすれば、襲いかかってずたずたに引き裂いてやろうと手ぐすね引いている。しかしリュドルフは用心深く、魔法の円の中心にしっかりとどまり、血玉髄もずっと頬に押し当てたままだった。

「お教えいただきたいのですが、この実験は成功すると考えてよろしいでしょうか」

「多少は術を心得ておるようだ」悪魔は微笑んだ。「そのグリモワールに書かれた条件をすべて満たすならば、まずまちがいなく実験は実を結ぶだろう。言うまでもなく、その結果はおまえがその身に引き受けることになる」

「自室に四人の客を招いて願いごとをし、隠された財宝を見いだし、名高い詩人となり、カード賭博の幸運に恵まれるならば、それ以上なにを望むものか」リュドルフは嘲るように言った。相手が悪魔でも、長いことへりくだった口調を保つことはできなかったのだ。

「その望みはすべてかなうだろう」美しい少年は甘い声で言ったが、この無礼に対する怒りに、小さな美しい目を燃えあがらせていた。

「もはや尋ねることはない！」リュドルフは叫ぶように言うと、ハシバミで作った魔法の杖を湖に向かって振った。「去れ、おぞましい悪魔め！」

しゅうしゅうと恐ろしい音を立てて、少年は湖に沈んでいった。そのあとを赤い浮草が埋め、空の月は静まり、コウモリやフクロウも廃墟に戻ってきた。リュドルフは魔法の円から足を踏み出し、儀式に使ったものを旅行かばんに戻しはじめた。

町を突っ切って戻る途中、ムッシュ・クーンの楽器店の上階からバイオリンの音が漏れてきていた。コンテス・ルイーズの結婚祝いのために練習しているのだ。

大切な実験の時が近づき、リュドルフは最後の準備に取りかかった。おかげでやむをえないことながら、ベリルの指輪を売って得た金はあらかた底をつくし、学生仲間からは疑いの眼差しを向けられる破目になった。

まずは家賃を払い、ジャネットにプレゼントをして懐柔し、部屋に箒をかけさせて隅々まで清掃させた。おかげでいまは、部屋じゅうどこを見ても塵ひとつ落ちていない。それから乳香とアロエの香料を撒き、窓には清潔な白いカーテンを掛け、ベッドには羽毛のマットレスを敷き、毛織の上掛けと上等なリネンで覆った。

また飾り気のない白色材のテーブルと四脚の椅子、ダマスク柄の白い大皿を四枚買った。ジャネットの詮索を封じるため、母とふたりの妹が訪ねてくるからその準備だと言っておいた。

コンテス・ルイーズの婚礼前の三日間、リュドルフは断食して部屋を検分しなおした。カーテンが、というよりすべての物品が歪みなくまっすぐになっているか、衣装掛けに衣服が掛けっぱなしになっていないか、部屋の隅に鳥籠が放置されていないか、そして清掃が隅々まで行き届いているか確認していく。

ついに決行の日の夜が来ると、四脚の椅子をテーブルのまわりに並べ、上等のダマスク織のテーブルクロスに四枚の皿を置き、それぞれに小麦のパンを盛り、四個のガラスのコップにきれいな水をついだ。ベッドわきに古い肘掛け椅子を置き、月の輝く夜空に向かって窓をいっぱいに開いた。

テーブルの中央には、山羊皮製のシェーカー、黒い豆三つと白い豆をひとつ置いた。こうしてすべての用意を整えて、リュドルフはひざまずいた。アリベックのグリモワール二十三ページにあった強力な呪文を唱え、それがすむとベッドに横たわった。身に着けているのは、このときのために買った見苦しくない室内着だ。

教会の鐘が真夜中を告げると、屋根裏部屋に射し込む月光がかすかに震えはじめ、ラショー教授が開いた窓からふわふわと入ってきた。足を動かすことも、左右に目を向けることもなく、身をこわばらせてひとり窓を抜けてくる。リュドルフには目もくれず、干からびた小柄な学者はテーブルの席に着き、銀縁の眼鏡越しにじっと正面を見つめていた。

次にやって来たのは銀行家のムッシュ・ルコワーヌだった。丸顔に驚いたような表情を浮かべて、降り注ぐ月光のなかから現われてふわふわ入ってくる。襟もとからテーブルナプキンを下げ、手にはペンを持っていた。ひとことも口を開かず、ラショーの向かいの席に腰をおろす。ほとんど同時に窓がまた暗くなり、今度はムッシュ・サン・リュークが姿を見せた。流行りの夜会服に身を包み、豪華なジレは空色のモアレ・アングレーズ（波状に光沢の出る織物）だ。やはり無言のまま、テーブルのあいた席に腰をおろした。

リュドルフは興奮のあまり吐き気がしてきた。と、白いカーテンが窓外へあおられ、月光を浴びてはためいたかと思うと、全身白ずくめの貴婦人が入ってきた――コンテス・ルイーズ、いや、もうC――公爵夫人と呼ぶべきか。銀とサテンのウエディングドレスに身を包み、クマツヅラの花冠にダイヤモンドと真珠の装身具を着け、右手の親指にはあのベリルの指輪を嵌めていた。

彼女が四番めの席に腰をおろすと、四人の客は飲み食いしはじめた。身のこなしはぎくしゃくしていて自動人形のようだ。みな押し黙り、なにがあってもまるで気づいていないように見えた。

「ひとりあとに残る」リュドルフはベッドからささやいた。「ひとりあとに残る」

四人の客は小麦のパンをくずひとつ残さず食べ、澄んだ水を一滴残らず飲み干した。そこで教授が山羊皮のシエーカーを取り、三つの黒い豆とひとつの白い豆を中に入れた。だれがあとに残るか、これでくじ引きをするのだ。

白い豆を引いたのは花嫁だった。三人の男たちは、あいかわらずものも言わずに立ちあがり、ひとりまたひとりと開いた窓からふわふわ出ていった。教授はローブを、若い貴族は燕尾服を、銀行家はナプキンを、それぞれ夜風にしばしはためかせ、やがて月光のなかに消えていった。

コンテス・ルイーズは立ちあがり、足を動かすことなく部屋を突っ切り、リュドルフのベッド脇まで来て肘掛け椅子に腰をおろした。

尋ねたいことはいくらでもあったが、アリベックの呪文から逸脱するのは危険だと思い出し、リュドルフは言った。

「カード賭博の幸運を授けよ」

彼女は親指からベリルの指輪を抜き、リュドルフに渡して答えた。

「これを嵌めているかぎり、カードでは幸運に恵まれるでしょう」

「名声を授けよ」

「この世で最も有名な詩人になるでしょう」

彼女ははっきり即座に返答するものの、書店や通りで見かけたときと同じく、いまもこちらを完全に無視していた。それに苛立って、彼は第三の願いを思いきり高飛車に叩きつけた。

「隠れた財宝のありかを教えろ」

彼女は立ちあがった。

「来なさい」

リュドルフはベッドを出て、彼女のあとについて窓から外へ出た。虚空を歩くのは、その下に固い砂地のある凝った泡を踏んで歩くかのようだった。ふたりして家々の屋根の上空を通り過ぎていく。リュドルフはベッドガウンをなびかせ、真珠光沢のあるグレイのズボンをはいた姿で。貴婦人はウェディングドレスに、たなびきうねる長いベールが月光に輝き、まるで銀色の夜霧に化したかのようだった。

市の立つ広場まで来ると、一条の光線のように貴婦人は舞い降り、教会の鉄鋲を打った大扉の前でいったん立ち止まった。リュドルフがついてくるのを確認し、その扉を通り抜ける。やってみるとやすやすと同じことができた。

教会内は冷え冷えとして薄暗かった。ふたりが入っていくと、祭壇前のランプの火がすべて消えそうに小さくなったが、魔法が解けることはなかった。

コンテス・ルイーズは内陣の墓石のうえに立った。すると墓石が下がりはじめ、遅れじとリュドルフも共に地下納骨堂へ降りていった。

納骨堂の闇を照らすものといえば、輝く花嫁の発する光だけだった。まぼろしのように、彼女は柩の列のうえを移動していく。

そんな柩のひとつ——朽ちかけた布に覆われている——のうえで動きを止めた。そして、貝殻のなかのこだまのようにうつろな声で、彼女は納骨堂の静寂を破った。

「財宝はここに」

リュドルフは木製の棺蓋を、次いで鉛の内棺をこじあけた。どちらも彼の手にかかると紙のようにやすやすと開いた。コンテス・ルイーズの投げるこの世のものならぬ光で、腐敗の色も毒々しい骸骨が見えた。すり切れた屍衣に包まれて横たわっている。髑髏の下には、枕のようにダイヤモンドとサファイアが積まれていた。それを包んでいた絹の覆いは、いまはすり切れて色あせた糸が何本か残るだけになっている。

彼は柩荒らしに取りかかり、ガウンの、胴着の、そしてズボンのポケットにと宝石を詰め込んでいった。ひとつ残らずかき集めたところで、屋根裏部屋へ連れて帰れとぶっきらぼうに命じた。

貴婦人はたちまち石の天井をすり抜けて教会に戻り、通路を通り、木製の扉を抜け、広場に出た。足を動かすことも、口を開くことも、左右に目を向けることもなく、リュドルフを従えて家々の上空に舞いあがり、屋根裏部屋に導いた。

リュドルフは彼女のことなどすっかり忘れていたが、旅行かばんや馬毛のトランクに宝石を残らずしまい込んだところで、ふと気がついた。豪華なウエディングドレス姿で身じろぎもせず立ち尽くし、飛び出し気味の青い目でまっすぐ前を見つめている。気の毒になってちくりと胸が痛んだ。

「もう旦那のところへ帰っていいぞ」ふんぞり返って言ってやった。

しかし、コンテス・ルイーズは立ち尽くしたままだ。この魔術では、退出を命じるさいにはなんと唱えればよいのだったか。リュドルフは思い出せなかった。

そこでグリモワールを調べてみたが、そのあたりはなにも書かれていなかった。「ひとりあとに残る」とあるだけだ。

とはいえ、気になってしかたがないというほどではない。眠くてたまらず、ベッドにどさりと横になった。「まあいい、朝にはいなくなっているだろう」

目が覚めたときには、室内には明るく陽光が降り注ぎ、ジャネットがコーヒーとパンのトレーをベッド脇に運んできた。そのトレーには、パリの消印のある手紙が一通のっている。

封筒を破ってあけると、入っていたのは熱烈な手紙だった。一年前に詩を送っていた出版社からだ。著者になんの断わりもなく出版していたらしく、その薄い詩集がベストセラー（シュクセ・フー）になっていると言ってきたのだ……「ラマルティーヌやバイロンをはるかにしのぐ、今世紀最大の詩人と称えられています」と。

リュドルフは歓喜のあまりベッドから飛び起きたが、例の花嫁に気づいて気勢をそがれた。昨夜と同じ場所にあいかわらず突っ立っていたのだ。テーブルのそばに立ち、飛び出し気味の青い目で前を見つめている。

いまにして気づけば、彼女は身にまとったレースと同じく透けて見えた。室内の暗い背景に白いチョークで描いた素描のようだ。それに、どうやら彼にしか見えないらしく、ジャネットはまったく気づいた様子もなかった。部屋を出ていくときなど、彼女を通り抜けていったほどだ。それでリュドルフは悟った。あの四人の客は亡霊かまぼろしだったのだろう。生身の人間だと思い込んでいたが、そうではなかったのだ。

　この貴婦人に思い知らせるのはもうじゅうぶんだと思った――それに、ずっとそばにいられるのにも飽き飽きしてきた。そこで去れとふたたび命じたが、向こうはまるで耳を貸さないので、彼はまたグリモワールを開いた。しかし、この権威ある書物には、ひとつ重大な欠陥があった――精霊でも亡霊でも幽霊でも、超自然的な存在に居すわられたとき、それを厄介払いする方法がどこにも書かれていないのだ。

　とはいえリュドルフは有頂天だったし、わが身の幸運を早く試してみたいと逸(はや)っていたから、すでに立派に役に立ってくれた亡霊のことにあまりかかずらってはいられなかった。

「どうぞお好きなように、公爵夫人(マダム・ラ・プランセス)」と皮肉たっぷりにお辞儀をし、急いで通りに飛び出した。亡霊はふわふわとあとをついてくる。足を動かすこともなく、目はまっすぐ前に向けたまま。

　大学の前を通りかかったとき、階段のまわりに学生たちが固まっているのに出くわした。ひとりが声をかけてくる。

「リュドルフ、聞いたか」

「ぼくの詩集が評判になったことか？」リュドルフはふんぞり返って尋ねた。

「きみの詩集？　いや――ラショー教授が昨夜急死したんだ。いつものとおり書斎に閉じこもって仕事をしていたそうだが、今朝見たら椅子に座ったまま冷たくなってたんだってさ！」

　リュドルフは黙って通り過ぎた。意外なほど胸騒ぎがした。

　ムッシュ・コルコンベが、友人たちと店の外で噂話に花を咲かせていた。

「おや、ムッシュ・リュドルフ、あの大変な悲劇の話をお聞きになりましたか。昨夜、花嫁が――コンテス・ルイーズが、新婚夫婦のお部屋に案内されていく途中で、倒れて亡くなってしまわれたんですよ！　ええ、完全にこと切れておられたんです！　しかもなんてことでしょう、それと同時に、出席者のおひとりのムッシュ・サン・リュークが卒中の発作を起こして、やっぱりばったり倒れて亡くなったんです！　手にシャンパンのグラスを持ったまま!」

　リュドルフは肩越しに亡霊に目をやった。静かに前を見つめている。彼は思った……「グリモワールには、あの魔術で四人の客が死ぬことになるとは書いてなかった。だが書いてあったとしても、おれはためらいはしなかっただろう」

　銀行の前に差しかかると、黒い鎧戸を閉じようとしているところだった。入口では事務員たちが腕に黒い腕章を巻いている。

「だれか亡くなったのか」リュドルフはそっけなく尋ねた。

「それが、ムッシュ・ルコワーヌなんですよ! 金曜の夜はいつもそうなんですが、十二時十分前に会計室に引っ込まれて――オーギュストがスープのカップをお持ちしたときはお元気だったのに――今朝見たら椅子に座ったまま冷たくなっておられたんです、ナプキンで襟もとを覆ったまま、デスクに空のスープカップを置いて!」

「なんて死人の多い町なんだ」リュドルフは辛辣な口調で言った。「流行り病じゃないといいがね」

　彼の魔術がこんな恐ろしい結果をもたらしたと知って、最初のうちこそ震えあがってはいたものの、すぐに自分で自分にこう言い聞かせた――あの四人は四人ともいやなやつだった。花嫁だけは多少気の毒だったかもしれないが、そうは言っても冷淡で高慢ちきな娘だったし、あの冷たい目で人を傲然と見下していたではないか。

　気にすることはない、これでよかったのだ。唯一の問題は、この亡霊をどうやって追い払うかということだけだ。どこへ行くにもぴったりくっついてくる……「ひとりはあとに残る」というわけで。

「まあいいか」リュドルフは思った。「おれにしか見えないんだし、いずれつきまとうのにも飽きてどこかへ行くだろう。追い払う呪文が見つかるかもしれないし」

　そんなわけで、リュドルフは気を強く持ち心を鬼にして、死んだ花嫁のはかなく白いまぼろしのことは努めて忘れようとした。しかし、彼女は昼も夜もそばを離れない。どこへ行くにもついてくるし、夜になって家へ戻れば、ベッドわきのすり切れた肘掛け椅子に腰をおろす。

　夜眠りにつく前に最後に見るのも、朝目覚めて最初に見るのも彼女の亡霊だった。蔵書をかたはしから調べてみたが、亡霊を追い払う呪文は見つからなかった。また、どんな魔法の儀式や占術や悪霊召喚もできなくなった。よく知られているとおり、亡霊に取り憑かれたままそんなことをしたら生命がない。

　しかし、すばらしい幸運のおかげで、この不都合もさして気にならなかった。サン・ジャンの納骨堂から盗んだ財宝があるだけでなく、詩人としての名声は国じゅうに鳴り響いていたし、あのベリルの指輪を嵌めていればカード賭博では負け知らずで、その勝利金が相当の額になったからだ。

ほどなく彼はパリに引っ越し、おおぜいの崇拝者に取り巻かれるようになった。貴婦人たちはみなハープやギターに合わせて彼の詩を歌い、紳士たちはみな彼のベストをまね、白皙のひたいにかかる長い黒髪をかきあげる仕種も流行した。

リュドルフはいまでは、かつて望んだものをほとんど手に入れていた。洒落たアパートメント、お仕着せの召使、粋な四輪馬車――ただ愛人だけが足りない。

女はみな彼に憧れたが、いざ情事に及ぼうとするとたじろぎ、おびえた顔をし、かならず最後は逃げられた。

リュドルフは悪態をつき、カードの幸運でなく色ごとの幸運を願えばよかったと悔やんだ。埋蔵の財宝を売れば、必要な金ぐらいいくらでも手に入ったのに。ごくささいな触れあいすら、女たちに尻込みされる理由はわかっていた――はっきり知覚できなくても、花嫁の幽霊の存在を感じるからだ。死の瘴気に当てられて情熱の昂ぶりも萎え、凍りつく冷気に燃える恋心もさめ、唇のキスもしなびてしまうのだ。

亡霊を厄介払いしたくて、片端から術を試してみたが、なにをやっても効果はなかった。ほとんど見えないほど薄れるときがあるかと思えば、生きた女のようにはっきりと実体を備えて見えるときもある。しかしつねに変わらずそこにいて、肩越しにふり返るたびに神経がすり減りそうになってきた……。「ひとりあとに残る」とつぶやきながら、彼女を見あげてうつろな目をのぞき込む。言いあいに持ち込もうとし、同情心に訴えようとし、はてはベッドに連れ込もうとさえしたが、彼女は気づいたそぶりもない。書店で前を通り過ぎたとき、そして大学町の通りですれ違ったときとまったく同じだった。

彼の幸運にはほかにも瑕疵（きず）があった。出版者はたえず、もっと詩を書くようせっついてくる。

「だって、たった十篇の詩しか入ってないんですよ、あの薄い詩集には。フランス人はみんな、すっかりそらで言えるほどなんですから！　このままじゃ、もうあなたは詩が書けないんだなんて言われてしまいますよ」

じつを言えばそのとおり、書けないのだ。腰をすえてなにか書こうとすると、花嫁の亡霊がすっとテーブルの向かいにまわり、腰をおろし、飛び出し気味の青い目で見つめてくる。そんなふうに見つめられていると、ただの一行も生み出すことはできなかった。

だが助かった、あの原稿の束があるではないか。詩でびっしり埋まったあの原稿用紙を、彼は興奮のあまり屋根裏部屋に置いてきてしまったのだ。そこでジャネットに手紙を書いて、すぐに送ってくれと頼んだ。しかし、娘はあれを台所の焚きつけに使ってしまっていた。それを知らせる誤字だらけの手紙を受け取って、リュドルフは激しく悪態をついた。

人気も徐々に下降線をたどっていた。パリ市民は彼の十篇の詩に飽き、陰気で心ここにあらずという雰囲気に飽き、女にふられてばかりなのを嘲笑しはじめた。カード賭博にしても、あまりに勝ちつづけたために個人宅はおろか、パレ・ロワイヤルの広間ですらゲームに加わることはできなくなった。

ある朝、コーヒーを飲みながらどうやって亡霊を厄介払いしようかと考えていると、『ガゼット』紙——英国人の従僕が、コーヒー、パン、果物といっしょにテーブルに置いていったものだ——の一行に目が留まった。

大学町S——で、言語道断な犯罪が明るみに出たという記事だった。サン・ジャン教会で聖遺物が盗まれていたのだ。墓が暴かれ、莫大な財宝が盗まれていたという。

リュドルフはこの記事を食い入るように読んだ。

「こんな話は聞いたこともない」吐き捨てるように言った。「あの不愉快な町に住んでいたのに」

どうやらあの古い教会は莫大な富を蓄えていたらしい。そのほとんどは聖女（サント）ペラギアの奇跡の聖廟に捧げられた奉納品で、先の革命のさい、難を避けるために聖女の柩に隠されたのだという。しかし、記録がすべて失われてしまったため、一世代のあいだこの隠された財宝は行方がわからなくなっていた。ところが聖具室で見つかった文書が手がかりになり、宝石を隠した柩が発見されたのだ。

しかしすぐには手を触れず、まずは財宝を動かしてもよいか司教に相談した。司教猊下（げいか）は許可を出されたのみならず、このあっと驚く発見に立ち会おうとみずからお出ましになった——が、あけてみたら宝石は盗まれたあとだった。納骨堂に盗賊が押し入っていたのだ。最初のうち、そのほうが捜査が容易だと考えて警察はこの件を内密にしていたが、いよいよ公開に踏み切ったというわけだ。

「ああ、公爵夫人（マダム）！」リュドルフは声をあげ、朝食のテーブルのうえに浮かんでいる亡霊に向かって言った。「よくも嵌めてくれたな！」

むしゃくしゃしながらパリを離れることに決めた。足がつくかもしれないから、残っている宝石を売る勇気はない。執事と相談してみて、そろそろ所持金が尽きかけているのがわかった――ずっと贅沢三昧してきて、馬や犬や家具や絵画などなど、とくに欲しくもないものに何千何万フランと散財していたのだ。

　そこで旅費を稼ぐために、彼はベリルの指輪を嵌め、パリでも最悪の賭場のひとつに出かけていった。海千山千の賭博師たちが、首都は初めてというおのぼりさんを毎夜身ぐるみ剝いでいるような場所だ。

　リュドルフはそんな悪徳の巣に入っていった。長い黒いマントを脱ぎ捨てると、豪華なモアレ・アングレーズの青いジレに、賛嘆のざわめきが起こる。

　しかし、この恐るべき場所でもあまり歓迎されなかった。ここの歴戦の賭博師たち、放蕩にすさんだ荒れくれどもですら、彼がいるとそわそわしだす。亡霊の発散する冷気がリュドルフを冷たい海霧のように包み、近づく者を身震いさせるのだ。しかし、そこは無頼漢たちのこと、緑のベーズ（フェルトに似た柔らかい生地）の長テーブルに金貨の山を積みあげてみせると、そう長くは抵抗できなかった。この金貨は手もとにある現金の最後の残りであり、その他の財産は盗んだ宝石で、これはフランスで換金するのはためらわれる。

　一時間ほどゲームをして勝ちつづけ、彼の前にはうずたかく金貨が積みあげられていた。賭場の常連たちが、どす黒い憎悪の眼差しをこちらに向けている。

　リュドルフは気が滅入って、この大金にもほとんど喜べなかった。これだけあればウィーンでもローマでも旅するのに不足はないし、そんな都市なら盗んだ宝石も売りさばけるだろう。しかし頭痛がひどい。テーブルのうえに環状のシャンデリアが下がっていて、そのろうそくの炎が熱い釘のように脳に打ち込まれてくる。彼を嘲笑う腹黒く強欲な顔が肉体から離れ、よどんだむっとする空気のなかをふわふわ漂っているように見えてくる。

　花嫁の亡霊はほとんど実体を備えているかのようで、ほかの人々に見えないのがリュドルフには信じられなかった。薄汚いカードの山のうえに浮いていて、豪華なウエディングドレスを月光の雲のようにたなびかせているというのに。

「公爵夫人」彼は押し殺した声で言った。「どうか出ていってもらえませんか。ここはあなたのような高貴の女性の来るところじゃない。しかし、つきまとうのをやめないなら、もっとひどい場所へお連れすることに――」

「なにをぶつぶつ言ってるんだ」対戦相手が尋ねた。がっしりした男。顔は腫れ物だらけで、ひどくくさい息を吐きかけてくる。

「いや、なんでもない。いくら勝ったか数えてただけだ」リュドルフは、ふんぞりかえって金貨の山に両手を置いた。

「おい」と腫れ物男が言った。「あの若い紳士と、もうひと勝負しようじゃねえか」と、リュドルフの脇腹を肘でつついた。新たな鴆が羽をむしられにやって来たらしい。

見れば、ういういしい童顔の若者が目の前でお辞儀をしている。リュドルフは思った──「大学出たての愚か者か。サン・リュークを思い出すな。せっかくだからむしりとってやろう」

そこでこの若い客と遊ぶことにした。舌足らずの声は耳に快く、頬は少女のようになめらかだが、目は少し血走っていた。

「どうも、会ったことがあるような気がする」とリュドルフは思ったが、だれに似ているのかどうしても思い出せない。それで苛立っていたせいで気がつかなかったのだが、つきまといだしてから初めて、このとき花嫁が自分から動いた。ふだんは浮かぶ彫像のように空中を身じろぎもせずに移動するのに、身を乗り出して彼の指からベリルの指輪を引き抜いたのだ。

ツキを確信していい加減にプレイしていたら、童顔の若者にいままでの勝ちをすべてかっさらわれていた。

「ちくしょう!」彼はわめいた。「これはいかさまだ!」

金貨を集める若者をよくよく見つめるうちに、はたと気がついた──これはルシフェルだ。修道院の廃墟のそば、浮草に覆われた湖に現われたやつだ。

賭博師たちの嘲笑のなかに怒号を響かせ、リュドルフは通りに飛び出した。花嫁がふわふわついてくる。その白い指に大きなベリルがひらめいていた。

帰り着いてみると、贅沢なアパートメントは警察に押さえられていた。盗んだ宝石からあとをたどられてしまったのだ。玄関前室では出版者も待っていた。

「ムッシュ・リュドルフ、あんたはペテン師で泥棒だ」と手厳しく決めつけてくる。「あの詩だって、自分で書いたんじゃないんだろう。だから新作が書けないんだな。そりゃ、教会の死人から盗みを働くような人間なら、どんなことだってできるだろうさ! 明日になったら『ガゼット』に、あんたはあの詩の作者じゃないって記事を出すつもりだから、あんたはパリじゅうの笑いものになるだろう!」

リュドルフはこの怒りの罵声を聞いていなかった。とっくに夜の通りに飛び出していたのだ。警官たちが足音も荒くあとを追ってくる。屋根屋根の上に輝く月の下、よろよろと走るうちに川岸にたどり着いた。紙のように白い家々のあいだを、川は黒いインクのように流れている。

亡霊がすぐそばに迫ってきた。まるで肺に冷たい霧を吸い込んだようだ。初めて彼女はまともに口をきいた。

「自業自得よ。なにもかもグリモワールに書かれていたとおりになったじゃないの」

「公爵夫人、時間のむだはやめましょう」リュドルフは言った。「ベリルの指輪を返してくれ」

「それはだめ」

「もうつきまとうのはやめてくれ」

「それはだめ。ひとりはあとに残るのよ」

すべて終わりだと悟り、リュドルフは川に身を投げた。沈んでいきながら、シルクハットを上げつつ丁重に言った。

「お別れです、C――公爵夫人」

亡霊は、彼が没したあたりにしばらく浮かんでいたが、やがてゆっくりと空気に溶けるように消えていった。真珠とダイヤモンドは雨の粒に、ベールやレースは薄いもやに変わり、ベリルの指輪は一条の月光に呑まれていく。

この詩的な最期のおかげで、リュドルフはパリの人気者に返り咲いた。やはりあの詩の作者は彼だと言われるようになり、今季の流行色となったくすんだ緑色は「リュドルフ緑」と呼ばれた。感受性の鋭い詩人の住居に性急に踏み込んだというので、警察は大いに評判を落とした。というのも、彼の持っていたいわゆる「宝石」はただの模造品で、サン・ジャンの地下納骨堂の隠し財宝とはなんの関係もないとわかったからだ。

ムッシュ・デュフールはパリに出向き、売りに出されたリュドルフの遺品から例のグリモワールを買い戻した。本は店の奥の棚に戻され、さほど経たないうちにもとどおり埃をかぶっていた。

甦るアレイスター・クロウリー

――不死身の魔術師――

植松靖夫

ここ数年の我が国に限ってみても、二〇一七年に小説『麻薬常用者の日記』(全三巻)の改訳新版が刊行され、翌一八年には銀座BAR十誡にて「魔術学講座 vol.13 アレイスター・クロウリー 解体新書」なる講座と座談会が催された。さらに、今年の九月中旬にはNHK―BSプレミアムの『ダークサイドミステリー』で「悪魔と天使を呼んだ男 20世紀最大の魔術師クロウリー伝説」と題してクロウリーが特集され、一九八三年にベストセラーとなったクロウリー教の聖書『法の書』の「改訳決定版」が国書刊行会より年内には刊行される予定となっている。

これでとりあえず一区切りとなるのか、新たな流れの嚆矢となるのか、クロウリーをめぐる動きが俄(にわか)に活発になっているようにも見える。

クロウリーが魔術に手を染めるようになったのは、厳しいプロテスタントの家庭環境に大きな原因があり、そこから反キリスト(教)の道へと突き進んでいったとするのが定説のようになっている。しかし、私の見方はそうではない。

たとえば、子供の頃は信仰心の篤い父親が牧師でもないのに説教をして歩くのについてまわり、子供心にも父を喜ばそうと思ったのだろう、讃美歌を作って、それを父は説教の時に使ってくれたという。クロウリーが十一歳の時に癌死するその父を終生深く尊敬していたのである。既に文才の萌芽が見られる点も見逃せないが、キリスト教との関係は後述しよう。

一八九五年にケンブリッジ大学に入学すると、アレグザンダーからアレイスターに改名した。「有名になるための韻律」にも合っていると同時に、アレグザンダーのゲール語形なのでクロウリーには理想の名前だったという。時あたかもケルト文化復興運動の機運が高まってもいた。ロマン派の代表的詩人P・B・シェリーの「アラスター、または孤独の精神」(Alastor, or The Spirit of Solitude) もクロウリーの念頭にはあったかも知れない。そのシェリーが評論『詩の弁護』の中で詩をヒエログリフに譬えているのも今となっては意味深長である。

詩への関心はもともとあったのだろうが、詩作に情熱を注ぐようになったのは大学入学後である。在学中には『グランタ』誌などにも寄稿しているが、一八九八年、大学を退学する直前に地元の印刷屋に依頼して最初の詩集『血の土地(アケルダマ)——余所者を埋葬するところ』を自費出版している。作者は「ケンブリッジ大学の一紳士」とするされていた。シェリーが最初の傑作を「オックスフォード大学の一紳士」の名で出版したことを踏まえてのことども見られる。

現在、クロウリーの詩は格式高い「オックスフォード作品集」(The Oxford Book)のシリーズ『神秘詩集』にも収録されているほどである。魔術結社の黄金の夜明け団に入ったのも、詩作のインスピレーションを求めてのことという側面があった。

その黄金の夜明け団には後にノーベル文学賞を受賞するW・B・イエイツが幹部になっていて、新参者のくせに生意気な上に、良からぬ評判が広まっていたクロウリーとはすぐに衝突することになる。しかし、じつはこの二人の詩には共通点が多いのである。ともに神秘主義的傾向が強いのはもとより、詩に使われている言葉だけ見ると同じような単語が目につく。ただし、そこから喚起されるイメージも意味も大きく異なるのだが。イエイツもまた詩的インスピレーションを求めて入団したのだった。

しかし、イエイツとちがい、クロウリーの文学作品は生前には高く評価されることはなかった。

クロウリーの没後、彼の名は〈テレマ〉信者と神秘主義・魔術・オカルティズムに関心のある者には常に親しかっただろうが、大方はせいぜい胡散臭い人物として記憶に留まっている程度の存在だった。

ところが一九六〇年代になると突如としてその存在が甦る。一九六七年、ビートルズの『サージェント・ペパーズ』のジャケットにクロウリーの顔があるのは今や有名だろう。ドアーズのアルバム *Doors13* にもクロウリーの姿が見られる。

戦後の自由な社会に過剰な期待を抱いた若者たちは、社会にも自由そのものにも飽き足らなくなり幻滅して、無軌道に求めたのがジャズ、ドラッグ、神秘体験(禅体験もそこに含まれる)に代表されるビート文化だった。そこからさらに六〇年代七〇年代のロックンロールへとつながり、一九七〇年代には英米とヨーロッパで「東方聖堂騎士団」(OTO)への関心が復活し、社会に反撥する若者たちにとってドラッグは新たな智慧につながるものとなって、クロウリーは伝説の人物として甦ることになったのである。

実存主義と自由意志の主張が世界を席捲する中で、『法の書』の要諦である「汝の意志するところを行なえ」はとりあえずわかりやすい。

ローリング・ストーンズやレッド・ツェッペリンはクロウリーを歌に取り込み、オジー・オズボーンも「ミスター・クロウリー」を歌い、ジミー・ペイジに至ってはネス湖の畔にある、かつてクロウリーの屋敷だったボレスキン館を買い取って別荘にした。

ジミー・ペイジはデヴィッド・ボウイとコラボしているが、魔術が二人には共通の関心事だった。ペイジは一九七二年にホランド・パークにあるゴシック様式の幽霊屋敷をボウイと競って落札してもいる。

音楽・映画関係者にはクロウリーの影響を受けている者が少なくない。ボウイほど深みにはまってはいないが、レディ・ガガ、カニエ・ウェスト、ジェイ・Z、シアラなどなど、影響の濃淡はあるにしてもクロウリーの影響が見られると言われている。

クロウリーへの関心が高まると、彼にまつわる様々な伝説も甦った。もともと大衆紙が作り上げたものではあるが、悪評の高い人物だから、ツタンカーメンの墓を発掘した考古学者たちが次々に死亡した責任まで問う者が現われる始末だった。クロウリーが生きていてそれを知ったら喜んだであろう。

現代のウィッカの信者・実践者たちは、事実上の創始者ジェラルド・ガードナーが著わした『影の書』がクロウリーの影響下にあることを必至に否定しようとしているし、ヘルメス主義の研究者たちも、中世のグリモワールの儀式魔術の研究者たちも、同様にクロウリーとは距離を置こうと苦心しているのは滑稽ですらある。

一九九〇年代からはクロウリーの著作を真剣に取り上げる研究者たちが現われ始めて、そこから彼の生涯も含めた時代の本格的な研究へと視野も広がってきている。

トバイアス・チャートンは健筆を振るって『アレイスター・クロウリー伝』『イングランドのアレイスター・クロウリー』『アメリカのアレイスター・クロウリー』『アレイスター・クロウリー——ベルリンの野獣』『インドのアレイスター・クロウリー』と圧倒的な業績を上げ、それまで謎だったクロウリーがアメリカで過ごした五年間に解明の光を投じてくれた。今や何冊もの「クロウリー伝」が読める時代になり、研究書もゲイリー・ラックマン『アレイスター・クロウリー——魔術、ロックンロールそして世界最悪の奸賊』をはじめ、来年発売予定のフィル・ベイカー『野獣の都市——アレイスター・クロウリーのロンドン』まで取り上げられる領域は多岐にわたり、眩暈（めまい）がするほどだ。オックスフォード大学出版局（！）からは『アレイスター・クロウリーと西洋秘教』という十四本の論文を収めた論文集が出版される時代になったのである。

　私なりの見方を簡単に示すと、クロウリーの辿った足跡を大きな枠組みの中で捉えると、彼は反キリストどころか、発想はカトリックの枠組みから一歩も出ていないのではないか、ということになる。幼少期に父親の歓心を得るためとはいえ讃美歌を作り、大学入学後には「階級」と「儀式」魔術を大きな特徴とする「黄金の夜明け団」に加わり上位を目指し、超常的存在の「エイワス」から『法の書』を伝授され、新時代の「預言者」となり、召喚も含めて「魔術」という名の「奇蹟」を行なって、しまいには「テレマ修道院」を設立している。いずれも根源はキリスト教的であり、カトリック的である。あの時代（日本でいえば明治時代である）、少年期にいじめがあろうと、母親からの強制と圧迫があろうと、そう簡単にキリスト教の圏内から出られるわけがないのである。クロウリーの行動など新旧約聖書のエピソードをなぞっているにすぎないのではないか。

　なお、これまで「テレマの僧院」という名称が一般に使われてきたが、「僧院」という日本語が私にはどうにも気持ち悪く、英語ではabbeyであり、これは「大修道院」というカトリック用語である。クロウリーの「テレマ修道院」はどうみても大修道院の要件を満たしてはいないので、日本語では格下げして今後は「テレマ修道院」を訳語として使うことにした。

　訳語といえば、インターネットなど存在しない三十年以上前に畏友・島弘之と二人でクロウリー関係の翻訳を始めた時、辞書にない用語ばかりだったので、主に私がギリシア語やらヘブライ語やらの語源を調べては、二人で相談して「日本語」を作っていった。江口之隆氏から「今使われている訳語は全部、植松さんと島さんが作ったものだから」と言われたことがあるが、後年私は辞書の編纂も仕事にするようになるぐらいだから、当時からその手の作業は得意だったのである。

　クロウリーの著作がアカデミズムの中で研究されると、その文学作品にも公正な目が向けられるようになる日は近いだろう。その中でクロウリーの魔術とキリスト教との予想を遙かに超える複雑な関係も明かされることになるかもしれない。

魔術師の物語

ヴァイオリンを弾く女

The Violinist

アレイスター・クロウリー
Aleister Crowley

植草昌実 訳

実在の魔術師の中でもことに有名なのはアレイスター・クロウリー（一八七五―一九四七）だろう。彼は一時、「黄金の夜明け団」に所属したが、馴染めず脱会し、その後に『法の書』を執筆。麻薬に耽溺した経験を元に小説『麻薬常用者の手記』を著し、性魔術等の噂がなした悪評のせいか、サマセット・モームに『魔術師』のモデルにもされた。本作は、自ら主催した *The Equinox* 誌の一九一〇年九月号に、フランシス・ベンデック名義で掲載された。死後、ジミー・ペイジやオジー・オズボーンはじめミュージシャンに支持され、ロックのアイコンにもなったクロウリーだが、この散文詩にはゴシック・ロックに共通するイメージがふんだんに盛り込まれている。

部屋には香（こう）の薫りが、胸が悪くなるほど濃く立ちこめていた。番紅花（サフラン）、オポポナックス、楓子香（ガルバナム）、麝香、没薬（ミルラ）——ことにミルラの薫りの濃密さは、聖なるものをも嘲笑い、大天使ラファエルにさえ快楽を誘いかけるかのようだった。

彼女は長身で力強く、しなやかな身のこなしは狩人を思い起こさせた。その体にぴったりとまとわり着いた絹のドレスは金褐色で、さらに明るい金色の髪は波打ち、肩の上を蛇のように動くたび、きらめいた。

彼女はギリシャの彫刻のような繊細な顔だちをしている——が、口だけは違っている！　その口は牧神か、はたまた悪魔のものと呼ぶにふさわしい。笑みに両端を上げた唇も、色はむしろ紫に近く、怒りをたたえているかのようだ。さしずめ唸り声をあげる獣の口のように。

　ヴァイオリンを手に、彼女は壁際に立っていた。その前には、色とりどりの正方形が並ぶ寄木細工の大きな板がある。寄木の升目に記されたのは、未知の文字のようだ。

　ヴァイオリンを構えると、彼女はその灰色の瞳を、板の中央にある「N」の文字に向けた。黒い文字を浮かべた白い正方形の四辺には、青、黄、赤、そして黒の正方形が接している。

　彼女は弾きはじめた。低い音色で、甘くやさしく、ゆっくりと。そのさまは、自分の奏でる調べでなく、どこか遠くからの音に耳を傾けているかのようだった。弓の動きが早くなり、調べは荒々しく狂おしく、さらに怒りをはらんで燎原の火のように激しさを増し、やがて哀歌のように静まっていく。

　曲調を変えたのは、彼女の腕が及ばないからなのか。奏でようとした調べが、あと少しのところで弾けないでいるかのようだ。

　彼女の目は暗い。集中し、疲弊し、堪え、そして警戒の色を浮かべている。目に浮かぶものとはうらはらに、部屋は奇妙なほどに静まりかえっている。弱い光の中で、彼女は暗い影になったかのようだった。だが、その胸のうちは燃えていた。さらに弓に力を込め、歯を食いしばり、唇をゆがめる。その目に灯ったのは――憎悪なのか？　ヴァイオリンが謳うのは、苦悩と嘆願、そして絶望……届かないものに必死に差し伸べる手のような調べ。

　彼女は息をつまらせ、震えるようにむせび泣いた。曲が止んだ。唇を咬むと、紫の唇から赤い色が、嵐のあとの夕日のように鮮やかに滴った。寄木板の白い升目に口づけると、唇の跡が赤く残った。刺すような痛みを心臓に覚え、彼女は胸を強く押さえた。

　ふたたびヴァイオリンを取り上げ、弓を当てる。剣士たちが目も眩むほどの闘志をもって交えた、二本の剣（つるぎ）のように。あるいは、不滅の愛に互いのほかは何も見えなくなり、身を寄せ合う恋人同士のように。

　彼女は弓と弦で生と死を断ち切った。曲は不死鳥となって高く、高く舞い上がる。音楽の攻城梯子が、彼女自身の切望の砦を攻めはじめた。汗ばんだ顔が紅潮し、目が充血していく。

　曲は高揚し、最高潮に達し――彼女は壁を乗り越え、ついにあの調べを奏でた。

　彼女が手を止めても、調べは続いた。空が曇るように、寄木板の表面が無気味にくすみだした。彼女は途切れない調べをかき消すほどの叫びをあげた。

少年が一人、目の前に立ち、彼女の腰に腕をまわした。少年は金髪で唇は赤く、目は青い。その姿は窓についた雨粒のように儚く、身につけたものは黒錆色をしていた。「わたしのレメヌ」彼女は言った。「また会えたのね！」

彼は耳元で何かを囁いた。

彼女を照らしていた光が揺らぎ、消えた。

精霊は彼女の手からヴァイオリンと弓を取り、床に置いた。

調べはまだ続いていた――牡山羊に死闘を挑む荒鷲のように、密林の野火に巻かれた蛇のように、アラブの少女に踏みつけられた蠍のように。

薄闇に取り巻かれ、彼女はむせび泣き、やがて声をあげて泣いた。本当にこのようなことが起きるとは思ってもいなかったのだ。彼女が夢に望んだのは、生あるものの想像が及ばないほどの熱情に満ちた、激しい愛だった。

そのために、わたしはこんなことを？

こんなことのために、わたしは純潔を失ってしまったの？　体ではなく、魂の純潔を。胸のうちで白熱していた炎が凍てつく。稲妻が身を切り裂く。冷たいぬらぬらしたものが、背筋を蜘蛛のように這い上がる。

胸からこみ上げる血が、泡となって口から溢れた。

突然、周囲が明るくなり、立っていた彼女はよろめいて、少年の腕に頭を預けた。

少年はふたたび彼女の耳元で囁いた。

その左手には黒檀の小匣があり、蓋を開けると黒い軟膏が入っていた。少年はそれをほんの少し指先にとると、彼女の唇に塗った。

そして、みたび彼女の耳元で囁いた。

天使のような笑みを浮かべたまま、その姿は次第に薄らいでいき、少年は寄木板に消えた。

彼女は部屋を見渡し、火を熾すと、ランプを灯して安楽椅子に身を投げた。そして、ありふれた簡単な曲を、気乗りなく弾きはじめた。

陽気な若者が部屋に入ってくると、毛皮のコートについた雪を振り払った。

「待ちくたびれてたかな？」ためらうことなく、明るい声をかけた。

「とんでもないわ！」彼女は応えた。「ヴァイオリンを弾いてたの」

「キスしてよ、リリー！」

彼は身を屈めると、彼女と唇を合わせた。すぐさま彼は雷に撃たれたかのように倒れ、動かなくなった。

彼女は細めた目でもの憂げに若者を見下ろすと、唸り声をあげる獣のような、あの笑みを浮かべた。

魔術師の物語

生贄の池

The Tarn of Sacrifice

アルジャーノン・ブラックウッド

Algernon Blackwood

渦巻栗 訳

魔術結社「黄金の夜明け団」には、W・B・イェイツやアーサー・マッケン、グスタフ・マイリンクほか多くの文学者も所属していた。アルジャーノン・ブラックウッド（一八六九―一九五一）も団員であったことはよく知られている。本作は、『幻想と怪奇2』所収の「ランニング・ウルフ」など、彼の自然への畏敬の念が顕著な作品を多く収めた *The Wolves of God and Other Fey Stories*（1921）所収の一編。ブラックウッドの自然観のみならず、宗教観もうかがえる。なお、本作は電子書籍『木の葉を奏でる男』（桜鈴堂）に、「転生の池」の題で収録されている。本書には渦巻栗氏の新訳で収録した。

ジョン・ホルトは、定かならぬ興奮を覚えながら、こぢんまりとした旅籠の戸口に立って、宿の主人の話を聞き、スカーズデイルまで行くのにいちばんよい道順を教わっていた。湖水地方（イングランド北西部の景勝地）を歩いてめぐっている最中で、数々の小さな谷を探検していた。人通りの多い道から離れた、徒歩でしか行き着けないような谷だ。

宿の主人はこわい顔つきの、北国の田舎者で、宿を営みながら羊も飼っていた。彼は谷の上のほうを指さした。そのよく響く声には暖かな訛りがあった。

「まっすぐ行きますと、てっぺんに出ます」と彼は言った。「そこから下っていきます。『羊道』を進んで、〈いかめし岩〉の向こうまで行ってください。てっぺんを過ぎれば、道はすぐですよ」

「そんなところに道が！」客人は信じられなそうに声をあげた。

「ええ」と落ち着いた答えが返ってきた。「ローマ時代の古い道です。まさにその道を通って」と彼はつけ加えた。「野蛮人どもがやってきたんですよ。長城を破って、なにもかも焼き払いながら、ランカスターまで進んで――」

「連中は――たしか――ランカスターまでしか進めなかったんですよね」ホルトはそう訊いたが、なぜ訊いたのかはよくわからなかった。

「あたしも詳しくは知りません」答えがゆっくりと返ってきた。「そう言うひともいますがね。でも、あの古い町はそんくらい昔からありますからね、なんとも言えませんな」一瞬、口をつぐんだ。「アンブルサイドでしたら」としばらくして言葉を継いだ。「当時の大火の跡がいまでも見れますよ。レイヴングラスに行く途中の小さな砦にもありますね」

ホルトは目を凝らして、日の照りつける彼方を見つめた。すぐにもその道を行くことになるだろうし、出発したくてうずうずしていたのだ。だが、宿の主人は話好きで、興味がつきなかった。「まちがえっこないですよ」と主人は言った。「丘のてっぺんで槍みたいにまっすぐ伸びていて、端っこは長城とまじわっているんです。それに沿って八マイルばかり歩くことになりますかな。そうすると道の左手に〈立石〉が見えますんで――」

「〈立石〉ですか」相手は少し注意を惹かれて口を挟んだ。

「見ればわかりますよ。そこにローマ人がやってきたんです。で、そこから左に折れて別の『小道』に入ってください。〈石〉のところで合流してますんでね。うわさによれば、〈石〉を立てた人々が戦でつかった道だそうです」

「〈石〉はなんのために使ったんでしょうね」ホルトは問うた。どちらかといえば自問しているようで、話し相手に訊いているわけではないらしかった。

老人は話をやめて考えた。しばらくしてから口を開いた。

「いかにもその手のことを知ってそうな年寄りが、あれを〈物見の石〉と呼んでいたように思います。彼の考えでは、昼がいちばん長い日の夜明けに、太陽が石の上に昇って、〈血染池〉の小島を照らすんだそうで。そこにある環状列石で生贄を捧げていたとも言っていましたな」束の間言葉を切って、黒いパイプをふかした。「たぶんその通りなんでしょう。石がいくつも立っているのを見たことがありますし、彼が言っていたのはそれかもしれません」

主人は気をよくして、すばらしい聞き手に話をしたがった。相手のおかしな仕草は気がつかなかったか、あるいは出発したくてたまらない気持ちの表れだと考えたのだろう。陽光は温かかったが、身を切る風が裸の丘から吹いてきて、ふたりの間を通り抜け、ため息のような音を立てた。ホルトは上着のボタンをはめた。「山の湖にしては妙な名前ですね――〈血染池〉だなんて」そう述べると、期待をこめて主人の顔を見た。

「ええ、でもうまい名前ですよ」というのが考えた末の答えだった。「あたしが子どものころ、爺さん婆さんが話をしてくれましたっけ。野蛮人が三人のローマ人捕虜を、あの岩壁から池に放りこんだんです。本も書かれてまして、それによると生贄だったそうですが、たぶん引きずっていくのが面倒になったんでしょうよ。あたしの意見ですがね。なんにしても、本を書いた人はそう言っていました。ひとりはたしか、異教の神官で、長城の近くに寺院があったそうです。残りのふたりは彼の娘とその恋人でした」彼は豪快に笑った。ともかく、喉でおかしな音を立てた。疑ってはいても迷信深いんだな、とホルトは思った。「代々受け継がれてきた、ただの古いお話ですよ。学のあるお方がなんと言おうがね」老人はそうつけ加えた。

「寂しい場所なんですね」ホルトは口を開いた。とらえがたい畏怖の念が突然、好奇心に加わったのを意識した。

「ええ」と相手は言った。「しかもいやな場所ですよ。毎年〈いかめし岩〉では羊がいなくなりますし、人間だって、霧が出ていると落っこちることがありますからね。道のすぐそばはもう崖ですし、とても滑りやすいんです。九十フィートも落っこちて、水面にたたきつけられちまいます。霧がちょっとでも出ていたら、池は迂回して〈いかめし岩〉も放っておくことですな。釣りですか？ ええ、池にはなかなか上物の鱒がいますが、そいつを狙うもんはあまりおりませんな。もしかすると、タイソンとこの農場で羊の面倒を見てるやつが、『カワウソ』（釣り具の一種）で連中をびっくりさせてるかもしれません」そしてこう言い足した。「時々ですがね。それでも暗くなるまではいません。日が沈む前に帰っちまいます」

「ふむ。迷信深いんですねえ」

「薄暗くて危ないところですからね――夕暮れ時ならなおさらです」宿の主人はようやく認めた。「ここいらの人間だったらだれだっていやがりますよ。夜も近いのにあそこにいなきゃならんなんてね。羊飼いにはとても便利ですがね――タイソンでもだれかをあそこで働かせるのは無理でしょうな」また口をつぐみ、それから意味ありげにつけ加えた。「もっとも、よそものは気にしないみたいですがね。ここいらの人間だけが――」

「よそもの！」相手はすかさず繰り返した。まるでこの意外な情報のかけらをずっと待ち構えていたかのようだった。「そこにだれか住んでいるとおっしゃるんですか」

奇妙な戦慄が体を走り抜けた。

「ええ」と主人は答えた。「でもおかしなひとたちですよ――男とその娘なんですがね。毎年春になると来るんです。今年はまだ早いんですが、ジム・バックハウスが、というのはタイソンとこで働いているやつですが、そいつが先週、連中のことを話してたと思います」言葉を切って考えた。「だからもどってきたんでしょう」断言するようにつけ足した。「いつもあの農場でミルクを買ってますから」

「ふたりはそんなところでいったいなにをしているんでしょうね？」ホルトは訊いた。

彼はほかにもいろいろと質問したが、答えは芳しくなく、情報もたいしたものではなかった。主人は何時間も〈いかめし岩〉や池、伝説やローマ人について語っていたのに、ふたりのよそものに関してはだんまりだった。ほとんど知らないのか、話したくないのか。ホルトはたぶん前者だろうと思った。苦労して推理したところでは、彼らは教養のある都会人で、裕福らしく、窪地を散策したり、釣りをしたりして過ごしているようだ。男は〈いかめし岩〉に立っているところがしばしば目撃されていて、そのそばには娘がおり、脚をむき出しにした、百姓のような服装をしていたという。「たぶん健康のために来ているんでしょう。父親のほうは学がありそうですし、長城を研究しているんじゃないですかね」――正確な情報は得られなかった。

主人には「あたしの仕事」があったし、住民は数が少なく、散らばって暮らしていたので、うわさも立ちようがなかった。ホルトが引き出せたことをまとめるとこうなった。例のふたりは何年か前に自動車事故に遭ったため、毎年春になるとやってきて、一か月か二か月ほど滞在し、だれとも交わらずに、都会や現代生活の喧騒から離れて過ごすようになった。彼らはだれにも迷惑をかけなかったし、彼らに迷惑をかけるものもいなかった。

「池のそばを通るときに見かけるかもしれませんね」徒歩で旅をする男はしまいにそう言って、出発する準備をした。質問するのは諦めた。がっかりしていた。もう午前も終わろうという頃合いだった。

「たぶん見かけますよ」という答えが返ってきた。「あのふたりの軒先を通って、まっすぐスカーズデイルまで行くことになりますから。もう一方の道は〈いかめし岩〉の上を通るんで半マイルの節約になりますが、ガレ場を行くのは骨ですな」彼は口をつぐんだ。それからホルトのいとまごいに答えてつけ加えた。「あたしの意見ですがね、それだけやる価値なんてないですよ」もっとも、なにを指して「それ」と言ったのかははっきりしなかった。


徒歩で旅する男はリュックサックを肩に担いだ。われ知らず、それを軽く揺すって、肩に落ちつけた——フランスでもそうして背嚢を揺すっていた。同時に痛みが身内を走り抜けたが、それはまた別のフランスの記憶だった。ソンム（第一次大戦の激戦地）で受けた弾丸が、いまでもたびたび己の存在を主張するのだ……。それでも自分は、と彼はきびきび歩きながら考えた。自分は運がよかったほうだ。旧友のなかには、もう二度と歩けず、これからずっと松葉づえをつき、足を引きずらねばならないものが大勢いる。それに、足を引きずることさえかなわないものもたくさんいる。さらに痛ましいことには、失明したものもいるのだと思い出した……。死んでしまったほうがまだ運がよかったように思えた……。

彼は狭い谷を順調に進んでいき、すぐに丘を登りはじめた。丘の傾斜は旅籠の戸口から見たときよりずっと急だったので、頂上に着くと大いにほっとして、硬くて弾力のある葉が茂る草地に体を投げ出し、眼下に広がる風景を嘆賞した。

快い春の日だった。血がかき立てられた。眼下の世界は若く、汚れひとつないように見える。感動が湧きあがり、希望に満ちた幸福感の波となって体を走り抜けた。木のない丘の連なりは、柔らかな青い霞に半ば隠されていて、実際よりも重々しく、巨大で、この世らしからぬ姿をしている。そこかしこの谷間には銀の筋が見え、遠く離れたせせらぎや湖だと知れた。鳥たちがその間を縫って舞っていた。めくるめく大気は高揚感に満ちた光と色に彩られているかのようだ。雲は空に浮かぶ蜘蛛の糸であり、手でさわれそうだった。蜂や蜻蛉がいて、アザミの綿毛がふわふわ漂っている。熱が揺らめいている。彼の体は、というのはいわゆる身体感覚だが、それは薄れていってほとんど消えてしまった。自分自身が、周囲と同じように、大気と陽光でできているように感じた。受容する快感が全身を浸した。自分もまた、周囲と同じように、大気や陽光から、虫の羽から、晴れやかな春の日が生み出す、柔らかで、そわそわした気配からできている……。それはまるで、肉体の生が持つ重荷を捨て、束の間ではあるにせよ、現世を超えた意識の歓喜を味わったかのようだった。

手前のほうでは、丘陵は昨年のワラビのくすんだ金色に覆われている。ワラビはあふれんばかりの奔流となって流れ落ち、眼下のなじみ深い森の新緑に消えていた。かすむ彼方ではトネリコとハシバミが樹海をなしている。白樺はそんな下界に妖精の光をふりまいていた。

そう、おかしなところはどこにもない。いまでは例の道もはっきりと見えた。彼が寝転がっているところからほんの百ヤードしか離れていない。丘の頂を一直線に走っている。宿の主人の言いまわしがまた頭に浮かんだ。「槍みたいにまっすぐ」。どういうわけか、この表現はローマ人とその偉業を的確に述べているように思えた……。ローマ人と、そう、彼らの偉業を……。

ふと気づくと、こうした消えて久しい世界の征服者たちに共感を覚えていた。彼らには無駄で愚かしい空論などなかったのだと、彼は確信した。中身のない言葉など知らず、ばからしい表現をふりまわすこともしなかった。「戦争を終わらせるための戦争」だの「民族の再生」だの――その手の偽善めいたたわごとで頭や決意を鈍らせたりはしなかった。不愉快なことを言葉でごまかしたりしなかった。彼らには、幼稚で無意味な大義名分などなかった。まっすぐ目標へ突き進んだのだ。

いにしえの小道をじっと見つめていると、別の考えも心に忍びこんできた。奇妙な考えで、よろこばしいとは言えなかった。新しいのに古い、数々の感情が湧きあがり、潮となって押し寄せた。疑問が浮かんできた……。自分はやはり、さきの大戦で残酷になったのだろうか? 自分でもよくわかっていたが、先祖から受け継いできた、ちっぽけな「キリスト教信仰」は、フランスですぐに、服のようにはがれ落ちてしまった。〈生〉と〈死〉に対する態度に関しては、率直に言うと、異教的になっていた。いま不意に、別のことも悟った。実のところ、彼はいつだって「キリスト者」などではなかったのだ。母親の乳とともに与えられはしたものの、キリスト教の教義を受け入れたことなどなかったし、心安らぐこともなかった。彼にとっては異質な宗教だった。キリスト教信仰は彼の求めるものをちっとも満たしてくれなかった……。だが「求めるもの」とはいったいなんだろう? 彼には答えられなかった。

とにかく、もっと別の、原初のものだろう。彼はそう考えた……。

ここまでやってきて、山の頂上でひとりきりになっても、心の底から自分に素直になるのは難しかった。ある種の野蛮で、偽りのない決意を固めて、その作業に集中した。突然、重要に思えてきたのだ。己の立ち位置を正しく知らねばならない。人生の転換点に達したようだった。さきの大戦は、外の世界ではそうした転換点となった。いま、彼は別の、内なる生の転換点を迎えたのであり、これは前者よりずっと重要だった。

寝転がって、心地よい日の光を浴びていると、考えは戦いへ立ちもどっていった。思い返すと、友人は大戦を楽しんだものとそうでないものとに分かれた。彼はといえば、前者だと認めざるをえなかった――思い切り楽しんでいた。若い頃から技師として教育を受けてきたので、家鴨(アヒル)が水に適応するように、兵士の生活に適応した。みじめなことや不快なこと、悲惨なことは山ほどあった。だが、彼にとっては、それを補って余りあるものがあった。燃えるような興奮、原始的なむき出しの激情、野生じみた怒り、苦痛も死ももものともしない冷淡さに加え、こうしたすべてに伴って、普段の用心深い、些末事にやたらとこだわる、ちっぽけないつもの自分を忘れ去ることで、彼は満たされた。実際にひとを殺めることさえも……。

ぎょっとした。かすかな震えが背筋に走った。冷たい風がひらけた荒野から吹いてきて、ため息をつきながら、柔らかな春の日差しを通り抜けていった。体を起こすと、束の間後ろを見た。まるで無理に顔を背けて、自分には強烈すぎるとわかっているがゆえに嫌い、恐れているなにかから視線を外したかのようだった。だが、同時に、彼はまた前を向いた。真正面から、内に潜む、下劣で忌まわしいものと、これまでずっと拒み、避けようとしてきたものと相対した。建前ははがれ落ちた。自分に対しては偽りようがない。心の底から殺人を楽しんでいたのだ。少なくとも、殺人はショックではなく、むしろ不自然で胸のむかつく義務のほうに衝撃を受けた。銃撃したり爆撃したりするのはいつも骨が折れたが、それより機会こそずっと少なかったものの、銃剣を使えるときには……鋼が刺さっていくのを感じるよろこびといったら……。

再びぎょっとして、一瞬、顔を両手で覆ったが、湧きあがってきた忌まわしい記憶から逃げようとはしなかった。ときどき、狂ったように殺戮の衝動に駆られていたのは自覚していた。止まるべき一線を越えてもなお止まらなかった。一度、ある将校がそれを手荒にやめさせたことがあったが、次の瞬間、その男は銃弾に倒れた。それでも殺し続けたように思うが、彼にはわからなかった。赤い霧だけが目の前に広がっていて、唯一思い出せるのは、ライフルを握ったときの、手についた血のねばつく感触だけだった……。

そしていま、自分に対して痛ましいほど正直になったこの瞬間に、自分の信仰が、それがなんであれ、こうしたすべてを擁護してくれるはずだと悟った。なにかしら根拠となる考えを与えてくれるに違いない。弁明もしなければ無視もしないはずだ。それが約束する天国は人間の天国だ。キリスト教の天国にはまったく心を惹かれなかったし、信じてもいなかった。儀式はわかりやすく、直截でなければならない。彼は漠然と、なぜいにしえの人々が〈いかめし岩〉から捕虜を放り出したか理解できた。動物の生贄ならば儀式のあとで食すことができるわけで、彼はショックなど受けなかった。こうしたやり方はわかりやすく、理にかなっていて、実用的に思えた。だが、それよりもっといいのは――忌まわしい考えが頭の内奥からおのずと湧きあがってきた――もっといいのは、捕虜ののどを燧石（すいせき）のナイフで切ることではないだろうか……それもじわじわと?

慄然として、弾かれたように立ちあがった。こうした恐ろしい考えが自分のものだとは到底思えなかった。陽光を浴びながらうたた寝をして、そうした考えを夢に見ていたのか？　一瞬まどろんだときに、束の間の忌まわしい悪夢が訪れたのか？　恐れと畏怖の混じるものが心に忍びこんできた。数分の間、あたりに目を凝らして、なにもないさびれた風景を見つめ、それから慌てて駆け出し、道を目指して下りていった。不意に現れた不可解な恐れを、激しい運動で追い払おうと思ったのだ。だが道に着いてみると、うまくいかなかったことがわかった。恐ろしい光景は消え去ったようだが、気分はあいかわらずだった。あたかも、なにか新しい感性が彼の内でかたちを取り、固まりはじめたかのようだった。

歩き続けながら、忘れられて久しい軍団の一員になりきろうとしてみた。戦友たちと行進し、長城を守りに行くつもりで歩いた。半ば無意識のうちに、連隊にいたころの着実で力強い足取りになっていた。前線へ赴くときにうたった下品な歌の歌詞が頭に流れこんできた。着実に、ほとんど機械のように颯爽と歩いていくと、やがて〈石〉が黒いしみとなって左手に見えてきた。それを目にした瞬間、恐れながらも待ち望んでいた冒険がこれからはじまるのだという想いがこみあげてきた。その巨大な御影石の一枚岩に近づいていった。期待まじりの興奮で奇妙に震えていたが、その出所はわからなかった。

だが、当然ながら、なにもなかった。良識はいまも健在で、なにもないだろうし、なにかあろうはずがないと告げていた。荒野のただ中で、巨大な〈石〉はまっすぐ、孤独に、ひとを寄せつけずに佇み、数千年前と変わらぬ立ち姿を見せている。あたりの風景を睥睨していて、いくぶん不気味だった。羊や牛が体をこするのに使うせいで、体毛や羊毛が、風雨にさらされてざらざらしている縁にこびりついている。大昔から足で踏まれてきたため、椀のようなくぼみが根元にできている。風がそのまわりで悲しげにため息をついた。その巨体は陽光を浴びてぎらついていた。

いまではほんの一マイル離れたところに、〈血染池〉がはっきり見えた。小島と〈石〉が一直線上にあるのが見て取れた。片側で湖水の上に黒い影となって突き出しているのは、断崖のような岩壁で、これを地元では〈いかめし岩〉と呼んでいる。ところが、宿の主人が話していた家については影もかたちもなかった。彼は肩からリュックサックを下ろすと、座って昼食に取りかかった。この池はたしかに陰気な場所だと思った。素朴で迷信深い羊飼いたちが住もうとしないのも理解できた。きょうという晴れやかな春の日にあっても、陰鬱で、ひとを拒んでいるように見えるのだ。光が薄れゆく頃合いに、〈いかめし岩〉が湖水に刻々長くなる大きな影を広げ、地元の人間ができるだけ遠ざかろうとするさまが目に浮かんだ。昼食を終えると、ぶらぶらと渚へ向かいながら、のんびりパイプをふかし——はたと足を止めた。対岸に、いままで地面のくぼみに隠されていたのだが、小さな家が建っており、青い煙の柱がうっすらと煙突から立ち昇っているのが見えた。時を同じくして、ひとりの女性が小さな戸口から出てきて、池へ歩き出した。彼女も気づいており、どうやらこちらへ向かっているらしい。数分後、彼女は立ち止まって、小道で待っていた——待っている相手は彼にもよくわかった。自分だ。

すると、さきほどの気分が、恐れながらも自分に認めさせようとしていたあの気分がよみがえり、力を倍増して襲いかかってきた。なにか鮮明な夢を見て、意志を乗っ取られて麻痺しているような、あるいは、催眠術の第一段階を施されているような心地で、あらゆる疑問やためらい、反感が弱まり、消えた。心地よい諦念が忍びこんでくるのを覚え、穏やかに感覚を奪われていった。拒んだり、批評したりする能力は働くのをやめ、良識もまた眠りについた。無意識のうちに、身も心も冒険の深みへ投げ出したが、それがなにかは理解していなかった。

彼は女性のほうへ歩き出した。

近づいていくと、その人物は若い娘だとわかった。歳のころは十九か二十くらいで、身動きもせず、彼の目にじっと視線を据えている。野性的で絵のように美しく、その姿を縁取る風景にもひけを取らなかった。豊かな黒髪を束ねずに背中と肩に垂らしている。頭のまわりには緑のリボンを巻いていた。ジャージーにとても短いスカートという出で立ちで、露わになっている脚は太陽と風にさらされて小麦色をしていた。足は粗末なサンダルで覆われている。顔は美しいともそうでないとも言いきれなかった。彼にわかるのはただ、自分がその顔にひどく惹かれているということだけで、じきに、その魅力の強さが奇妙なほど抗いがたく感じられてきた。彼女はあいかわらず、身動きもしないで巨岩を背にして立っており、まじまじと彼を見つめていた。彼はやがてすぐ目の前までやってきた。すると、彼女は口を開いた。

「ついにいらっしゃいましたね。うれしいですわ」と言った。澄んだ、力強い声だが、柔らかで優しくもあった。

「ずっとお待ちしておりました」

「ずっと待っていた、ですって！」と彼は繰り返した。呆然としてなにも言えなかったが、その言葉は自然で、正しく、真実を述べていると気づいた。愛おしさが全身に広がり、心臓の鼓動が早まり、幸せになってほっとした。そこにはどこか不可思議なところがあり、彼も理解できなかったが、それでも疑問には思わなかった。

「そうですとも」彼女は答えて、まっすぐ彼の目を見つめ、恥じらいもせず歓迎の表情を浮かべた。次に言ったことは、彼を芯からときめかせた。「お部屋も用意してあります」

ところが、彼女の言葉を聞くやいなや、宿の主人の話がよみがえり、頭のなかで良識が弱弱しく最後の力をふりしぼった。どうやら滑稽なまちがいの餌食になってしまったらしい。孤独な生活や、ひとを寄せつけない環境、あたりに連なるさびれた丘陵といったものが、彼女の精神を侵してしまったのだ。彼は事故のことを改めて考えた
「恐縮ですが」と切り出したはいいが、かなりぎこちなかった。「人違いではないかと思います。ぼくはあなたが待っていたお友達ではありません。ぼくは——」そこで言いやめた。遠い笑い声のような、ほんのかすかな音が、あやふやな言葉に隠れて聞こえたように思えたのだ。

「まちがいなどありません」娘はきっぱりと答え、静かにほほえんで一歩近づいてきたので、生命力あふれる若々しい芳香がほのかにかおった。「〈霊異の石〉ではっ

きり見ましたから。すぐにわかりましたわ」

「〈霊異の石〉ですか」自分がそう言うのが聞こえた。とまどいが深まるとともに、激しい幸福感が強まった。

　笑い声をあげて、彼女は彼の手をとった。「参りましょう」そう言って、彼を引っ張っていった。「わが家へ参りましょう。父が待っていますわ。きっとぜんぶ話してくれます。わたしよりずっとうまく説明してくれるでしょう」

　彼女と行をともにしていると、自分が陽光でできていて、宙を歩いているような気がした。というのも、彼女の感触に彼の手が反応したからで、まるで不意によろこびがつきあげたかのようだった。そのよろこびはまったく理解できなかったが、一瞬たりとも疑わなかった。激しく、埒もなく、狂おしく、脳裏にひらめくものがあった。「この女こそ、おれが結婚する相手だ――おれの女だ。おれはその夫なのだ」

　ふたりはしばしば無言で歩いていった。どんな言葉も思い浮かばなかったし、娘も話そうとしなかったのだ。気まずさをまったく感じないのは妙だなと一度か二度思ったが、そのうちに気まずさという考えそのものが消え去った。なにもかも自然で、ぎこちないところもないように思え、知り合ったばかりなのになじみ深くて、気兼ねもいらず、まるでずっとつきあいがあったかのようだった。

「〈霊異の石〉か」しばらくして自分がそう言っているのが聞こえた。ちょうど石のことが精神の表面に浮かんできたところだった。「その石のこと、もっと知りたいな。教えてくれるかい」

「ほかのものといっしょに持ってきますわ」彼女は柔らかく言った。

「ほかのものって?」

　彼女はふり向いて彼の顔を見あげ、かすかに意外そうな表情を浮かべた。弾む足取りで歩いていると肩が触れ合い、彼女の髪が風になびいて、彼の上着にかかった。「まず青銅の首飾りですね」低い声でそう答えた。彼はその声がとても気に入った。「それとわたしが髪につけている、この飾りです」

　彼は目を下に向けて、よく見てみた。それは、はじめに考えていたのとは違ってリボンではなく、青銅の頭飾りだった。見事な緑青で覆われており、明らかにとても古いものだ。正面の、額の上にあたるところには小さな円盤がついていて、なにか文字が刻まれていたが、そのときは読み解けなかった。かがんで髪に口づけすると、彼女は幸せそうに、穏やかなほほえみを浮かべたが、いやがったり、腹を立てたりしている気配はまったくなかった。「それから」彼女は不意につけ足した。「短剣も、ですね」

　ホルトは驚きをあらわにした。今回は彼女の声が興奮で震えており、その震えが心をまっすぐ刺し貫いたかに思えた。それでも、なにも言わなかった。彼女の思いがけない言葉と、奇妙なほど興奮させられる声音が合わさり、心がざわついて、しばし無言になった。短剣については尋ねなかった。なにかに阻まれて、好奇心は口にのぼせられなかったが、さきほどの言葉は、彼女が大いに強調していたこともあって、鋼の不意打ちそのもののように彼を突き刺し、よろこびでもあり苦痛でもある、見極めがたい感情を呼び起こした。彼がそのかわりに、しばらくして口にしたのは、別の質問で、ごくありきたりなものだった。彼が訊いたのは、彼女と父親は、このさびれた丘陵地帯へ来る前はどこに住んでいたのか、ということだった。その質問が――声を少し震わせながら口に出した――表しているように、やはり普段の彼自身が、すでに危うくなっている釣り合いを取りもどそうとしているのだ。

　単純な問いが、とりわけ娘の返事が、彼の内で入り混じる、心地よさと危機感、楽しさと恐れをさらに強め、彼は不安になりながらも満足した。一瞬だけ、彼女はとまどったような表情を浮かべ、まるでがんばって思い出そうとしているかのようだった。

「海の近くでした」ゆっくりと、考えこみながらそう答えた。とても小さな声だった。「大きな港の近くで、巨大な船が何隻も出たり入ったりしていました。そこであの惨事に――衝撃に――事故に遭って打ちのめされ、わたしたちがいまともにしている夢は砕け散りました」顔が少し明るくなった。「戦車（チャリオット）に乗っていたんです」ずっと気楽に、すらすらと言葉を継いだ。「それで父は――父はけがをしてしまいましたから、わたしもいっしょに長城の向こうにある宮殿に行って、よくなるまで待つことにしたんです」

「戦車だって？」ホルトは繰り返した。「まさかね」

「戦車って言っていましたか？」娘は答えた。「わたしったらばかね」髪をかきあげた。そうすれば頭と記憶がはっきりするとでもいうかのようだった。「それはもちろん、また別の夢の話です。ええ、戦車じゃありません。自動車でした。でも、車輪は戦車みたいでしたよ――大昔の戦車です。おわかりでしょ」

「円盤型の車輪ってことか」ホルトは心のなかでそう考

えた。宮殿については訊かなかった。かわりに、彼女が言うところの〈霊異の石〉やそのほかのものはどこで買ったのかと尋ねた。彼女の答えにはいっそうとまどい、魅了された。説明がつかなかったのだ。感性全体が不気味なほどすばやく、完全に変化しつつあった。いま気づいたが、自分たちは腕を組んで歩いており、ゆっくりした足取りで進みながら、互いの体を触れ合わせていた。血が熱く、獰猛と言ってよいほどに血管でたぎるのが感じられた。自分にとって彼女は信じられないほど大切であり、人生と幸福に絶対に必要なのだと悟った。彼女の言葉は山風に乗って彼を吹き抜けた。まるで空を行く鳥たちのようだった。

「父は釣りをしていました」彼女は話を続けた。「わたしも父のところへ向かっていたんですけれど、途中でおばあさんに呼び止められて、家に招かれ、さきほど話したものを見せられました。おばあさんはぜんぶやると言いましたが、わたしはただでもらうわけにはいかないと断って、お金を払いました。飾り輪を頭にはめて合うかどうかをたしかめ、〈霊異の石〉を手に取りました。そして石の奥深くを見つめていると、いまのこの夢が薄れていきました。消えたんです。再び、もっと古い夢が見えました――わたしたちの夢が」

「もっと古い夢！」ホルトが口を挟んだ。「ぼくたちの！」だが声にはならず、静かなささやきとなって唇から漏れ、まるで束の間、声がうまく出なくなったかのようだった。弾む気持ちはさらにすばらしく、抑えようのないものとなった。驚愕は消え去った。彼がともに歩き、話しているのは、ずっと昔から知っている、すてきな愛おしいひとであり、長いこと探し求め、待ち望んできた女性、伴侶である女性だ。彼もまた彼女の伴侶であり、彼女ただひとりが深奥の魂を満たしてくれるのだ。

「古い夢です」彼女が答えた。「とても古くて――もしかするともっとも古いかもしれません――わたしたちが恐ろしい冒瀆を犯したときの夢です。高僧の死体が横たわっているのが見えました――父が殺したのです――そしてもうひとり、あなたが手にかけた者も。あなたが宝石を神像から力ずくではずすのを見ました――血にまみれた短い槍を使っていました。わたしたちがガレー船へ逃げていくのも見ました。暑く、おぞましい夜闇に包まれて、星々のもとを走り――そしてわたしたちの逃避行は……」

声が消え入り、彼女は口をつぐんだ。

「もっと話してほしいな」彼はそうささやいて、彼女をそばに引き寄せた。「きみはなにをしていたの？」いまや胸が高鳴っていた。戦を求める血がどっとこみあげた。ひとを殺せそうな気がして、暴力と殺戮のよろこびが湧きあがってきた。

「すっかり忘れてしまったのですか?」彼女はとても低い声で尋ね、彼はいっそう強く彼女を胸に抱き寄せた。ほとんど声にならぬ声で、彼女は耳にささやいた。彼は小さな声も聞き漏らすまいとかがんでいたのだ。「わたしはあなたとの誓いを破ったのです」

「ほかにはないのかな、麗しいきみよ——ぼくの最愛のひとよ——それ以外にはなにを見たんだい?」彼もささやき返したが、いぶかしんでもいた。激烈な痛みと怒りを奥底で感じているのに、なぜそれらは隠れたままで、表に出てこないのか。

「夢から夢へうつろいましたが、わたしたちはいつも罰を受けていました。でも、いちばん最後の夢はいちばんはっきりしていました。なぜならそれはここ——陽光と風に包まれて、いまともに歩いているこの場所だったからです——そしてここで、野蛮人たちはわたしたちを岩壁から突き落としたのです」

震えが全身を走り抜け、説明のつかない寒気で体中がおののき、その悪寒は彼女にも伝わった。彼女の腕がさっと肩にまわされ、彼はかがんで、熱い口づけをした。

「上着をちゃんと着たほうがいいですわ」彼女は放されると優しく言ったが、息は乱れていた。「風が冷たいですから。太陽はよく照っていますけどね。あのときはうれしかったですね、彼らがわたしたちを殺すのをやめにしたときは。疲れきっていましたし、足は傷だらけでしたもの。それも長城から長く、つらい旅をしたせいでしたね」そしてまた急に声が高まると、幸せそうで自信に満ちたほほえみが目にもどってきた。そこには愛情からくる深い真心が宿っていた。終わりもなく、消えることもない愛情だ。彼女は目をあげて、彼の顔を見た。「でも、もうじき」と彼女は言った。「わたしたちは自由になりますわ。あなたがいらしたのですから、終わったも同然です——このみじめでちっぽけな、いまの夢は」

「どうやって」と彼は訊いた。「自由になるんだい?」

一瞬、赤い霧が眼前に漂った。

「父がぜんぶ話してくれます」と彼女はすぐに答えた。「とても簡単なんですよ」

「お父さんも覚えているの?」

「首飾りに触れた瞬間、父は再び神官となりました」彼女は言った。「ほら! 父はもう迎えに出てきています。歓迎のあいさつを申しあげるつもりですわ」

ホルトは顔をあげて、驚愕した。ほとんど気づいていなかったが、話に夢中になって、半ば陶酔していた間も、ふたりは歩を進めていたのだ。素朴な家はすぐそこにあり、長身の屈強な体つきの男が、羊飼いの質素な服を着て、目の前数フィートに立っていた。その背丈や幅広い肩、黒々としたあごひげのために、はっとさせられる容姿をしている。黒い目は火を秘めていて、まっすぐ彼の目を見つめており、優しそうな笑みが、いかめしくて活力あふれる口元に漂っている。

「ごきげんよう、わが息子よ」低く響きわたる声が言った。「わしはそなたを息子と呼ぶことにしよう。かつてそうしていたようにな。魂の絆は肉のつながりよりなお強く、そしてわれら三人が揃ったからには、絆はまさに三倍となろう。そなたは実にめでたいときに来た。しるしは好ましい上に、われらの解放のときは近いのだからな」彼は相手の手を取って握りしめた。牡牛を殺せそうなほど強かったが、暖かみがあり、穏やかな優しさがこもっていた。ホルトはいまや、謎めいた現実にすっかり囚われていて、それを意のままにできないのに受け入れていた。男の手首が細く、指もほっそりとしており、物腰そのものもどこか威厳があって、洗練されていると気づいた。

「ごきげんよう、わが父よ」彼はそう答えた。ごく自然で、もっと現代風の言葉を口にしたかのようだった。

「さあ、入るがよい」相手はそう勧めて、先に立った。「粗末ながら部屋をお見せしよう。われらにはそれしかないのでな。だが、精いっぱいもてなすとしよう」

彼はかがんで戸口をくぐった。ホルトも倣ってかがむと、娘が手を握ってきて、まじないが完成したのを悟った。低い戸口の先は台所で、最低限の質素な家具しか見当たらなかった。そこを抜けると別の部屋で、こちらにはまったく家具がなかった。乾かしたワラビがひと山、部屋の一角に置いてあって、寝床となっている。そばには派手な色柄の安物の毛布が二枚置いてある。ほかにはなにもなかった。

「拙宅はたしかにみすぼらしい」男はそう言って品よくほほえんだが、荘重な物腰で、歓迎している様子だったので、このあばら家も宮殿に思えた。「だが、短い間なら充分だろう。そなたがここを必要とするしばしの間はな。ここでの些末な夢は終わったも同然だ。いまやそなたが来たのだから。長きにわたる、苦難の巡礼もようやく終わりを迎えようとしている」娘はふたりを残していっとき席を外していた。男は客人に近づいた。不意に表情が重々しくなり、声はさらに深く、真剣さを帯び、目に宿る光は、大いなる信念の情熱で燃え立つかに思えた。

「なにゆえこれほど長く道草を食っておったのだ？　そしていずこで？」低めた声音でそう尋ね、狭い空間を震わせた。「われらは祈り、食を断ってそなたを探し求め、娘はそなたのために幾多の夜を涙にくれて過ごしてきた。そなたは道に迷っていたに違いあるまい。数多のくだらぬ夢に足を取られたのだろう」悲しげな響きが声に混じり、目には憐憫が浮かんだ。「それは、悲しいかな、いともたやすいことなのだ。わし自身も承知しておる」とつぶやいた。「いともたやすいことだ」

「道に迷っておりました」相手は答えた。不意に心が火で満たされたように思えた。「でも、いまは」と声を高めて言った。「いまはあのひとを見つけましたから、これからは絶対に、絶対に放しません。足はしっかりしておりますし、道も心得ています」

「わが息子よ、これからはとこしえに」幸せそうだが、ほとんど厳かとさえいえそうな答えが響きわたった。「娘はそなたのものだ。われらの自由は間近い」

　彼は背を向けて、再び狭い台所をわたり、客人についてくるよう促した。ふたりは戸口のそばに立ち、無言で池を見わたした。午後の陽光が黄金の焔となって裸の丘陵にふり注ぎ、丘の連なりは燃える光のきらめきでくすぶっているかに見える。だが、〈いかめし岩〉は暗い影となって頭上にそびえており、小さな湖はその下で深い闇に包まれていた。

「アセラ、アセラ！」男が呼びかけると、その名前は彼の連れに打ち寄せ、まるで甘く、心地よい炎が衝撃を与え、全存在を満たしたかのようだった。同時に、娘が質素な小屋の後ろから出てきた。「神々が呼んでおる」と父親は言った。「いまから丘に行ってくる。留守の間、お客さまを守り、もてなしてやりなさい」

　それきりなにも言わず、彼は大股で歩き去ると、丘の斜面を登り出し、やがて〈いかめし岩〉の頂上に姿を現した。両腕を頭の上に伸ばして天へ掲げ、巨大な頭をのけぞらせ、あごひげを生やした顔を上向けている。印象深く、荘厳とさえいえる姿で、たくましい巨体が黒いシルエットとなって、輝く夕空に浮かびあがった。ホルトは身動きもせず立ち尽くし、数分の間、彼を見つめていた。心臓が胸でふくれあがり、重く、鈍い鼓動を響かせた。名もなき大いなる力が奥底から湧きあがってきたのだ。あの内なる感性は、新しいながらも、これまで身につけていた人生に対する姿勢よりずっと満足できるものに思えていたが、それが結晶化していた。説明はできず、それを当然のこととして受け入れているのを自覚しているだけだった。厳かな、やせこけた人物が丘の頂上で祈りをささげるその姿は、彼を燃えあがらせた……。

「石を持ってきましたわ」声が黙想を破った。ふりむいてみると、娘がそばにいた。彼がよく調べられるように黒くて四角い物体を差し出しており、はじめは黒い石が彼女の手の小麦色の肌に乗っているように見えた。「〈霊異の石〉です」娘がつけ加え、ふたりはいっしょに石に顔を近づけて観察した。「これでさきほどお話しした夢を見たんです」

彼女から石を受け取ってみると、それは重く、どうやら黒水晶らしきものでできているようだった。磨き抜かれたきらめく表面は、内部の透き通った深みをあらわにしている。明らかに、かつては台か枠にはめこまれていたものらしく、取りつけられていた箇所にはいまも跡が見て取れ、ひと目で太古のものだとわかった。目を凝らしているとぼうっとしてきて、精神がかき乱されながらもときめいた。彼に現れた効果は、あたかも風が不意に起こり、深奥の内なる生を吹きわたって、その中身全体を勢いよく動かしはじめたかのようだった。

「そしてこちらが」と娘が言った。「短剣です」

彼は青銅の短い武器を受け取り、無意識のうちにすぐさま、ぎざぎざの刃や尖った切っ先に触れた。いまだに鋭い切れ味を保っている。柄はとうの昔に朽ち果ててしまったが、そのなかに入っていた青銅の刀身や、鋲の穴は残っており、こうして触れていると、精神がますますぼんやりしてかき乱され、ある種の混沌と化して、激情が、手なずけられない野生の、ほとんど野蛮とさえいえそうなにかと結びつき、すべての感情を押しのけた。

彼はふりむき、娘をつかんで荒々しく引き寄せ、熱く抱擁しようとしたが、逃げられてしまった。彼女はかわいらしい頭をそらして、目を輝かせ、口を少し開いていたが、片腕をのばして彼を押しとどめた。

「まずはこれを覗いてみてください」彼女は静かに言った。「いっしょに見てみましょう」

彼女は小屋の戸口のそばに生える芝草に腰を下ろし、ホルトもおとなしく彼女の横に座を占めた。彼女は数分の間、身じろぎもせず、石を両手で包みこんでいて、まるで温めているかのようだった。唇は動いていた。なにかしらの祈禱を声にならぬ声で繰り返しているようだが、なにを言っているのかは聞き取れなかった。やがて両手が離れた。ふたりは寄り添って座りながら、磨き抜かれた表面を見つめた。いっしょに覗きこんだ。

「白い霧が石の中心から出てきます」娘がささやいた。「でもすぐに晴れます。それからいろいろな風景が見えてきます。ほら！」少し間をおいてから声をあげた。「かたちを取りはじめていますわ」

「霧しか見えない」ホルトはつぶやいた。一心に目を凝らしている。「ぼくには霧しか見えないよ」

彼女が手を取ると、すぐに霧が割れた。気づくと、別の風景を覗いていた。目の前に開けてきて、まるで写真のようだった。ヒースに覆われた丘陵があらゆる方向に広がっている。

「丘が見える」とささやいた。「いにしえの丘が――」

「よく見てください」彼女は答えて、彼の手をぎゅっと握った。

はじめのうち、その風景には生命の気配すらなかった。だが突然、動きまわる人影が押し寄せ、あたりを埋め尽くした。男たちが丘の頂上から怒濤のようにあふれ出し、縦隊を組んでヒースの生える斜面を下っていった。彼らの姿がはっきり見えた――大柄の毛深い男たちで、革に身を包み、分厚い盾を左腕につけたり、背中にかけたりしており、手には短く鋭い槍を持っている。何千もの男があふれ出し、終わりなき流れをつくった。遠くでは、別の縦隊が勇ましく進みながら方向転換しているのが見えた。数は少ないが、毛足の長い小馬にまたがっている者もいて、隊列を率いているようだった。彼にはこれが指揮官だとわかった……。

景色がぼやけ、薄くなり、消え去った。かわりに別の景色が現れた。

おぼろな光から夜明けだと知れた。起伏に富んだ土地だが、さきほどより丘は少なく、自然のままで、開墾されていない。巨大な壁と、間隔をおいて配された塔が遠くまで伸びており、彼方の霞へ消えている。いちばん手近の塔に哨兵がいるのが見えた。鎧を着て、うねり広がる一帯を見張っている。鎧に淡くおぼめく光がかすかにきらめくと、男はさっと喇叭(らっぱ)を取りあげて吹き鳴らした。そして、そばで燃える火桶から燃えさしを一本抜くと、うずたかく積んだ粗朶(そだ)の山に火をつけた。煙があがり、ほとんどすぐに濃い柱となって空へ立ち昇ると、あらゆる方向から、信じられないほどすばやく、人影がいくつも現れて、壁で配置についた。急いで弓を張り、予備の矢をすぐ脇の笠石に置いた。光が明るさを増した。見渡すかぎりに野蛮人がひしめいていた。海の波のように、途方もない数が押し寄せた。数分間、壁は持ちこたえていた。それから、勢いよく、恐ろしい奔流となって、野蛮人たちがあふれ出した……。

その風景は再びかすれ、薄れ、消えてしまい、一瞬後にはまた別のものに取って代わられた。

だが、今度の景色には見覚えがあり、池も見わけられた。野蛮人たちが、そびえる〈いかめし岩〉の岩棚にいるのが見えた。三人の捕虜を連れていた。男がふたりいる。もうひとりは女だ。だが、女は疲れきって地面に倒れこんでしまった。長毛の小馬に乗る指揮官が引き返してきて、なぜ行進が遅れているのかを調べた。捕虜を一瞥すると、彼は片腕で荒々しい身ぶりをして、はるか下方の湖水を示した。すぐさま女は手荒に引き立てられ、やがて〈いかめし岩〉の頂上にたどり着いた。男がなにかを彼女の手から取りあげた。一秒ののちには、彼女は崖縁の向こうへ放り出されていた。

　それからふたりの男が引きずられてきて、彼女が立っていた、めまいを催す場所に連れてこられた。疲労で生気を失い、無数の傷から血を流してはいたが、この恐ろしい瞬間にあっても胸を張っており、あたりを囲む残忍な野蛮人に軽蔑のまなざしを投げかけていた。彼らはローマ人であり、ローマ人らしく死ぬつもりなのだ。ホルトはじめて、ふたりの顔をはっきり見た。

　彼は飛びあがって、激しい苦悶の叫びをあげた。

「ふたりめの男！」と叫んだ。「ふたりめの男を見たのか！」

　娘は手を放すと、ゆっくり視線をあげて彼の目を見た。彼がそこに認めたのは、いにしえの、決して消えない愛の炎で、星々のように輝き、時の夜の向こうから光を投げかけていた。

「あの瞬間からずっと――」と彼女は言った。その低い声は震えていた。「ずっとあなたを探し、待っていました――」

　彼は彼女に両腕をまわし、何度も接吻して言葉をかき消し、彼女を荒々しく抱き寄せた。もうどこにも行かせないとでもいうかのようだった。「ぼくもだ」と言った。彼の全存在が愛で燃えていた。「ぼくもきみを探して、待っていた。そしてついに見つけた。ぼくらは互いを見つけたんだ……！」

　夕闇がゆっくりと、ほんの少しずつ降りてきた。黄昏が荒涼とした丘陵をゆっくり包み、見慣れた姿をにじませていくにつれて、強大な夢は、帳を重ねていくがごとく、さまえよえるものの魂に近づいていき、ついには〈現在〉の最後の痕跡までも消し去った。そよ風が凪ぐと、さびれた荒野は静まったが、遠くで水が谷底へ落ちていく低いざわめきは別だった。自分の人生と娘の人生もそれと同じだと彼は悟った。どんどん落ちていって、やがて深い闇に閉ざされた底にたどり着き、安らぎを見出すのだ。細部で頭を煩わすこともなく、自問もしなかった。揺るぎない、幸せな平安が、あらゆる神経を鈍らせ、高鳴る心臓を鎮めた。

恐れも不安も感じず、怯えたり、心配したりして風変わりな安寧を乱されることもなかった。自覚していたのはただひとつだけ――娘は腕のなかにいて、自分は彼女を抱きしめており、彼女の吐息と自分の息が混じっている、ということだけだ。自分たちは互いを見つけた。それだけで充分ではないか？

ぽつりぽつりと、陽光が薄れて太陽が荒野の向こうに沈んでいくなかで、彼女は口を開いた。彼女が発する言葉を彼はぼんやり耳にして聴いていたが、おかしなほど骨が折れ、しまいには彼女が言ったことを口づけで封じてしまった。猛り狂う血でさえ静まった。世界は静止し、生命はほとんど流れるのをやめた。理解も及ばぬ大いなる愛にくるまれて、自分は救われたのだ。あるいは、激しく野蛮な感情に包まれて……。

「三羽の黒い鳥が空をわたり……」彼女はささやいた。「そして尾根の向こうに落ちる。好ましいしるしです。そして鷹が一羽、そのあとを追い、鋭い翼で空を切り裂くのです」

「鷹か」と彼はつぶやいた。「昔いた軍団の紋章だ」

「父は生贄の儀式を行うつもりです」また声が聞こえたが、長い時間が経っていたらしく、〈いかめし岩〉にいる男の姿は、深まりゆく闇にまぎれて見えなかった。「もう火を用意していますわ。ほら、聖なる島に灯がともされています。黒い雄鶏も持っていきましたし、ナイフで切る用意もできています」

ホルトは苦労して身を起こし、彼女の髪の庭園から顔をあげた。見ると、かすかな光が池の小島でちらちらと瞬いている。ということは、彼女の父親は〈いかめし岩〉から下りて、列石に生贄の火をともしたのだ。だが、父親の行動など、いまとなってはどうでもよいではないか？

「黒い鳥か」と彼はけだるげに繰り返した。「黒き贄は、黄泉の神々のみが受け取るものだ。結構だね、アセラ、結構なことだよ」再び横になって、さきほどと同様に彼女を胸に抱き寄せようとしたが、彼女は抗って、さっと居ずまいを正した。

「時間ですわ」彼女は声をあげた。「時が来ました。父は登っていますから、わたしたちも頂上で合流しなければ。行きましょう！」

彼女は彼の手を取って立ちあがらせた。ふたりはいっしょにでこぼこの道を登りはじめ、〈いかめし岩〉を目指した。〈血染池〉の渚を歩いていると、彼は墨を流したような水面に炎が照り映えているのを目にした。また、おぼろげではあるが、巨石がおおまかに輪を描いて立っているのも見え、中心にはさらに大きな板石が横たわっていた。三か所でワラビと木の小さな火がたかれていて、三角形をなすように配置されており、頂点は遠くの丘の〈立石〉を指していた。盛んに燃えていて、薪がはぜており、その火花が濃い煙の柱を貫いている。そして、この煙の奥で、覗きこみ、うつろい、現れては消える、いくつもの巨大な顔が蠢いているように思えた。瞬く光と渦巻く煙のせいで、はっきり見るのは難しかった。彼の静かなよろこびも、倦怠感も、実に根深いものだった。ふたりは池を下方に残し、手をつないで最後の坂を登りはじめた。

肉体を酷使して登ったせいで、感覚を痺れさせていた重苦しい気分が乱されたのか、それとも冷たい風を尾根で浴びたせいで、〈現在〉に欠かせない要素がよみがえったのか、ホルトにはわからない。なんであれ、彼の内のなにかがいきなり揺らぎ、まるで重心がかすかにずれたかのようだった。知覚できるほどに、思考と感情のつり合いが変化していた。その均衡はこれまで何時間も破られることがなかったのだ。なにか重いものが取り除けられたような、あるいはいましも取り除けられつつあるような気がした——重荷であり、影であり、のしかかってくるような、光をさえぎるなにかだ。あたかもひと筋の光がもがきながら、彼を包む深い暗闇をつき進んでいるかのようだった。彼の頭に、尾根で立ち止まって息を整えていると、かすかな光が闇を破って現れるという、この定かならぬ考えがひらめいた。それは外の世界のことだった。

「ご覧なさい」娘が低い声で言った。「月がのぼっています。聖なる島を照らしていますわ。血に染まった池が銀色になっています」

彼もたしかに見た。大きな下弦の月がいま、ほとんど目に見えるほどの速さで、遠くの稜線の上にのぼった。小さな池は銀の鎧をまとったかのようにきらめいており、生贄の火の輝きがそこここで赤く映っている。下を見て、身震いしながら、足元に広がるまったき深淵を覗きこみ、そして連れのほうを向いた。彼女の顔は、月と火に照らされて、死人のように青白く輝いていた。黒髪が顔を縁取って、恐ろしいものを暗示している。目はあいかわらずきらめいていたが、膜が張っているようにどんよりしている。恍惚としながらも受容している様子で、片方の腕を伸ばし、頂上を指した。そこには彼女の父親が立っていた。

彼女の口が開き、とびきりのほほえみが顔いっぱいにはじけ、その声は突然、聞きなれないものになった。「父は首飾りをつけています」と言った。「行きましょう。ついに時が満ちたのです。準備もできています。ほら、父はわたしたちを待っていますわ！」

彼のなかで、葛藤し、反抗する気持ちがはじめて湧きあがった。彼女の手の力に抗った。その手につかまれて、無理に引きずられてきたのだ。抗い、反発する感情がどこから出てきたのかはわからなかったが、彼女に従いながらも、自分のなかで拒絶感が強まっていくのを意識していた。自分を押さえつけていた暗闇の重荷がさらに少しだけずれて、内なる光が明るさを増した。同時にふたりは頂上に着いた。そばにいたのは――神官だった。はためくような妙な音がした。見ると、その人物は裸で、粗末な毛布を腰まわりにゆるく巻きつけているだけだった。

「ついに時が来た」低く轟く声があたりの暗い丘陵にこだました。「われらはいま、神々とともにある」それからは単調にリズムを刻む詠唱に移り、風に乗って声が高まったり沈んだりしていたが、その言語は奇妙に聞こえた。背筋を伸ばした姿は抑揚に合わせてかすかに揺れていた。黒いあごひげはむき出しの胸を撫でている。顔は空に向けられて、頭上の月と眼下の炎が混じった光で輝いていたが、それに加えて、彼の外ではなく、内で燃える光にも照らされている。不可思議で、荘厳な姿だった。彼は神官であり、いにしえの儀式を行い、不変の丘陵で不死の神々に呼びかけているのだ。

だが、ホルトが畏怖に打たれ、呆然として見つめていると、不意に内なる光が弾けた。まばゆい輝きのように現れて、はじめに思考と行動を麻痺させた。精神は澄みわたったが、あまりに突然だったので、舌にしても手にしても動かせなかった。そして唐突に、内なる闇が退き、消え去った。この大男は興奮に目を輝かせて詠唱し、体を揺らしているが、その光の正体がようやくわかった。狂気の光だ。

かすかなはためく音が大きくなり、そこに娘の声が奇妙に混じった。神官は祈禱をやめていた。ホルトは自分がひとりきりで立っていることに気づき、娘がそばを通るのを見た。手にしているのは大きな黒い鳥で、むなしく羽ばたき、もがいていた。

「生贄をとくと見なさい」彼女はそう言うと、父親の前にひざまずいて供物を捧げ持った。「願わくは神々が贄を受け入れんことを、そしてわれらをも受け入れんことを！」

大男はかがんで捧げものをつかむと、手にしたナイフの一撃で、頭を胴から断ち切った。血が飛び散り、ひざまずく娘の白い顔にかかった。ホルトはほじめて、彼女も服を着ていないことに気づいた。毛布をゆるく巻きつけているだけで、白いからだが、黒々としたヒースの野を背に、月光を浴びてほのかに輝いている。彼女はすぐに立ちあがると、まっすぐ背を伸ばして彼のほうを向いたので、黒髪がむき出しの肩を覆っているのが見え、恍惚とした顔や、あの不可解な膜が目に張っているのも認められた。彼女の声が風に乗って聞こえてきた。

「いざさらば。されど別れにあらず。われら三人、黄泉の国で会うこととなろう。神々がわれらを受け入れんことを！」

彼女は顔を背けると、後ろにいる、不気味な人物に歩み寄り、象牙のような首と胸をあらわにして、ナイフと対峙した。狂気を宿した目が彼女の目をとらえた。その魔力を前にしては彼女はなすすべもなく、ただ従うほかなかった。子羊同然だった。

すると、ホルトの忌まわしい麻痺が、ぎりぎりの瞬間ではあったにせよ、なくなった。神官は手を掲げ、青銅のナイフのぎざぎざの刃を宙できらめかせる一方、もう片方の手で彼女の豊かな黒髪をまとめあげ、首をさらけ出し、最後の一撃を加えようとしていた。だが、それ以外にふたつ、些細なことがあった。いまにして思えば、そのおかげで筋肉が突然解き放たれ、とっさに判断を下して行動できたのだ。その判断はまったく思いがけないもので、狂人と生贄をともにうろたえさせ、恐ろしい計画の成就をくじいた。彼が愛する顔についた黒い血の斑点、死して地に横たわる鳥が不意に見せた最後のはばたき——これらふたつが、まさに死と接した生が、押し縮められたばねを解き放った。

彼は前に飛び出した。左の腕と手に打撃を受けた。右のこぶしで大神官を殴り倒したが、幸運にも、倒れた方向は恐ろしい崖の縁とは反対だった。そしてもっぱら右の腕と手で、といっても気づいたのはしばらくしてからだが、失神した娘と意識のない父親を運んで、住処である小屋にもどり、できるかぎり介抱し、いたわった……。

数年後、まったく別の場所で、彼は幼い少年に、青銅の頭飾りに刻まれた碑文をゆっくり説明していた。少年は書斎の机でそれを見つけたのだ。その子にあるおとぎ話を語り聞かせると、彼は母さんと庭で遊んできなさいと言って送り出した。だが、ひとりになると、細心の注意を払って緑青をぬぐい取った。頭飾りは古びて薄くもろくなっていたからだ。そして再び、その小さな絵をじっと見た。三脚から煙が立ち昇っている絵で、金属に細かく彫りこまれている。その下には、かつてローマの職人が彫ったときと変わらぬほどはっきりと、アセラという名前が読み取れる。彼は愛おしげに左手で文字に触れた。その手には指が二本欠けていた。それから頭飾りを机の引き出しにしまい、鍵をかけた。

「あのおかしな名前ね」低い声が椅子の後ろからした。妻が入ってきて、肩越しに覗いていたのだ。「あなたはそれが好きだけど、あたしは怖いわ」彼女は彼のそばで机の上に座った。その目には苦悩の色があった。「あれは父が病気のときに、あたしにつけていた名前でしょ」

夫は熱い愛情をこめて彼女を見つめたが、なにも言わなかった。

「そしてこれが」と彼女は言葉を継いで、指の欠けた手を両手で包んだ。「あなたがあたしに払った、父の命の代償ね。たまにこんな風に思うのよ。不思議な優しい神さまが、あの夜、さびれた荒野に、間一髪であなたを連れてきたのだとしたら、それはいったいどんな神さまなんだろう、って。覚えているかしら……?」

「そりゃあもちろん、真の恋人を助けてくれる神さまだよ」彼はそう言ってほほえみを浮かべ、質問をごまかした。彼にはわかっていた。より深い記憶は、未遂の二重犯罪がはじまった瞬間から、完全に封印されているのだ。

彼は口づけしながらひとり言をつぶやいたが、とても小さな声だったので彼女には聞こえなかった。「アセラ！　おれのアセラ……！」

魔術師の物語

魔女の谷にて

サックス・ローマー　Sax Rohmer

田村美佐子訳

In the Valley of the Sorceress

『怪人フー・マンチュー』シリーズで知られるサックス・ローマー（一八八三―一九五九）も「黄金の夜明け団」の団員だった。非常に研究熱心で、魔術の入門書 *The Romance of Sorcery*（一九一四）はその研究の成果と言われている。作品には魔術をあまり反映させてはいないようだが、代表作『魔女王の血脈』（一九一八）は団の教義にも習合されていたエジプト神話学を踏まえている点でも興味深い。本作もまたエジプトもので、*The Premier Magazine* の一九一六年一月号に発表され、翌々年に上梓された短編集 *Tales of Secret Egypt*（一九一八）に収録された。

I

コンドールは死の前に三通の手紙を寄越した（と、古代遺物調査官助手のネヴィルは、カスル・エル・ニルの兵舎前で小隊が訓練をおこなうようすを、自室の開け放った窓からぼんやりと眺めつつ、いった）。手紙にはデル・エル・バハリの野営地よりと記されていた。これらのことから察するに、コンドールは成功まであと一歩というところだったようだ。いうまでもなく、彼とわたしは見解を同じくしており、ともにハトシェプスト女王に魅せられ、彼女をめぐる古代エジプトの大いなる謎の解明にすべてを捧げる仲間どうしであった。

わたしばかりか彼にとっても、あの場所にある摩損した壁や掠（かす）れて消えかかった碑文は摩訶不思議な魅力にあふれていた。かの女王の治世のもと、エジプト芸術は完璧なまでに花開いたが、彼女が後継者たちにより粗末な扱いを受けたために、世に名を知られる賢く美しきハトシェプスト女王の全身像は後世にいっさい残っておらず、さらに無情にも、カルトゥーシュ（国王名など象形文字で記した楕円形の装飾枠）すらあらゆる碑文から外されている。そうしたことが、ギーザの永遠の謎に次ぐほどの難題をコンドールに投げかけたのだった。

この件に関するわたしの意見はご存じだろうか？　わたしの見解は研究論文（モノグラフ）「魔女ハトシェプスト」ですでに述べた。要するに、わたしはセオドア・デイヴィスや哀れなコンドールが提示した証拠と、さらにみずからの調査により手に入れた証拠に基づいて考えた結果、ある結論にたどり着いた。すなわち、かの女王の力の源は――現実のものであったにせよ、想像上のものであったにすぎないにせよ――今日（こんにち）われわれが〝魔術〟と漠然と呼んでいるものにごく近いものであった、と。〝あちら側〟へ深く足を踏み入れた者がたどる運命について記したいにしえの書物のとおりであるならば、かの女王は法に触れるほどの探求をおこなったがために、いうまでもなく、それにふさわしい最期を遂げたのだ。

こうした理由――つまり黒魔術をおこなったこと――から、かの女王をかたどった像は不名誉なものとされ、彼女の名は遺跡の数々から消去された。わたしには、あとにも先にも、黒魔術がじっさいにおこなわれていたのかどうかを議論するつもりは毛頭ないうえ、例の論文を著したのも、ただ単に、現代の信仰に鑑（かんが）みればかの女王は魔女であった、ということを立証したいがためであった。コンドールも同じことを証明しようとしていた。わたしが調査に赴（おもむ）いたのは、中断された彼の仕事を最後までやり遂げたいという思いがあってのことだった。

一九〇八年の初冬に、彼は岩窟葬祭殿近くの野営地からわたしに手紙を寄越した。デイヴィスが発掘を進めていたビバン・エル・モルク（王家の谷）の狭く長い通路のある墳墓にはあまり興味をそそられていないようすなのはすぐにわかった。コンドールが作業に当たっていたのは葬祭殿裏の一段高くなった場所で、そこよりもさらに高い位置にある台地から百ヤードほど真西だった。ここでハトシェプストのミイラを是が非でも見つけたい、と彼は意気込んでいた――あわよくば、建築家としてかの女王の寵愛を受けていたというセンエンムウトなる人物のミイラも見つかればさらによいのだが、と。この手紙に記されていた考古学的な話は、結局われわれにとってはなんの関わりもないものとなったが、なんとも奇妙なある短い一節を、わたしはあとになって思いだすこととなる。

〝いずこかのアラビア人の娘が〟とコンドールは記していた。〝一昨日の夜、わたしに保護を求めて野営地へ駆けこんできた。いったいなんの罪を犯したのか、いかなる罰を恐れているのか、皆目見当もつかなかった。ところが彼女はわたしにすがりついたまま、木の葉のごとく身を震わせて、頑として立ち去ろうとしないのだ。面倒なことになったと思った。現地雇いの発掘作業員がざっと五十人に、西洋人の好事家がたったひとり、そんな野営地にアラビア娘など置いておけるわけがない——しかも凄まじく器量よしのアラビア娘ときている。とりあえず天幕の東側にあるちいさな谷に差し掛け小屋をこしらえてやって、まだここに置いてやってはいるが、厄介にもほどがある〟

ようやくコンドールからふたたび連絡があったのはひと月近く経ってからのことだった。二通めの手紙には、あろうことか、大いなる発見の——と彼が信じてやまぬ——その前夜に、現地雇いの作業員たちがひと晩にして——五十人全員が、だ——ごっそり逃げ出してしまった、と書かれていたのだ！〝あと二日も掘り進めば〟と彼は記していた。〝墓は開いたはずだった——ここへきて、わたしの計画は間違っていなかったとつくづく感じていた矢先のことだ。ところがあの朝、目が覚めてみると、仕事仲間はひとり残らず消え失せているではないか！はらわたが煮えくり返る思いで、連中の多くが住んでいる村へ向かったが、あの畜生どもの姿はひとりとてなく、身内の者らに訊ねても、知らぬ存ぜぬを繰り返すばかりなのだ。作業の中断もさることながら、さらに気がかりなのは、マハーラ——例のアラビア娘のことだ——までもが姿をくらましてしまったことだ。まずいことになっていなければよいのだが〟

手紙の締めくくりには、新しい発掘作業員を確保するべく奔走しているところだ、とあった。〝だが〟とコンドールは続けていた。〝かならずやり遂げてみせる、たとえたったひとりで発掘作業をおこなわねばならぬとしても〟

最後の手紙となった三通めの内容は、前の二通よりもさらに奇妙だった。在ファイユームの英国考古学チームからどうにか人手を借り、発掘作業を再開したところ、いつの間にか例のアラビア娘のマハーラがふたたび姿をあらわし、ナイル川まで連れていってくれ、と彼に懇願してきたというのだ。〝せめてデンデラまで。わたくしの部族の者たちが復讐しようとしています、そう娘はいった〟そうコンドールは記していた。〝連れていってもらえなければ、わたくしばかりか、あなたにも死が訪れましょう、と！　じつはこうして手紙を書いているいまも迷っている。マハーラが旅立たねばならないとしても、ひとりで行かせるのは気が引ける。だがそこに人手を割くゆとりはない〟云々。

当然ながらわたしも好奇心に駆られた。コンドールがそこまでご執心のアラビア娘とやらの姿をぜひとも拝みたいという気持ちで、ルクソール行きの列車を手配した。だが運命とはなんと皮肉なものか、わたしが次に聞いた知らせは、コンドールがカイロの英国人病院に運びこまれたというものだった。

猫に嚙まれたということだった――おそらく近隣の村の猫だろう。ルクソールの医師がすぐに応急手当をし、ともにカイロへ向かって、パスツールに学んだ細菌学に詳しい者に彼を託したが、すでに話したとおり、彼はカイロへ到着した晩に錯乱状態となり、やがて亡くなった。パスツール式の治療法はまったくもって効をなさなかった。

わたしは死に目には会えなかったが、彼の呻き声はまさしく猫のそれに酷似していたそうだ。瞳のようすも変化していたという。さらにすべての指が緊縮して丸まり、人であれ物であれ、手当たりしだいに引っ搔こうとしたらしい。

拘束するよりしかたがなかったが、それでもシーツはずたずたにされてしまったという。

そこで、わたしはただちに、コンドールの残した調査を完了するための手はずをととのえた。彼の論文や計画書その他諸々に目を通し、同じ年の春、わたしはデル・エル・バハリの近くに野営地を構え、周囲にロープを張りめぐらせて、決まり文句の注意書きを立て、調査をやり遂げる覚悟を決めた。すでに調査はかなり進んでいるようだった。

到着してすぐ、青天の霹靂が待っていた。予定どおりに立坑を探すことから始め、まもなくそれは見つかったのだが、じつは大いなる困難が待ち受けていた。

立坑が砂で埋め戻され、ご丁寧にも、上には岩まで載せて塞いであるではないか！

Ⅱ

　あらゆる調査が水の泡と化してしまった。なんの目的でこのように発掘場所が閉ざされてしまったのか、見当すらつかなかった。コンドールが埋め戻したとは考えがたかった。彼が災難に見舞われたときに唯一そばにいたファイユーム県スーフの地元民に訊ねたところ、そのとき彼は立坑の底で作業の真っ最中だったというのだから。

　コンドールが、なんとしても調査をやり遂げたいという熱意のもと、角灯（ランタン）を手に夜の地下での単独作業にいそしんでいたところ、穴へ転がり落ちた凶暴な猫が、怯えて動転したあげく、コンドールに襲いかかり、そのまま逃げていったらしい。

　ともに作業に当たっていたのは先ほどの男だけで、しかもどういうわけかこの男は、葬祭殿で――すなわちコンドールの野営地からかなり離れた場所で――眠りこけていたのだそうだ。悲鳴を耳にして彼が目を覚ますと、立坑の方角から、気の毒なコンドールが通路を走って逃げてきたのだという。

　しかしこれこそ、そのときには立坑が存在していたという立派な証拠だった。わたしはかつてそれがあったことを示す唯一のしるしとなってしまった、穴を隙間なく埋めている石を見つめたまま立ちつくし、ますます煙（けむ）に巻かれた気分になっていた。埋め戻す作業のほうがよほど重労働ではないか。

　計画を進めるために用事をいくつか済ませたほかは、到着日にはほぼなにもせずに終わった。かつて手を貸してくれた顔見知りの者がせいぜいひと握りいる程度で充分な人手もなく、コンドールの立坑をふたたび開くことさえできれば、それ以上発掘を進めるつもりもなかったからだ。

　ハトシェプスト女王の葬祭殿は、冬から初春にかけての日中はそれなりに賑やかな場所で、砂漠のきわにあるクックズ・レスト・ハウスから、観光客が絶えず列をなして白い土手道をぞろぞろとやってきていた。この日も眼下の葬祭殿は大勢の観光客でごった返し、もの好きな連中や怖いもの知らずの連中がときおり、ひとりふたりと急斜面をよじ登ってきては、わたしの作業場である狭い高台を覗きに来た。とはいえ注意書きの看板よりこちらに来ようとする者はいなかった。夕刻の空が、いかなる調色板（パレット）であろうと絵筆であろうと表現できぬほどさまざまに色合いを変えていく。幾度も目にしてきたからこそわかる景色だった。ごく淡い青が鮮やかな桃色に溶けていき、やがて魔法のごとく混ざり合って深い菫色をつくりあげる。エジプトの空だからこそ存在する完璧な色合いだった。そうした中、わたしはいつしか静寂に包まれ、〈聖なる谷〉での孤独を噛みしめていた。

　わたしは高台のきわに立ち、はるかなナイル川の流れを示す薔薇色の筋と、その向こうに霞むアラブの山々を見わたした。それを背景にいくつもの岩が黒い影のごとくそそり立ち、土手道はまるで黄土色の画布（カンバス）に灰色の油絵の具を分厚く塗りつけて描いたように見えた。わたしの足もとには岩窟葬祭殿の石室がいくつか眠っており、ハトシェプスト女王の在位中のようすが壁画に描かれているはずだったが、はたしてそれがどの階層に存在するのか、それはエジプトの名だたる謎のひとつだった。

　夢想を妨げるような音はいっさいせず、背後の野営地から、調理器具を用いているらしき金属音がわずかに聞こえるばかりだった――その音がわたしを、神聖な孤独から俗世へ引き戻した。しばらくすると、近隣の村で犬どもが遠吠えを始めた。やがて連中が鳴きやむと、葦笛のかすかな音色が鼓膜を揺らした。風がやむとともに、笛の音色がしはじめたのだ。

　わたしは野営地へ戻り、つましい食事に参加したあと、簡易ベッドに潜りこんだ。決まりきった仕事を繰り返すだけのカイロでの日々から解放され、翌朝から作業を始められることに胸を高鳴らせていた。

　こういうときはたいがい熟睡できるものだ。やがて、夜明けの前触れらしき不気味な灰色の薄明かりの中でふいに目が覚めた。自然を超えたなにものかがわたしの眠りを妨げたのだ。

　最初は、村の犬どもがいっせいに遠吠えを始めたのだと思った。まるで犬どもが示し合わせ、忌まわしき夜をつくりだそうとしているかのようだった。あれほど不気味な大音声を耳にしたのは、あとにも先にもあの一度だけだ。しばらくすると遠吠えはしだいにやんだ。そこで気づいた。犬どもが遠吠えを始めたのも、わたしが目覚めたのも、ひょっとすると原因はまったく同じなのではないか、と。考えれば考えるほどそうとしか思えず、遠吠えが静まるにしたがって、わたしはなんともいえぬ胸騒ぎをおぼえ、どれほど必死にそれを振り払おうとしても、不安は一分一秒ごとに増すばかりだった。

　要するに、犬を警戒させた、あるいは怒らせたなにかが、村を通り過ぎ〈聖なる谷〉を抜けて、葬祭殿へ、そして高台へ、とのぼりつめながら、わたしをめざしてやってくるような気がしてならなかったのだ。

　こうした感覚をおぼえたのはあれ一度きりだったが、それ以降、霊的なものに敏感になってしまったのか、なにやらそれらしき物音が聞こえるような気がしはじめた。初めはかすかなピアニシモ、やがてフォルティシモへ高まり、音のない喧騒が耳もとで響きわたる。だが聴覚でとらえているのではなかった。夜闇はまるで死に絶えたように、しんと静まり返っていたからだ。

それでもなにか——なにか禍々しいものが近づいてくるという確信があった。じりじりと待つしかないことがしだいに耐えがたくなり、このように気分がもやもやとするのは、おそらく先ほど食べたスパルタふうの質素な食事のせいにちがいない、などと無理やりこじつけようとした、そのときだった。ふいに天幕の出入口の垂れ布がはらりと開いたかと思うと、白みはじめた空の青を背景に、妖精めいた艶めく光をおもざしにまとわせたアラビア人の娘がこちらを覗きこんでいるではないか！

幻か、はたまた幽霊か、それを目にしてしまったわたしは悲鳴をこらえ、飛び起きたい衝動を必死にこらえた。両の拳を握りしめてじっと横たわったまま、わたしの目を覗きこんでくるふたつの瞳を見つめ返す。

ものを書くことを生業(なりわい)としているわたしといえど、あの美しく邪悪なおもざしを言葉でいいあらわすことはとうていかなわない。ビシャリ族（北東アフリカの遊牧民族）を思わせる古風で小ぶりな顔立ちに、冷淡そうなちいさな口と丸い顎をしており、表情に凛とした力強さがうかがえた。東洋ふうのどこか気だるい雰囲気が両の瞳のみに宿っていて、ひじょうに——まったくもって、じつに——細い切れ長の目をしていた。この真夜中の闖入者は、砂漠に暮らす娘がよく身につけている、粗末だが色鮮やかな衣をまとい、じっと立ちつくしたままわたしを見つめていた。

ピエール・ド・ランクルの著書のひとつに、中世の黒魔術集会に関する言及がある。このアラビア娘の禍々しく美しいおもざしを前にしたとき、あの風変わりな本のページが頭の中にみるみるよみがえった。これがふさわしい言葉かどうかわからないが、先ほどわたしが述べた〝艶めく光〟によって、娘の切れ長の目が、まるで猫の目のごとくぎらぎらと光って見えたのだ。

わたしは突如として腹を括った。毛布をはねのけて地面に飛びおり、素早く娘の手首を摑んだ。しっかりと手応えがあり、頭の隅にこびりついていた疑念は打ち砕かれた。ベッドの足もとの箱の上に懐中電灯を置いていたので、わたしは屈みこんでそれを手に取り、捕らえた相手の顔に明かりを向けた。

娘はあとずさり、罠にかかった野生の獣のごとく荒く息をついていたが、やがて膝からくずおれると、しきりに訴えはじめた——心の琴線を揺らしてくるその声と口調は、おそらくこのあとにも先にも、誰の口からも発せられたことのないであろうものだった。

確かにアラビア語ではあったが、流麗な音楽のごとく彼女の唇からこぼれ落ちる言葉には、セイレーンの歌さながらの美しさと妖しさが満ちていた。彼女は驚いたように大きく目をみはり、空いている片手を胸に押し当ててわたしを見あげ、自分が望まぬ結婚からいかにして逃れてきたかを語った。頼る者もなければ宿もなく、持っていた数個の棗椰子（なつめやし）の実で飢えをしのぎ、盗んだ西瓜で渇きを癒やしながら、三日三晩ひとけのない場所に身を隠していたのだ、と。

「これ以上耐えられませぬ、旦那さま（エフェンディム）。あとひと晩砂漠で過ごさねばならぬのなら、わたくしは無慈悲な月明かりに頭（こうべ）を煌々と灼かれたうえ、脚をうようよと砂中で蠢（うごめ）かせて岩間から這い出てくるなにかに――ああ、きっと命を奪われてしまいますわ！　わたくしの部族もこの地の民も、もはや永遠にわたくしを受け入れてはくれませぬ。たとえ急ぎダマスカス門へ向かったとしても、わたくしが奴隷あるいは慰みものやなぶりものとなって恥辱のうちに足を踏み入れるのでないかぎり、アラブのどこへ行こうと、わたくしを迎え入れてくれる天幕はないでしょう。わが心は」――と、彼女は苛立たしげにおのれの胸を叩いた――「ぽっかりと穴が空いたように虚ろですわ、旦那さま。いまやわたくしは、砂上を這いまわる卑しい虫けらよりも無意味な存在。ですがその虫けらをおつくりになった神さまがわたくしを――そしてあなたさまをもおつくりになったのです。慈悲深くてお強く、無力で弱い存在だからと相手を虐げたりなさらないあなたさまを」

わたしは摑んでいた手首をとうに離し、魅入られたように彼女を見おろしていた。画家が気に喰わない箇所をぐいと拭ったかのように、初めに垣間見えたと思えた禍々しさはいつしかなりをひそめていた。陰のある美しさそのものが独特の言葉で語りかけてきた。耳慣れぬ言語であるにもかかわらず、どれだけ聞き流そうとしても、いつの間にか頭に入ってくる。娘の声、しぐさ、そして瞳に宿る魔女めいた炎がわたしの血をたぎらせ、灼けるような激しい悲しみと――絶望とが押し寄せてきた。そう、とてつもない絶望が！

要するに、いまにして思えば、あの荒れ地のセイレーンは、音楽の名手がハープをかき鳴らすかのごとくに、わたしの心を奏でていたのだ。こちらの弦、あちらの弦と自由気ままに爪弾き（つまび）ながら、そのたびに、初めて耳にするような強い音色を響かせて。

なによりも、信じがたいほど異常だったのは、このわたしが――カイロじゅうでもとりわけ散文的で現実的な人間であるはずの考古学者エドワード・ネヴィルが――たった三分前に出会ったばかりの、いきなり天幕に飛びこんできた流浪の娘ごときに心を奪われ、その妖しい瞳に自分の姿が映るのを見て、怒りを奮い立たせることすらできず、抵抗するふりをするだけで精一杯だったことだ。

「リトル・オアシスに姉がおりますの、旦那さま(エフェンディム)、そこで使用人としてであれば置いてくれましょう。そこにたどり着けば身の安全も、休息も手に入れられますわ。ああ、英国(イングリーシ)のおかた、あなたさまにもお国に妹ぎみがいらっしゃいましょう！　そのかたが行方を追われ、岩から岩へ命からがら逃げまどい、ジャッカルのねぐらに身をひそめて――休むことすら許されず、胸は恐怖に張り裂けんばかり、逃げおおせたとしても待っているのは屈辱のみと知りながら、ひたすらさまよいつづけねばならぬとしたら？」

娘は身をわななかせると、震える両手でわたしの左手を握りしめ、みずからの胸に押し当てた。

「そうなればいずれ残るのはたったひとつですわ、旦那さま(エフェンディム)」彼女は声をひそめた。「見えますでしょう、日に曝(さら)されて色褪せた白き骨が？」

わたしは意を決し、握られた手を振りほどいて、娘から顔を背けると、椅子兼テーブルとして使っている箱に腰をおろした。

ふとある考えが浮かび、それが、意気消沈していたこの瞬間のわたしにとっての助け船となった。アラビア娘のことをコンドールが手紙に記していたではないか。にわかには信じがたかったが、からくりがしだいにわかってきた。そう考えれば、彼の死を招くこととなった世にも恐ろしい状況を、すべてとはいえぬまでも多少は理解できるし、辻褄も合う。

真っ当とはいいがたい突拍子もない考えだったが、わたしは矢も楯もたまらずそれに飛びついた。周囲に頼れる者もおらず、あれほどの美貌の娘に足もとにひざまずかれて、わたしはマントにすっぽりとくるまれてしまったかのように、その妖しい魅力に完全にのみこまれていた。だが、かつての場合はかなり現実味を帯びていたにせよ、じつはわたしが思うようなこともあり得るのではないか、と気づいてもいた。

わたしは首をめぐらせ、薄闇の中に切れ長の目を探した。するとふたつの目は閉じてしまい、完璧な卵形をした顔の上に、ぼうっと暗く光る二本の線だけが見えた。

「謀(たばか)ろうとしても無駄だ!」わたしはアラビア語で厳しくいい据えた。「おまえはコンドール氏に」――彼の名前の響きを耳にして、娘は明らかにびくりと身を縮めた――「マハーラと名乗っていただろう。正体はわかっているんだ。おまえとはいっさい関わる気はない」

だがそう口にしながらも、顔を合わせることができなかった。半開きの目に一瞥されたとたん、なんとも奇妙な、じつに馬鹿げた衝動が湧きあがってきたからだ。

わたしはベッドの足もとに脱ぎ捨てた上着に手を伸ばし、小銭を取り出すと、すくみあがった褐色の掌に五十ピアストル(イギリス連邦の通貨単位)を握らせた。

「これだけあればリトル・オアシスまで行けるだろう、そうしたければそうするといい」わたしはいった。「わたしがしてやれるのはこれが精一杯だ。さあ――行け」

曙光がしだいに明るさを増し、ついに闖入者の姿がはっきりと見えた。娘は身体を起こし、わたしの目の前で立ちあがった。すらりとした華奢な身体つきをしていた。彼女は、わたしがそれまでじっさいに浴びせられたことはおろか目にしたことすらないような、怒りのにじんだ侮蔑のまなざしで、わたしを頭から爪先まで素早く眺めわたした。

そして麗しいしぐさで頭を振りかぶると、小銭をわたしの足もとに叩きつけ、くるりと踵を返して天幕を飛び出していった。

人としてこれで正しかったのだろうか。用心しすぎだったろうか。わたしは一瞬ためらったのち、おもむろに一歩前に出て、天幕の中から外の高台を覗いた。人影はまったくなかった。いくつもの灰色の岩が不気味にそびえ立ち、そのふもとには砂漠の絨毯が、仄暗いナイル川流域まで果てしなくひろがっていた。

III

その日は早朝から、立坑をふたたび通れるようにする作業に着手した。奇天烈な考えばかりが頭を渦巻き、恨めしい思いはどういうわけかまるで湧いてこなかった。作業員らが精を出して働いてくれたおかげで、高さ三フィートにわたって穴の入口を塞いでいた石が取り除かれると、それより奥を埋めているのはほぼ砂だけとなり、あとはシャベルで掘り起こせば済みそうだった。

わたしの見積もりでは、外側から掘り進めていけば四日で立坑はもとどおりとなり、コンドールが発掘を中断せざるを得なかった地点が見えてくるはずだった。彼の直筆の覚え書きによれば、そこからは残り六フィートかそこらだ。だがその先は硬い石灰岩の層――つまり彼の予想が合っていれば、それがハトシェプスト女王の墓に続く通路の天井ということらしい。

夜が迫るにつれ、疲労も手伝って、少々眠気を催しはじめた。そこでブローニング拳銃（ピストル）を枕の下にしのばせ、ベッドに横になった。神経を尖らせたままじっと聞き耳を立てていたが、一時間もするといつしかすっかり寝入ってしまった。やがて前日と同じく、夜明けの直前にふと目が覚めた。

またしても村の犬どもが不気味な吠え声をあげており、わたしはなにやら恐ろしいものが近づいてくるのをひしひしと感じていた。犬どもの遠吠えがちいさくなるにつれ、その感覚は強くなっていった。前夜と同様に、得体の知れないものが迫ってくる予感がした。

わたしはピストルを手にすかさず起きあがると、天幕の出入口の垂れ布をそっと持ちあげ、薄暗い高台を見やった。長いことなにも見えなかったが、やがて岩の稜線の上に、動いているらしきなにかが、空を背景にぼうっと浮かびあがった。

形がぼやけていて、それがいったいなんなのかしばらくはわからなかった。だがやがて、ゆっくりと昇りながら稜線から姿をあらわしたのは、ふたつの輝く目――闇の中でぎらりと緑色に光る猫の目そのもの――であった。特徴からしても形からしても間違いなく猫の目だったが、大きさが、わたしがそれまでに見たいかなる猫の目をも凌駕していた。ジャッカルの目とも異なっていた。まさかスーダンの肉食獣がこんな北のほうまで迷いこんできたのだろうか、という考えがちらりと頭をかすめた。

そのような獣がこのあたりをうろついているならば、村の犬どもが夜闇に吠え立てていても無理はない。わたしは、あの謎のアラビア娘と、犬どもが突如として遠吠えを始めたことにはきっとなんらかの関係があるにちがいない、などという迷信じみた考えをかなぐり捨て、むしろ嬉々としてそちらの考えに飛びついた。

わたしは意を決して天幕を出ると、きらめく目のある方角へ大股に歩みを進めた。武器らしい武器といえばブローニングだけだったが、ピストルとしてはかなり威力のあるものだったし、さらにわたしは、夜行性動物とは往々にして臆病なものだ、といういい伝えを当てにしていた。とりあえずその目論見は失敗ではなかった。

ふたつの目が視界から消えた。葬祭殿に覆いかぶさるようにそびえ立つ岩の縁（へり）まで慌てて駆けていくと、しなやかな姿をしたなにかが、わたしの足もとにひろがる灰色の闇の中へするりと溶けていった。黒っぽく見えたが、暗がりのせいでそう見えたのかもしれなかった。むろん猫でもジャッカルでもなかった。一発、二発、三発、とわたしのブローニングが闇に火花を噴いた。

弾はすべて外れたが、銃声が轟いたため、野営地で眠りについていた作業員たちがみな目を覚まし、わたしはいつの間にか、怪訝な表情を浮かべたいくつもの顔に取り囲まれていた。

だがわたしは岩の縁に立ったまま、じっと無言で砂漠を見つめていた。切れ長の目を輝かせ、しなやかな身体を翻らせて駆けていったなにものかは、背筋も凍るような声でわたしにささやきかけていったのだ。

発掘作業員頭（がしら）のハッサン・エス・スグラに腕を軽くつつかれ、彼らに対してなんらかの説明をせねばならないことに思い至った。

「ジャッカルが出たんだ」わたしはぶっきらぼうにいった。そしてそれ以上口にせず、自分の天幕に向かって歩きだした。

それ以外はなにごともなく夜は明け、朝が来るとみなで汗水垂らして働き、ありがたいことに、細かい砂を取り除く作業も翌日の正午には終わるだろうという見通しがついた。

夕食の支度の最中に、野営地内がなにやら騒然としていることに気づいた。扱いに文句でもあるのか、地元の作業員たちがぞろぞろと天幕をあとにしている。彼らは常に仲間内でつるみ、一対一になるとわたしと目を合わせようとしなかったが、いざ集まると、まるで探るようにちらちらとわたしの顔をうかがっていた。

ムスリム（イスラム教徒）の作業員の一団が、もうすこし気を遣えと声を荒らげている。わたしは彼らの行動規範におけるなんらかの譲れぬ掟を、知らぬ間に踏みにじってしまったのだろうか。そこでハッサン・エス・スグラをかたわらに呼んだ。

「彼らはなにを訴えているのかね？」わたしは訊ねた。「不満でもあるのか？」

ハッサンは両の掌を上に向けた。

「あったとしたって」彼は答えた。「内輪以外には話さんでしょうし、わたしは除（の）け者なんでね。三、四人ほど鞭打ちにでもしてやって白状させましょうか？」

「いや、結構だ」わたしは、いかにもというその提案を一笑に付した。「明日、連中が働かないとでもいいだしたら、そのときは存分にその手を使うといい」

ハトシェプスト女王の葬祭殿を臨む〈聖なる谷〉に滞在して三日めのその夜、わたしはなにものにも邪魔されずぐっすりと眠った。ようやく目的の場所をこの目で見るときが来たのだ。翌日の作業が楽しみでしかたがなかった。そういうわけでハッサンが起こしに来たとき、わたしは思わず飛び起きた。

その夜ハッサン・エス・スグラは当直を務めていて、いつものように寝床に引きあげてはいなかった。痩せ型で長身の彼はその場に立ったまま、硬い表情でわたしを見つめた。

「どうした?」わたしはいった。

「困ったことになりました」答えは簡潔だった。「ちょっと来てください、ネヴィルさん(エフェンディ・ネヴィル)」

大いに首をかしげながら、わたしは彼のあとについて、高台を突っ切り、斜面をくだって発掘地点へ向かった。そこで思わず立ち止まり、短く声をあげた。

コンドールの立坑が完全に埋め戻されており、呆然と見つめるわたしの目の前に、到着したときとほぼ同じ姿を晒しているではないか!

「作業員たちは――」わたしは口を開きかけた。

ハッサン・エス・スグラは両の掌を上に向けた。

「もぬけの殻です!」彼は答えた。「屍肉を喰らうあのコプトの犬ども、夜陰に乗じて逃げちまいました」

「するとこいつは」――わたしは、花崗岩の石塊(いしくれ)と砂でできた、こんもりとした小山を指さした――「奴らのしわざなのか?」

「どうやらそのようですな」ハッサンはそう答えると、軽蔑もあらわに鼻を鳴らした。

わたしは立ちつくしたまま、前日の苦労がすべて無に帰した光景を、恨めしい思いで見つめた。怒りのあまり、目の前のできごとの奇妙さよりも、姿をくらました作業員たちの厚かましさにとにかく腹が立った。連中のうちのひとりでも捕らえていたならば、容赦なく痛めつけてやっていたことだろう。

ハッサン・エス・スグラならば、嬉々として全員の首をへし折りかねないところだ。だが彼は切り替えの早い男だった。

「埋め戻されたばかりですから」彼はいった。「三日四日もあれば、あなたとわたしで、あの履きものも脱がずに定時の祈りを捧げるような、口にするのも憚られる犬畜生どもが汚い仕事をやりはじめる前の時点まで戻せますよ」

彼のたとえはなかなか刺激的だった。わたしも打ちひしがれているわけにはいかなかった。

慌ただしく朝食をとったあと、わたしたちはつるはしとシャベルと籠を手に、作業を開始した。王(ファラオ)の囚人監視人に鞭を振るわれてこき使われる奴隷さながらに、ふたりとも休む間もなく働いた。腰が曲がったまま二度ともとに戻らないのではという気がしたし、身体じゅうの筋肉はまるで燃えるように熱を持っていた。灼熱の太陽が降り注ぐ昼間もいっさい手を緩めず、休息すら取らなかった。ようやく夕闇が訪れた頃、コンドールの立坑のかたわらには見あげんばかりの山ができあがり、作業員どものおかげで二度手間になってしまったものの、ようやくもとの深さまで掘り進んだ。

ふたりして息も絶え絶えに道具をほうり出し、わたしはハッサンに片手を差し出して、その褐色の手を握り、熱い握手を交わした。目が合うと彼はきらきらと瞳を輝かせ、いった。

「ネヴィルさん、あなたこそ真のムスリムだ！」

イスラム教を知りつくしている者であればこそわかる、最高の賛辞だった。

その夜、わたしは疲れきって泥のように眠ったが、夢すら見なかったというわけではなく、じっさいには思ったほど深く眠ってもいなかったようだった。切れぎれの夢の中で、わたしはまばゆく光る猫の目にぐるりと取り囲まれており、夜闇に猫の鳴き声がやむことなく響きわたっているような気がしてならなかったからだ。

目覚めると、天幕の外の岩には太陽がぎらぎらと照りつけていた。思わず飛び起きると、なんということだろう、もうかなり日が高くなっていた。ロバ追いの少年たちの声や、はやばやとやってきた観光客たちの声が遠くに聞こえた。

ハッサン・エス・スグラはなぜ起こしてくれなかったのだ？

天幕を出て、大声で彼の名を呼んだ。返事はなかった。わたしは駆け足で高台を突っ切り、発掘中の穴の縁で立ち止まった。

コンドールの立坑が、またしても完全に埋め戻されているではないか！

その瞬間に押し寄せてきた怒りと、驚きと、信じたくないという思いの波を言葉でいいあらわすなどとても不可能だ。わたしはひとけのない、がらんとした野営地と、自分の天幕とを交互に見やった。ほんの数時間前までは深い穴が空いていたはずの場所に、いまや石塊の山が小高く盛られているさまを見おろして、わたしの頭がおかしいのだろうか、はたまた一緒にいた者たちがこぞって狂気に見舞われてしまったのだろうか、と本気で悩んだ。だがそのとき、石塊の山の表面に、釘で留められたちいさな紙片が風になびいていることに気づいた。

わたしは重い足取りで歩み寄ると紙片を手に取った。

ハッサンには多少の学があったので、書いたのは彼にちがいなかった。鉛筆書きのたどたどしいアラビア語の文字は、わたしにはさほどの苦労もなく、次のように読めた。

〝逃げてください、ネヴィルさん（エフェンディ・ネヴィル）！　この場所は呪われています！〟

石塊の山のかたわらに立ったまま、わたしは紙片をずたずたにちぎり、地面に破り捨てた。冗談じゃない。狂気の沙汰だ。

この馬鹿げたことづてを書き、自分で自分の仕事を台無しにしてしまった男は、恐れ知らずで誇り高い人物だとそれまでもっぱらの評判だった。わたしも彼とは何度も一緒に仕事をしてきたし、野営地でのささいな揉めごとをともに収めたことも少なからずあって、たとえていうならば、現場監督になるために生まれてきたような男だった。ところがこれはどういうことだ。もはや自分自身すら信じられなくなってきた。

いったいわたしがなにをしたというのだ？

中にはおのれの国民性など即座に捨て去ってしまう者もいるだろうが、わたしはしつこくそれを抱えこんでいるようだ。わたしはまず野営地へ向かい、自分のぶんの朝食をこしらえた。そしてつるはしとシャベルを肩に背負い、谷へおりていって作業を始めた。十人がかりでもふたりがかりでもできなかったことを、たったひとりでなし遂げるつもりだった。

骨の折れる作業を始めて半時間ほど経ち、思いがけぬ光景を目の当たりにした瞬間の驚きと怒りがしだいに収まってくると、いつしかわたしは、自分の置かれた状況をコンドールの場合と比較しはじめていた。あのときのできごとが――あの謎めいたできごとが――ふたたび繰り返されている、という確信はますます強まっていた。

コンドールが死に至ったさいの恐ろしい現象の数々については、すでにだいぶ頭の整理がついていた。太陽がじりじりと照りつけ、静寂に包まれた砂漠に遠くの声がかすかに響く。眼下の平地では観光客がそれぞれに景色を楽しんでいる、それはわかっていたが、それでも不安で身震いが止まらなかった。正直にいえば、夜の訪れが恐ろしくて恐ろしくてたまらなかった。

だが持ち前の粘り強さと意地が勝ち、ともかく夕暮れまで掘りつづけた。簡単に夕食を済ませると、わたしはベッドに腰をおろし、ブローニングをもてあそんでいた。

このような状況で、眠れるはずなどないのはとうにわかっていた。朝になったら単独作業は諦め、自尊心はポケットにでもしまって、新たな助手と仕事仲間を探すべきだろう。

　なにかしらの脅威が、絵空事などではなく現実に、この谷をのみこまんとしている。その事実はもはや疑いようがなかった。朝の明るい光のもとで、怒りにわれを忘れていたときには、ハッサン・エス・スグラに対しては軽蔑の思いしか湧いてこなかったが、いざこうして神秘的な菫色の黄昏に包まれてみると、しだいと冷静さが戻ってきた。少なくとも、彼はわたしに負けず劣らず勇敢な男だ。それは認めざるを得ない。しかしそのハッサンが尻尾を巻いて逃げ出したのだ！　夜になったら、いったいなにがわたしを待っているというのか？

＊＊＊＊＊

　起こったことをすべてお話ししよう。そしてこれこそ、ハトシェプスト女王のほんものの墓に通じるといわれていたコンドールの立坑がいまだに開かれぬままとなっている理由の、唯一の説明となる。

　まんじりともせずにベッドの端に腰かけたまま、夜は更けていった。だが結局、肉体的疲労には勝てず、気づかぬうちに眠りに落ちていたようだった。というのは、前夜と同じ夢、あるいはわたしが夢と思いこんだ光景が――けっして忘れられぬほど深く――記憶に残っていたからだ。

　緑色にまばゆく光るいくつもの目が、輪になってわたしを取り巻いていた。輪の一か所が欠けており、わたしは悪夢の中で逃げまどいながら、そのたったひとつの出口めざして、いつの間にか天幕の外へ駆け出していた。

　しなやかに身体をくねらせるものたちがまわりを取り囲み、わたしを追い詰める――猫のようでもあり、屍食鬼（グール）のようでもあるそれらは、紛れもなく、深い穴に眠るものたちの姿をしていた。猫の目に猫の身体、だがときおり輪郭がぐにゃりと歪み、そこに女の淫らな瞳と、艶（なま）めかしく揺れる肢体があらわれる。輪はかならず一か所のみ欠けており、わたしはそのたびにできるたったひとつの逃げ道めざして右往左往した末、ようやく猫のごときものから逃げおおせた。

　そうやって、とうとう立坑のかたわらまで来てしまった。ふと、一日の作業を終えたあとにその場へ残していった道具が目に入った。

　見まわすと、緑色の目がわたしをぐるりと取り囲んでいた。あのとき感じた、胸が潰れんばかりの恐怖は、いかなる言葉を用いたとて伝わらないだろう。

　輪はしだいに狭（せば）まってきた。

猫に似た、名もなきものたちは穴の縁へじりじりと迫ってきた。中には、立ちつくすわたしにいまにも飛びかからんとしているものもいた。頭の中で声がしたような気がした。おまえの負けだ、敗北を受け入れよ、さもなくばおまえもコンドールと同じ運命をたどることとなろう、と。

静寂を破り、かん高い笑い声が響きわたった。わたし自身の笑い声だった。

引きつった、異様な笑い声を夜闇に響かせながら、わたしはつるはしとシャベルを手に、熱に浮かされたように立坑を埋め戻しはじめた。

結末がどうなったか？　朝になると、わたしはベッドではなく、青天井の下で高台に横たわっていた。両の掌は傷だらけのうえ血まみれで、身体じゅうの筋肉という筋肉が悲鳴をあげていた。そこで夢の内容を思いだし——目が覚めた瞬間ですら、わたしはまだそれを夢だと思っていた——発掘を進めていた谷へおぼつかぬ足取りで歩いていった。

コンドールの立坑はふたたび、すっかり上まで埋め戻されていた。

ロバート・E・ハワード
《愛蔵版コナン全集》刊行開始！

お待たせしました！

新紀元社版《愛蔵版コナン全集》全四巻（宇野利泰・中村融訳）、いよいよ二〇二二年早春より刊行開始！《新訂版》（東京創元社　二〇〇六～一三）を踏襲しコナン年代記として構成。第一巻は「氷神の娘」から傑作「黒い怪獣」を経て「魔女誕生」まで九編を収録。続く第二巻は、中編「黒い預言者」を中心に「ザムボウラの影」から「黒魔の泉」まで五編を収録。

なお、愛蔵版の刊行にあたり、訳者・中村融氏が訳文をブラッシュアップ（『幻想と怪奇7』収録の「失われた女たちの谷」はそのプレビューでした）。さらに、新資料も追加収録の予定です。

造本は書棚に映える四六判上製。装画・挿絵は寺田克也。これまでも、武部本一郎（ハヤカワ文庫SF）、柳柊二（創元推理文庫）、後藤啓介（同・新訂版）ほか、数々の名手がその姿を描いてきましたが、本全集ではこれまでのコナンとはまた異なる、新たな勇姿を御覧いただきます。御期待を！

画：寺田克也　※制作中につき、イラストは変更となる場合がございます。

『幻想と怪奇』叢書、新刊は
ラヴクラフト＋ヘミングウェイ？

ニューヨーク州北部を人知れず流れる川、ダッチマンズ・クリーク。妻を癌で失ったエイブと、事故で家族を一度に亡くしたダンは、釣りに打ちこむことで孤独と喪失感に堪えていた。二人は新たな釣り場としてその川に向かう途中、十九世紀から始まる長い話をダイナーで聞くことになる。それは、愛するクリークの水源に沈んだ町と、愛する者を失った男たちが謎の〈漁り人（フィッシャーマン）〉と結んだ契約にまつわる、奇怪な物語だった。そして〈漁り人〉の伝説は、やはり愛する者を失った二人を引き寄せていく……魔の川へと！

『ラヴクラフトの怪物たち』下巻収録の「牙の子ら」や『幻想と怪奇5』収録の「テクニカラー」で読者を驚嘆させたジョン・ランガン。現代アメリカン・ホラーの旗手である彼のブラム・ストーカー賞受賞作『フィッシャーマン　漁り人の伝説』（仮題／植草昌実訳）近日刊行。ラヴクラフトとヘミングウェイの融合にたとえられる傑作をお見逃しなく。

マジカル・ショートショート

宵祭

井上雅彦

バウボ叔母は、耳を欹てた。

あの音は？　もしや？

赤い目を、丸くした。

清涼な大気を両肺の隅々までに満たし、青い蜜のような空から地上を見下ろす。

一面の緑。広大な森。恥知らずなまでに生い茂った緑の領地を一直線、切り裂くように走っていくのは一台のジープ。

――なにごとだい？　あれは保安官の……。

五マイル離れた町で、たまに出っくわす。バウボ叔母のお気に入りの縄張り（シマ）は都会にだってある。バッジをひけらかす輩（やから）とは反りが合わない。きゃつらときたら酷い交通事故だって、まともに取り締まれない。えばりくさった制服連中の頭の上から、バウボ叔母は尻をまくって、ひりだした糞便を垂らしてやったこともあった。そんな奴らがわざわざ出張ってくるなんて。

――森の中まで何の用だ？

広大無辺な緑の領域。それでも、ほんの少し前までは、多くの人が住み、暮らし、町と呼ばれていた時代もあったのだ。今では、見る影も無い。野生化し、増殖した緑に、廃墟も空家も呑み込まれた。ジープが進む、かつての名残の一本道のその先は……。

――なんとまあ、御館（おやかた）に向かっているのかぇ？

バウボ叔母は、上腕骨の角度を器用に保って、高度を下げた。

ジープに狙いをつけて、滑空する。

空からの追跡者を、翻弄するかのように生い茂った森は、蔦の髭を伸ばし、濃緑のちぢれた体毛をもつれさせ、あろうことかバウボ叔母の風切羽にまで淫猥な手を伸ばす。

緑の触手を相手にもせず、ジープの斜め上にぴたりとつけたまま、バウボ叔母は運転席に目を馳せる。ハンドルを握っているのは若い保安官助手。こいつなら、まだ餓鬼(キッド)の頃から知っている。なにせ、この地域が、まだ町だった頃からの顔なじみだ。

だが、その助手席にいる人物は……。

バウボ叔母は、赤い目を剥いた。

黒い帽子で、顔は見えない。でも、あの優雅なシルエット。たなびく長い黒髪。

黒い手袋。翼のようにはためく黒い外套——。

いや、なによりも、外套の下で脈動するものは……。

——もしや!

バウボ叔母が、ハッと思った。

バックミラーの目と目が合った。次の瞬間——

いささか低く飛びすぎたことをバウボ叔母は思い知らされる。斑紋(ぶち)だらけの巨人の掌にも似た常緑低木の大型の葉が、鉄槌のごとく、彼女の顔に命中した。


レディ・フラグラント・オランジェットは、車の停まる音を聴いた。

二種類の靴音がしだいに近寄ってくることを、彼女ははっきりと感じとれる。

誰かがやってくるという、その予感はしていた。

少し前から、からだに奇妙な予兆があったのだ。

くすぐったいような、ときめくような。

肌身の奥から、艶めかしい悦びが沸き立つような。

しばらく感じたことのなかった感覚だ——そう、まるで、真夜中の恋のような。

とうの昔に失っていた感覚である。

あれを失ったのは、間違いなくあの時から……。

この家が悲しみに包まれたあの日。甲斐甲斐しく世話をしてくださる御館様(おやかたさま)に、かつてない大きな絶望が襲った日……。

それ以来……しばらく忘れていた感覚だ。それが今になって甦るからには……。

——なにかがあったに違いない。

そう思いながらも、いきなり訪れた身体(しんたい)の変化に戸惑っていた。

疥癬(かいせん)持ちの犀みたいな干からびた皮膚に、潤いが感じられる。

腰にも、首筋にも、しなやかさが戻ってきた。

なによりも――生身(なまみ)の深奥(おく)から、悦びの兆しが……。

さらには――今日になって、吐息に甘い芳香が漂って……。

「信じられない」

男の声がした。「なんというのか……あまりにも……官能的だ」

「香りも、姿もね」

その声に――二人目の声に――レディ・フラグラント・オランジェットは動揺した。

誰だったか。思い出せないのだが、なぜか、心が掻き乱される。吐息が漏れる。

「ほら、また薫った」

その声が言った。「濃厚に。満月の夢のように……」

「確かに、夢じゃないかと思うほどだ」

最初の男が言った。「五マイル以上も、あの薄暗い森の中を延々と突っ走って、斑紋だらけのヤツデやら蔦植物やらをかいくぐりながら、辿り着いた目的地には――こんなにも美しい金木犀(フラグラント・オリーヴ)の巨木が待っているなんて。ほら、オレンジ色の花があんなに咲きこぼれて」

「あなたも憶えてるでしょう」

その声が、また言った。「あの万聖節宵祭(ハロウィーン)の時と同じ」

「確かにね……」

男は言った。「ずいぶんと……季節外れだけれども」

「あの時も、大人たちは季節外れと言っていた」

その声は憂いを含んだ。「狂い咲きだとも。だから……いろいろな噂も拡がった。それでも……」

声の主は、レディのからだに腕を回し、しっかりと抱きしめた。

「……彼女は、いつもと変わりなかった」

レディ・フラグラント・オランジェットは、歓喜に打ち震えた。

鼓動を感じる。今、自分を抱きしめているこの肉体の、この鼓動。

間違いない。レディ・フラグラント・オランジェットは肯いた。

――私は、今日この日の……この瞬間のために咲いたのだ……

シスター・ケルベロスは、歯ぎしりした。

――警官か……。役所の使い走りめが。

鉄錆色の表情筋を険しくし、近寄ってきた制服の男へ、精一杯の敵意を見せつける。しかし、男は、平然と、門扉に巻きついた鎖に手をかける。

――おまえごとき、この御館には一歩たりとも入れるわけにはいかない。

門扉の鉄柱の真ん中に、頭だけのシスターはぶらさがったまま、無数にからまった毒蛇の髪の鎌首を擡げて、鋭く植わった虎の牙を剥き出した。

――いざとなれば、地獄の軍団（レギオン）を差し向けてやる。私の詠唱で召喚される、六千六百六十六もの悪魔のしもべたちが、おまえに襲いかかるだろう……。

しかし、保安官助手に、そんな威嚇は通じない。そもそも、シスターの声など聞こえない。門扉の錠前を開けるのに夢中だ。だが、紋の中央でにらみをきかせる怪物の紋章同様に、錆び付いた鍵穴は容易に開いてくれようとしない。

――差し押えが狙いか。森に呑み込まれた家屋敷同様に。そうは、させるものか。この御館が解体や強奪を免（まぬか）れ、昔同様の美しい姿を保つことができさえするならば、私やしもべたちはいかなる手段も選ばぬ。いにしえの魔術師たちも恐れた地獄のしもべたちの恐ろしさを知るがいい……。

「その必要は無いと思うよ」

背後から声がした。シスター・ケルベロスは仰天した。

黒い帽子。魔女の姿。

まさか……自分の目の前に居るのは？

「六千六百六十六ものしもべたちも」

「えっ？」

「いや……鍵を開ける必要も無いということ。掛け声だけで開くと思うよ」

黒いシルエットが、ゆっくりと前に進む。無数の牙を剥きだしたシスター・ケルベロスの顔の前に手をかざし、力強く叫んだ。「トリック・オア・トリート！」

瞬間――錠前が開いた。

保安官助手はあっけにとられて、《魔女》を見た。

だが、最も驚いていたのはシスター・ケルベロスだったに違いない。

――まさか……本当に……本当に……あなたは……。

孤高の門番の目から、錆色の涙が溢れだした。

のっぽのグランマは、感動していた。

玄関先に立っているのは、なんと――あのふたりじゃないか。

のっぽのグランマには、すでに時が刻めない。体の内部の発条（ぜんまい）も歯車も動かない。文字盤の針も止まったまま。

そのかわり、遠い過去の記憶がいくらでも甦る。
あの時のハロウィーンと同じだ。お嬢様は黒い帽子と黒マントの《魔女》の衣装。友だちの少年は西部劇の《保安官》……。そう、ふたりは本当に良い友だちだった……。

他に、ひとりかふたりはミイラだかゾンビだかの姿をした子供がいたが、この玄関まで来て、脱兎の如く逃げ出した。

御館様の姿を見てね。

……まったく、おかしな話だ。御館様は普通の女性なのだ。どこも怖くないというのに。なにも悪くないというのに。誰かが不穏な噂を流した。狭い街の住民が飛びつきそうな噂。宗教？　国籍？　恋愛沙汰？　金銭トラブル？　もう、何だったかはとっくに忘れた。実の娘のお嬢様でさえ、余所で育てられたぐらいだ。御館様は絶縁させられた。セイラムの魔女狩りの時代となんら変わらない。

でも……お嬢様は平気で会いに来た。遊びに来た。この館の隅々まで知ってる。お嬢様は詩人だ。あらゆるものに名前をつける。詩人の血は、御館様の血脈だ。出自はどうあれ、あの《保安官》にも詩人の血が流れていたのかもしれない。

そう……だから、ふたりは一緒に還ってきたんだ。
長い長い時間を経て……まるで、あの日のハロウィーンのように。

八本足の栗鼠（りす）は、ふたりの目の前の壁を降りてきた。
――やあ、ひさしぶり。すっかり見違えたよ。お嬢様。それに、旦那様だね――

八本足の栗鼠は、八本足を器用に動かして、秦皮（とねりこ）の木で作られた階段に、細い糸を残してはよじ登り、ふたりを誘いながら、

――みんな、お嬢様に会いたがってる。《物識り大鍋》も《鏡の国のシャネル》も。もちろん《御館様》もだ。ゆっくりしていってくれな――

でも……八本足の栗鼠は言った……ボクの声、本当に聞こえているのかな……。

物識り大鍋は、その名前で呼ばれるのは久しぶりだった。

なぜ、自分が大鍋なのか、わからない。洞窟でぐらぐら煮えたぎる混沌の鍋。蝙蝠の羽やらヤモリの眼玉やらダッタン人の鼻やらを投げ込んで、妖しげに煮立てる定番の道具立て。――誓って言うが自分はそんなものでは

ない。正直言って理解に苦しむ。

それについては不服だったが、物識り大鍋は、黒衣のシルエットをまとったお嬢様とそのパートナーのふたりを招き入れた……大鍋の中心に。

中心の周囲には、驚くほどの蔵書数。もちろん、忌まわしい魔書もある。たとえば、ハインリッヒ・クライマーの『魔女に与える鉄槌』。

しかし、それ以外の愉しい読み物も並んでいる。アーサー・マッケンやロバート・ブロック、レイ・ブラッドベリまで並んでいる。

本を熱心に手に取るお嬢様の姿は、御館様そっくりだ。もちろん――ずいぶんお姿はお変わりになられたが。今、手にとっておられるのは、医学書。C・シルビアとW・ノヴァック『記憶する心臓―ある心臓移植患者の手記』。

……ほう、お嬢様は医学に興味があるようだ。いや、彼氏のほうの興味だろうか。

しかし、すぐに本を棚に戻して、書斎の中心――いや、大鍋の中心に目を移す。

そこには、机がある。

そう、御館様がいつも書き物をなさる机だ。

お嬢様はわかっていらしたのかな。

確かに――大鍋は憶えている――書き物とは大鍋を煮立てる行為にも似ていると、御館様が感心していらしたことを。そんな《名前》をつけた幼いお嬢様の感性に対しても。

そのお嬢様は、机の上の写真に目を馳せた。

女性の写真、いや、古い肖像絵画の複製画だ。

では、物識り大鍋が解説しよう。それは女性の聖人。聖ウォルバーグ。八世紀イングランドはデボンに生まれた女宣教師。聖列した五月一日が、彼女を記念する祝日となった。

そう。すべては繋がっていたのさ。御館様の願いも。あの万聖節同様、宵祭にふたりが来たことも。

え？　意味がわからない？　しかたがないさ、大鍋が煮詰めるのは混沌。

あとのことは、お嬢様――いや、おふたりとも――御館様に教えてもらいなされ。


鏡の国のシャネルは、鏡の中から出られない。

その本当の姿を見た者もいない。鏡に映る者の姿を借りるだけ。

部屋の奥のロココ風の衣装室。窓から月の光が差し込むと、シャネルは鏡に映った者の唇を使って、ずけずけと真実を語ろうとする。このことは御館様が教えてくれたわけではない。お嬢様がひとりで見つけたのだ。

「似合ってるじゃない、その帽子」

鏡の国のシャネルは、鏡の中から、そう言った。「縁（ブリム）の広い女優帽。グレタ・ガルボが好んだタイプ。ハロウィーンでつけるコドモ欺しの衣装とは異なる。オトナ欺しにはうってつけ。その黒一色のパンタロンも。黒のブーツはイタリア革ね。ねえ、これ、どっちのアイディア？　お嬢様？　それとも、旦那様？」

「旦那様じゃない……まだ……」

「カラダを貰ったんだから、同じでしょう」

鏡の国のシャネルは、本当にズケズケという。「まあ、どっちもどっちか。世間的には〈貰った〉のは男のほうともいえる。でも……あなたたちは、ふたりでひとり。この館のものは、みんなふたりだとわかるけれど、外の世界ではひとりにしか見えない」

鏡の中では、そのひとりだけが立っている。

「記憶の共有もできかけてきたようね。認識も。それを確かめに、この館へやってきた」

「もちろん、そうだけれど……」

そう言ったのは〈彼〉のほうだろうか。「なによりも、御礼がしたかった。いや――彼女がいまも《生きている》ことを――知らせたかった。僕の胸部の中で、今でも鼓動し続けていることを――」

黒のシャツの前をはだけた。がっしりとした男の胸にムカデのような手術痕が現れる。

「心臓だけじゃないわよね」

鏡の国のシャネルが言った。「女優帽（ガルボ・ハット）の下の顔も、どことなく、お嬢様に似てきた。以前は日焼けした男らしい顔だったんだって？　御館様が言っていた。だからかしら、お嬢様はあなたに憧れていた。ずっと忘れられなかった。本当に保安官にまでなっていた、あんたを。でも……あんたの心臓に持病があったなんて、見かけによらないわよね」

「まだ――信じられない」

帽子の下で、彼は言った。「ドナーについては秘密保持がなされている。でも、僕が倒れたあの日――丁度（ちょうど）一年前の、あの日……移植同意カードを持った女性が脳死状態になった。原因は泥酔状態の危険運転者による轢き逃げだ。事件は未解決だが……あらためてファイルを見た時、僕は愕然とした。それから……僕は、すこしずつ、別のことに気づきはじめた……そして……今夜」

「わかったわ」

鏡の国のシャネルが言った。「ふたりで御館様に会うといい。すべてはそれから」

と言いかけて、「そういえば、あなたがたを連れてきたもうひとり。まだ、門の前にいるのよね」

保安官助手は、時計を見た。

いい加減、なにをやっているんだろう。保安官までになっていた先輩が、手術の後、あんな風に変わってしまったのは驚いたけれど、それと、この館となんの関係がある？　どうして、こんな魔女の家に興味があるんだ？　子供の頃のハロウィーンで、あの二人とここに来た。自分はゾンビの衣装を着ていたけれど、なにやら怖じ気づいて逃げてしまった。出てきた女の人が本物の魔女だと言われていたからで、あの時は本当に怖かったんだけれど、そもそも本物の魔女なんて見たこともないじゃないか。

　自分ははなから、魔女なんて、興味が無かった。映画ではいくつか見たものの――例の手ぶれのひどい実録風のものから、バレエ教室の惨劇やら死棺が宙を舞うものなど、ホラー映画はいくつか見たけれど、それほど興味を惹かれるものではなかった。

　それとも――この館には、なにか金になるものでも……。

　そういうことなら、こちらも分け前にあずからないと。酔っ払い運転を見逃して、犯人からせしめる金などたかが知れている。そういえば、一年前の死亡事故では、たんまり儲けさせてもらったものだ。あんなカモは、そうはいない。では、このお屋敷は……。

　保安官助手は、門扉を飾る奇怪な怪物の紋章を一瞥し、そろそろ庭に足を踏み入れた。

　カボチャ提灯らしきものは転がっている。かなり大柄な人間の頭ぐらいの大きさで、オレンジ色の〈顔〉が、なにやら蠢いている。

――なにが、ハロウィーンだ。

　保安官助手が蹴飛ばした。それがカボチャではないことは、靴の感触で気づいた。〈顔〉がたちまち毀れ、足がくるぶしまですっぽり入ってしまったあとで、黄色いものがズボンを伝って這い上がり、ぶんぶん唸り声をあげて、こちらへ飛んでくることのほうが、彼にとっては衝撃だった。巣を毀（こわ）された雀蜂が悲鳴をあげる口の中に侵入してきた時も、彼の脳裏にはどこかで聞きかじった奇妙な数字が渦を巻いていた。六千六百六十六……。

ふたりはバルコニーに佇んでいた。

　馥郁とした風を、心地よく感じている。

　甘い香りは、開け放された窓のカーテンを揺らす。御館様の部屋に手招くかのように。

満月が御館様の遺影を照らしている。

テーブルの上に飾られた、いくつものお気に入りの写真の額縁。

そのうちのひとつを、ふたりは凝視した。

若き御館様が寄り添う、ひとりの男性。これを確かめたかったのだ。彼はその男の顔に見入った。これは、自分の父親の写真……。

そして……彼が抱き寄せる御館様は、本当に美しい。あの聖人にも似ている。一年前も、きっと彼女に祈ったにちがいない。聖ウォルバーグ、独逸（ドイツ）語では聖ヴァルプルガ……。宵祭であるヴァルプルギスの夜は今夜なのだ。

月光が、ふたりを照らし出す。

鼓動が官能的に高まった。

季節外れの花を咲かせた金木犀の大樹の枝に、赤い眼の梟（ふくろう）が舞い降りた。

マジカル・ショートショート

理性が月の形を正確に描く

西崎 憲

その女の名をここでは貨奢（かしゃ）としよう。もちろんそう呼ぶからといって女の名がそれだというわけではない。名前などというものは仮のものだ。わたしには千もの名があるがどれも重要ではない。

貨奢は都の、海にほど近い地区に住みなしている。そこは港湾区と呼ばれているが、そのあたりに港があったのは人の尺度でいえばよほど以前で、けれども誰もその名を不適格と思わなかったし、変えるべきだとも考えなかった。

貨奢は魔術あるいは鬼術に通じていた。斯道にかんしての研鑽はまだたかだか二百年ほどだったが、人を造るくらいのことはできるようになっていた。

その男に眼が留まったのは貨奢がまだ若く、倦んでいなかったせいかもしれなかった。花の樹の下で風を眺めていた貨奢は眼の前を通りすぎた男にふと興味を持った。書生の風体のその男には特別なところはなかった。身の丈も顔つきもごくありきたりで、野の草の一葉のようにありふれた顔だった。ではなぜ眼に残ったのか。貨奢は思案した。おそらく顔に浮かんだ表情ゆえだった。どんなことがあってあのような顔つきになったのか、貨奢は理由が知りたいと思った。金茶の単衣（ひとえ）の胸元から紙を一枚取りだし、人を折って、貨奢は指の尖（さき）から夕暮れの風に放した。紙人（しじん）は眠たげに中空を進み、遠ざかる男の背に貼りつき、服の生地の色に溶けた。

貨奢はアパートに住んでいる。同じ居所に住むのは十年くらいにしておくのが無難で、その期限が尽きそうになっていたので、新しい栖処(すみか)を探さなければならなかったのだが、そのアパートはなかなか住みやすいところで、離れるのが少々惜しかった。

これまで貨奢は数えきれない場所に住んだ。さまざまな地方に居を構え、さまざまな人のあいだで暮らした。石の家、木の家、コンクリートの家に住んだ。山中に、海のほとりに、人のいないところ、人で溢れたところに住んだ。住む場所はあるときからそれほど重要ではなくなった。そしてそれほど重要でなくなったことはほかにもあった。時間を経るにつれてそれは増えていった。魔術修行の途上で人への興味はいっときなくなり、そののち鳥獣や気候にたいする興味と同じ程度にまで復した。いまは水の流れを眺めるような眼で人の生活を観じていた。

けれど人が遺した書物にかんしては話はべつだった。それはほぼつねに貨奢の興味を惹きつけ、そもそも貨奢が魔術を知ることになったのは書物の存在ゆえであり、ひとりの魔術師に会ったためだった。まだ繙(ひもと)いていない魔術の書はいくらもあったし、門外不出の竹巻、名さえ知らない書子はたくさんあるはずだった。大魔術師たちは手元のものをもちろんそう簡単には見せてくれなかった。

いまのアパートになぜ自分が執着しているのか、その理由はよくわかっていた。アパートは地勢がよいところにあった。北は高台で、そこには森があり、森の木の根の下には尺酪(しゃくらく)の一族が棲んでいる。小さく陽気な尺酪たち。東には川があり、さまざまな名の橋が架かっている。西には商いの町があって、それは大きな商業ビルが立ちならぶ都の繁華街とは様相を異にしていた。

広くない道に商店が並ぶ。広くないその道から顔つきのよい路地に足を踏みいれるとそこにも軒を寄せて小さな商店が並んでいる。小さな店は小さなものを売り、でなければ大きいものをほんのすこし並べて売る。貨奢は小さなものが好きだったし、店のなかに売り物が数点しかないような店も好もしいと思った。

商いの町のつきあたりには軌道電車の駅があり、玲々(りんりん)と警鈴を鳴らしてそこを一両だけの褐色の電車が出入りする。その電車を負販(ふはん)の者がぎりぎりで避け、避けたさきには黒い眼帯の札売りの男がいれば、名の知れた曲を爪弾く老いた五線弾きがいる。児らが遊ぶ。こうとろと男の小児が呼びかけ、応(おう)と女の小児らがこたえる。あれも魔術だろう。大店の藍の暖簾が児らの声に押されて揺れる。

　書物の文字を追っていると窓辺に薄墨のような音があり、見ると窓枠で紙人がゆっくりと倒れるところだった。貨奢は窓まで紙人を取りに行き、戻ってそれを文机に落とした。紙人は開いて一枚の紙になり、貨奢は記された文字に眼を通した。

　キニシテ半名全令前に南面後に北面家は港北東二区
　一六番名は付付一介病厚体軀虚如

　港北東二区一六番ということは遠くはなかった。ここから歩いて三十分ほどだろうか。名は付付一介で、病気なのだった。そして虚のごとき体軀。

　病か、と貨奢は呟いた。それが眼を惹いた理由かもしれなかったが、ほかにも理由があるだろうと思った。病気の者はたくさんいる。それだけでは眼に残らないはずだった。しかしわざわざ手間をかける価値があるのだろうか。貨奢は疑問を抱きながらもふたたび紙を折り人の形にし、窓辺から夜気のなかに差しだした。紙人は中空を辷り、春の濡れた宵闇に溶けた。

　貨奢はここしばらく幻術以外の術の習得について思いを巡らしていた。魔術はむろん狭いものではない。さまざまな種類の術があり、師匠の熊青から伝授されたのは、そのうちの一握りに過ぎなかった。

　基本となるもの以外は手つかずと云ってもいいほどで、できないことはたくさんあった。たとえば飛行はできたが長いあいだは無理だったし、変位の術も大気の術もいまだ不十分であった。それらにかんする書物がないことはなかったが、細かいところは先達に手ずから教わらなければならなかった。師匠の熊青にもっと教わりたかったが、熊青は教えることにすこし飽いたらしかった。ある日、おまえはもう独りだちだと貨奢に云い、もとよりそのような言葉に返す言葉はなかった。貨奢は深く叩頭し、熊青の許を去った。

　識らないことはそのように多かったが、元来気が長いこともあって、焦る気持ちはなかった。どのくらい生きるかはわからない、けれども熊青の不老の術はたしかなはずで、一年を一日と数えたとしても死はだいぶ先にあった。

　魔術師というものは群れることはないが、二、三十年に一度、集うときがある。そのときは世界中から集まってくるらしかった。若い魔術師も老いた魔術師もそれはそれはたくさん。術合わせというものまであるらしく、そういうものに出てみたほうがいいのだろうか、と貨奢は考えた。自分はまだ大きな魔術師は熊青しか知らない、そして熊青より大きな魔術師は何人もいるらしかった。そういう魔術師を自分の眼で見たかった。

そんなことを考えていると窓の外から声が呼ばわった、

将棋か、酒か。

怒牢（どろう）だった。怒牢は貨奢の兄弟子で熊青に五十年ほどともに仕えた。

無骨で言葉をあまり用いない怒牢は農事の魔術を能くし、耳と鼻が聡かった。怒牢はしばしば貨奢を訪い、将棋を指し、酒を呑んだ。

将棋をと云うと「東宮園で」と返ってきて気配が失せた。

貨奢は漆の黒い単衣に身を包んで園に向かった。

夜の東宮園の門をふわりと越え、樫の群を目指して歩いた。将棋盤を前にして怒牢は待っていた。黒い毛に覆われた怒牢は獣のように見える。

黒曜石の盤と象牙の駒で将棋を指すあいだ怒牢はほとんど口をきかなかった。ただ唸った。三番指した。すべて貨奢が勝ち、怒牢は悔しがった。

川縁を通って帰った。妙醍（みょうだい）橋の下にびっしりと烟悩（えんのう）がぶらさがっていた。

魔術とはいったいなにかと貨奢はふと思った。魔術で自分はなにをしたいのか。遙かむかし子供だったころ自分は算術が好きだった。算術によって自分が変成するのがわかった。変成の感覚はつねに心地よかった。魔術とは変成のことかもしれない、そして変成のたびに自分は時から外れ、人から外れる。自分はいま人なのか、それとも魔物なのか、鬼なのか。

アパートに帰ってまもなく紙人が帰ってきた。

ウヰニシテムヰナル半名全令前に右面後に左面病は
　胸の日を滅す人の悪胸の月を滅す

あの男はどうやら死に瀕しているらしかった。人の悪という語はなにを意味しているのか。

魔術師はもちろん病気を治すことができた。けれどもちろん助からない病というものがあったし、人を造ったり死人を生き返らせることにももとより条件があった。付付（つきふし）という男には、魔術で救えないなにかがあるようにも思った。魔術師も人と同様、運命や摂理のようなものには従わなければならない。ではわれらを司るそれらはいったいなにか。

貨奢は男の家に向かった。紙人を手に載せて道案内をさせた。男が住んでいるのは裕福な者たちが住む区域で、敷地の広い家が並んでいた。門は開いていた。前庭には深く草が茂り、手入れはされていないようで、春の宵のなかに風露の花が薄く点じていた。

玄関には鍵がかかっておらず、貨奢はドアを押しあけ、三和土(たたき)に立った。靴を脱ぎ、廊下を進む。右手は畳敷きの間がつづき、左手には厨(くりや)や中庭があった。つきあたりは階段で、それを上った。

男は死んでいた。

文机の上に突っ伏した状態でこときれていた。鶴のように痩せ、眼は見開いたままだった。

死んだ者の筋は緩むので尿(ゆまり)や糞(ゑど)が体から流れだす。けれどそういうものさえ乏しかったのか。尻のあたりもあまり汚れてはいなかった。かすかな死臭以外にはなんの匂いもなかった。男は小さく静かに死んで自分はすこし遅れてしまったのだった。

ノートを顔の下から抜きだしてぱらぱらとめくり、余白の多い頁で指を止めた。

禽獣の手が崩れた壁から現れて洒(あら)ってくれという
その白銀(しろがね)の手
水はないと答えるとおまえの涙で洒(あら)えという
けれど己(おれ)は悲しくないのだ
名も知れない白銀(しろがね)の禽獣よ
生まれてこのかた己(おれ)は悲しかったことなどないのだ

死んだ男は詩人だったのだ。

紙人が記した人の悪とはなんだろうと貨奢はまた思った。日録は残っていないか。

貨奢が机の抽斗(ひきだし)を開けたとき、階下に人声があった。話しながら階段を上ってくる。貨奢は身を薄くして障子の陰に身を潜めた。

ふたりの人間が入ってきた。男と女だった。

男が灰のような声で云った。

ようやく死んだか。浅はかな笛のような声の女が「しぶとい男」と応じた。

死なければ毒でも盛ろうと思っていたところだ、これでやっと家も土地もおれたちのものだ。この人は感謝して死んだから、恨んでもいないだろうね。

薬を取り替えたことには気づかれなかったな、普通だったら気がつきそうなものだが、やはり兄さんも兄さんの家の者も生きる力が弱かった。

その会話でおおかたが知れた。

貨奢はふたりの前に姿を現した。

ふたりの驚きは深かった。

おまえ、なにをしてるんだ、人の家で、誰だおまえ。

どろぼうだよ、どろぼう。

貨奢は懐から小さな鈴を取りだし、軽く振った。それから印を結んで歌のような声を出した。

女の眼が閉じ、細い糸で縫われたように開かなくなった。女の口から怯えた声が洩れた。眼が開かない。

男は驚き、云った。眼がどうかしたのか、開かないのか。なんだ、おまえ、なにかしたのか。

突きあげられでもしたかのように男の顎が勢いよく上顎にぶつかり、そのまま開かなくなった。太い螺子(ねじ)で留めたように。

男は懸命に口を開けようとしたが、呻き声が無為に響くのみだった。

見えないと泣いて女は訴えた。男は顔を紅潮させて口を開こうと努めていた。

なにかしたのかと訊いたか、おまえたちがしたことと似たことだ。

貨奢はそう云った。

病院につれていってくれと女が泣いて訴え、貨奢を睨みながら男は女の手を取り、ふたりは出ていった。無明と無音の者にとって階段を下り、玄関に辿りつくことは難事だった。

貨奢は死んだ男のかたわらにすわった。

襟を広げ、痩せた胸を剝きだしにして、銀の小さな鈴を肋(あばら)の上に置いた。


半五全九前に面朱北に面黄反(かえ)り反(かえ)りて厭(お)きて魅(お)きなん

男の体が薄い色の炎に包まれたように見えた。その炎に焼かれ体が滅びた。黒く小さくなって固まった。それからかぐろい繭のようなその塊はぴくりと動き、割れ、裂け目から一羽の鶺鴒(せきれい)が躍りでた。

鶺鴒は室内の空気を翼で力強く叩き、貨奢の周囲を廻った。

「飛ぶのは愉しかろう」鶺鴒を眼で追いながら貨奢は云った。

やがて鳥は貨奢の肩先に留まった。肩先の鳥に貨奢が指で触れると鳥はぽろりと落ちた。逆の掌でそれを受けて、鳥はそこで指の爪ほどまで縮み、陶器の鳥に変じた。綸子(りんず)の単衣の懐に貨奢はそれを収めた。

それから男の家を出た。

暗い道を月と歩いていると、栖処(すみか)を変えてみるのも悪くはないなとふと思った。

貨奢は虚空に向かって叫んだ。

怒牢、わたしはどこへ行けばいい。

木の花の甘い匂いにその声が完全に紛れないうちに音声(おんじょう)が高らかに返ってきた。

倭国(わこく)だ。倭国の東都だ。

貨奢は笑みを浮かべた。

倭国か、悪くない。ではこれから向かうとしよう。

きたるべき時が貨奢の体にすでに先触れの耀(ひかり)を与えたようだった。

魔術に抗する者たち

赫い影

Die Rote Form

朝松健

昨年、歴史伝奇小説『血と炎の京』が注目された朝松健氏は、現在の日本で最も魔術に精通した小説家としても知られている。本書では、魔術に関する解説の寄稿を依頼したところ、魔術をテーマにした連作長編ホラーの構想がある、書くのであれば解説でなくそちらを――との返信をいただいた。そう聞いて乗らない『幻想と怪奇』編集室ではない。依頼を仕切り直した結実として、その第一話をここに収録する。一九三〇年四月、ベルリン。州警察の上級刑事ヴィントが追う奇怪きわまる連続殺人の顛末やいかに。

nox atra cava circumvolat umbra.
暗夜はその包む陰もて彼らをも包めり。
――フラティウス・ウェゲティウス・レナトウス

1.

部屋。家具もカーテンもない寒々とした部屋。壁の漆喰は剥げかけて、天井板は雨漏りで出来た染みで所々、木目が消えている。それどころか、西の角の天井板は外れかけていた。色というものを失った部屋であった。そんな部屋で、ただ床の真ん中あたりだけが赤かった。

　赤い色の上には痩せた男が転がっている。男は山羊を思わせる容貌で尖った顎髭（あごひげ）を蓄えていた。髭には白いものが混じっている。髪は染めているのか漆黒で、油で後ろに撫でつけていた。喪服のような黒衣をまとい、左の拳を固く握りしめている。右足から先がなくて真っ赤な切断面を見る者に晒（さら）していた。

　ヨハン・ヴィントは男の横に屈みこむと、その横首を押さえた。脈はない。

「死んでいる……」

　舌打ち交じりにヨハンが言うと、部屋の入口あたりに立った若い神父が十字を切った。

「くそ（フェダムト）」

　聖職者が背後にいるのにも関わらずヨハンはそう呟いた。

「三ヶ月も掛けて、やっとここまでたどり着いたのに、こんなことで終わりとは……」

「どうします？」

　若い神父が尋ねると、

「とにかくクレープスを呼ぼう」

　ヨハンは立ち上がった。その時、不意に異臭が鼻をかすめた。一秒とおかず異臭は鼻と目の粘膜に突き刺さるほど強烈な腐敗臭となって二人を襲う。ヨハンはハンカチで鼻と口を覆った。後ろで神父が激しくむせこみはじめる。ヨハンはハンカチの下から神父に呼び掛けた。

「屍臭（ライヒナーメンゲルッホ）だ。早く鼻と口を塞げ。……どうして今頃思い出したように臭う？……部屋に入った時には臭わなかったのに……」

　ヨハンは北向きの窓に飛びつくと、部屋でただ一つの窓を開け放った。冷たい風が部屋に吹き込んでくる。剃刀の刃を思わせる冷たさだ。その冷気が目に染みる。激しく瞬きながらヨハンは眼下の路地に呼び掛けた。

「クレープス」

　樽のように太った中年男がソフト帽を押さえて、肉の詰まったまん丸い顔がこちらを仰いだ。これがクレープス上級刑事だ。ずっと路地裏で見張っていたヨハンの相棒であった。「奴が――教祖が――カール・ノックスが見つかった。来てくれ」

　うなずくより早くクレープスは建物のドアに突進した。

「今すぐ来る」

　ヨハンは低く言って神父に向き直った。

「四月の終わりとは思えない寒さですね。恐ろしい連続殺人と言い、この異様な寒さと言い、まったく今年――この一九三〇年という年は、どうなってるのでしょう？」

神父の声の底が震えていた。

「あなたが殺人現場を見るのはこれが最後になることを祈りますよ。……本当にそう祈る」

ヨハンの言葉の終わりはクレープスが階段を駆け上る音でかき消された。まるで警官隊が踏み込んだような騒々しさだ。力任せにドアが開かれた。

「野郎はどうした？　何処にいる？」

クレープスは尋ねてからヨハンの顔を見遣り、次いで床に目を移した。一息置いてクレープスは眉を歪めた。

「こいつがノックスだと……。ヨハン、お前が射殺したのか？」

「わたしたちが来た時には死んでいました、クレープス上級刑事」

神父が震え声で説明する。クレープスはそちらに振り返った。それから初めて神父がいるのに気づいたように一礼すると、

「ご説明に感謝であります。シュテファン・マスカード神父殿」

皮肉たっぷりに言った。

（クレープスは、神父が嫌いなんだ）

死体を検分しながらヨハンは思った。

（ただし、その嫌悪が、マスカードがまだ若いせいなのか、クレープスのカトリック嫌いに起因するのか、マスカード神父が捜査の助言者として殺人現場に立ち会っているのに腹を立てているせいか――そこまでは分からないが）

クレープスがさらにマスカード神父に何か言いそうなのに気づいて、ヨハンは顔を上げた。

「どうやら死因はこれまでの三件と同じようだ」

「また槍で突かれたって？」

「そう見える」

ヨハンはうなずいた。

「でもって凶器の槍はこの現場の何処にもないって？」

ヨハンは部屋を眺め渡し、槍らしきものがないのを確認してから小さくうなずいた。

「そのようだな」

「おいおいおい。しっかり頼むぜ、ヨハン・フォン・ヴィント上級刑事さんよ」

「フォンはいらない。ただのヴィントだ」

生真面目な顔でヨハンは訂正した。ヨハンはフォン・ヴィントと呼ばれるのを好かない。自分が田舎豪族（ユンカー）の、しかも傍系の末裔であることをひけらかしているような気がするからだった。

「じゃ、お聞きするがな、ただのヴィ、ン、トさんよ。犯人（ホシ）

を追って三月もの間、聞き込みで靴底すり減らし、臭いゲットーから怪しげな秘密結社の集会所まで歩き回って、見たくもねえ死体を三つも見させられた挙句、やっと見つけたカルト教祖が、俺たちの踏み込む前に、てめえがやったのと同じ手口で殺されてたってオチかよ」

「殺されたのですか……この男も……」

「見りゃ分かるだろう、神父さん。自分で自分の右足を切り落とし、見えない所にぶん投げてから、自分の胸に槍を刺して自殺できるほど、この山羊ヅラは器用じゃねえ」

一息にそうまくしたててからクレープスは足元に唾を吐き捨てた。

「しかし、こんなオチ、ありかよ。今どき場末のキャバレーでもそんな寸劇は掛からねえぞ」

死体の足首を検分しながらヨハンは言った。

「これは寸劇じゃない。事実だ」

「そうですかよ、フォン・ヴィント上級刑事閣下」

刑事たちの会話を聞くともなしに聞きながら、マスカード神父は死体を憑かれたような目つきで見つめていた。

それに気づいてクレープスが鼻を鳴らした。

「おやまあ。綺麗なお顔が青ざめてあんたのほうが死体みたいだな。どうした、神父さん。悪魔の足跡でも見つけたのか？」

マスカード神父は口を開きかける。だが洩れたのは言葉ではなく大きな溜息だけだった。

「どうした？　ショックで言葉が出ないのか。繊細な神父様だから無理もないか。なら、俺が説明してやろうか。いいか……死因となったのは胸の傷だ。傷はその胸――鳩尾あたりに円型に開いている。こいつは鋭い槍で貫かれたみたいだ。傷の周囲の血はすでに凝固しているから殺されてから少なからぬ時間が経過しているらしい、と……」

そこで、やっとマスカード神父の口から言葉が発せられた。

「その人が握っているのは十字架ではありませんか？」

ヨハンは死体の左拳を見た。拳の端から銀色をした長い物が垂れている。長いのは紐ではない。純銀製らしき細鎖である。

注意してヨハンは死体の拳を開かせた。細鎖は十字架に続いている。ヨハンは神父を見上げてうなずいた。

「死ぬまで固く握っていたようだ。掌にはっきり十字架の形が残っている。まるで神に祈りながら殺されたようだが……」

「待てよ」クレープスが口を挟んだ。

「この山羊ヅラは聖母像に小便かけて赤ん坊を殺し、それを悪魔に捧げて黒ミサしろと、そんな下司なことを教えるカルトの教祖だぜ。そんなクソ野郎が殺される段になって、突然改心し、十字架握って神様に祈るものかよ」

「わたしもそう思います」

マスカード神父が大きくうなずくと、クレープスは肉の詰まった顔に笑みを拡げた。

「お、初めて意見があったな、神父さん」

「この三ヶ月でこの人物が十八世紀にフランスで流行した通俗的悪魔崇拝に傾倒し、自分のカルトを興したことが分かりました。さらに殺害された三人が、すべて彼の興した黒魔術カルトの信者であったことより、彼が自分を崇拝する者を残忍な儀式に供する異常性格者であり、変質的性欲の持ち主であることも」

「その通りだ。糞溜めの蛆より糞だぜ」

クレープスがうなずいた。

「……つまり悪魔信仰に酔った自己崇拝の権化のような人物です。……そのような人物が殺されたにせよ、死の寸前、神に祈るとは考えられません。……い、いや、このようなことは聖職者として申すべきではありませんが……今まで二件の殺人捜査に付き合って、私にはそのように……」

なおも思いを吐きだそうとする神父の言葉を遮って、

「ほかに何か、気づかれたようですね」

とヨハンは促した。

マスカード神父は震える指でヨハンの足元を指し示した。

「それから……そこです」

クレープスがじれったそうに尋ねる。

「何処だよ。震えてねえで教えろっての」

「……床のそこ……何か……描かれています」

ヨハンはマスカード神父が示したあたり――死体の左肩の下に目をやった。床板に小さく、赤い何かが描かれていた。さらに目を凝らせば、それが下弦の三日月とその下に描かれた十字だと分かった。三日月は細い。アラブの偃月刀のように反って二本の角を上に向けている。

「上向きの三日月に十字か。これまでの三件と同じサインだな……」

「多分赤いのは三件と同じく、代赭(たいしゃ)でしょう」

マスカード神父の言葉にクレープスが鼻を鳴らした。

「そんなこと言われなくても見りゃ分かる。怪しげなシナの顔料だろう」

「代赭(ローター・オカー)は中国だけでなく日本はじめとするアジア全域、さらにヨーロッパでも用いられました。古代の宗教儀式では血に見立てられたということです」

「つまりこのサインは……」

銀の十字架を手に立ち上がったヨハンに、マスカード神父は断じた。

「ジョン・ディーが一五六四年に著した錬金術文書のサインと同じ……水銀のシンボルです」

2.

アレキサンダー広場駅の南西部、未だ中世の佇まいを残す建物が密集したあたりに、シュテファン・マスカード神父の働く教会があった。

その聖ゲオルク教会にコートにソフト帽姿の痩せた男がやってきたのは今から三カ月前——一九三〇年も明けたばかりの一月十三日だった。

男はベルリン州警察のヨハン・ヴィント上級刑事と名乗り、身分証明を見せると、いきなり「教区司祭様のご紹介で参りました。連続殺人事件の捜査にあなたのお知恵をお借りしたいのですが」と切り出した。

教会の応接室に通して話を聞けばヴィントは静かに続けた。

「極めて特異な殺人で、我々は儀式殺人ではないかと見ています」

「そのようなことでしたら、私のようなカトリックの神父ではなく——警察の近くにフンボルト大学があるでしょう。大学の民俗学や宗教学の教授に訊かれたほうが宜しいのでは？　なんと言ってもフンボルト大はグリム兄弟も教鞭を取った名門ですから……」

「教区司祭は、フンボルト大で民俗学、中世神学、宗教学を学ばれ、神秘主義や超自然現象、さらに悪魔学にも詳しい人物——さらに現在も悪魔祓いをされている数少ない神父として、あなたを紹介して下さったのですが」

それだけ説明すると刑事はマスカード神父を教会前に停めた車に乗せて、ベルリン州警察殺人課へ運んだ。

車中で刑事は説明した。

「昨年の暮れ頃から、同一人物の犯行と見られる殺人が、すでに二件発生しています」

この時点において、まだ殺人は二件だったのである。

説明を受けて神父は眉間に皺を刻んだ。

「たった二件で同一犯の仕業、しかも儀式殺人らしいなどと断定できるのですか？」

「理由は三つあります。第一はどちらも現場に同じ記号が描かれていたこと。第二にいずれも片方の手首が切断されて持ち去られていること。そして第三に……」

ヨハン・ヴィント刑事は一息おいて続けた。

「殺人課刑事としての私の勘が、これは同一犯で、何かの儀式と関係すると訴えているのです」

そしてマスカード神父は殺人課の一室で何枚もの現場写真を見せられた。それは二人の男の死体を様々なアングルで撮影したものであった。一人は右手首から上が切断され、もう一人は同じように左手首より上がなかった。

「切り口から見て大きな肉切り包丁みたいなもので一息に切断したようです。切断面からの流血が見られないのが奇妙ですが」

警察のカメラマンが撮った写真は細部までくっきりしていて切断面の色さえ感じられそうだった。

「二件の現場、死体の左肩上あたりの床には赤い絵の具で変な記号が描かれていました」

刑事の提示した写真は床を捕ったもので、ヴィント刑事と思しき長い人指し指が表面を示している。その先には説明通り、不思議な記号があった。下弦の月の下に十字が描かれた記号である。

「最初は女を表す医学記号の上のほうが消えたのかと考え、変質的性癖の医者が犯人ではないか、という意見もありましたが。二番目の現場の記号も同じなので、三日月に十字のサインと見なしました」

マスカード神父は小さくうなずいた。

「これは『ディー断章（フラグメンテ）』でのみ使われたサインです」

「ディー？　それは人名ですか？」

「エリザベス朝の英国の哲学者です。フルネームはジョン・ディー。魔術や錬金術にも造詣が深かった人物です」

「ジョン・ディー……魔術や錬金術ですって」

ヴィント刑事が小さく叫ぶと殺人課にいた人間の視線が一斉にヴィントとマスカード神父に向けられた。視線には侮蔑が込められ、低い舌打ちと失笑が聞こえたが、かまわずに神父は続けた。

「このサインは水銀（クヴェックシルバー）を表すとされます」

この説明を神父が受けて二か月後の三月、同じ手口の殺人がもう一件発生した。

ヴィント刑事の勘が正しかったと証明されたのである。ヴィント刑事は粗暴で下品な相棒のクレープスと共に捜査を続け、謎めいた記号や象徴を見つける度にマスカード神父の助言を求め続けた。かくして行動を共にして二か月目、ようやく殺害された三名が同じカルトの信者と判明し、一気に黒魔術カルトの教祖カール・ノックスなる男が、一連の儀式殺人の犯人として浮かび上がったのだった。

二人は懸命の捜査でカール・ノックスの隠れ家を突き

止めた。マスカード神父は「ノックスに会わせてほしい」と懇願した。「危険すぎる」と断ったヨハンに「連れてってやろうぜ」と促したのは、意外にもクレープスであった。

「相手は黒魔術の教祖だ。味方に悪魔祓いの神父さんがいてくれたほうが心強いだろう」

そしてノックスの部屋に踏み込んだ三人は、これまでの三人と同じ手口で殺されたノックスの死体と遭遇したのだった。

3.

クレープスが現場の下宿屋近くから「死体が見つかった」と電話をかけた。「パイプを一服する暇もねえ」とぼやくうちに応援がベルリン州警察本部から飛んできた。ヨハンは制服警官に「現場に誰も入れるな」と命じ、鑑識のカメラマンに写真を撮るべき箇所を指示していった。クレープスの怒鳴り声。慌ただしい靴音。カメラのシャッター音。開け放った窓から冷たい風に乗って聞こえるのは、集まった野次馬や新聞記者の声。そうした喧噪の中でヨハンは冷静に指示していった。

「死体を解剖に回せ。不審な点は全部、俺に知らせろと伝えろ。どんなに遅い時間でも休日でも構わん、と伝えておけ」

部下にそう命じて、ヨハンはやっとマスカード神父に声を掛けた。

「ご気分は？　顔色が悪いですが」

「大丈夫です」と答えて神父は冷や汗を拭った。「それより、もう教会に戻っても宜しいでしょうか？」

「勿論です。ただ、いつでも連絡が付くようにしておいて下さい」

神父はうなずくと、ぎごちなく歩き出した。鳩尾あたりが絞られるように痛かった。胃液が喉まで込み上げてくる。だが吐くこと出来ない。吐いたとて何も出せないだろう。朝から何も食べていなかったのだ。

「よう、神父さん」

殺風景な部屋から出ようとしたところでクレープスの声がマスカード神父の背に投げられた。

「三ヶ月も付き合わせて悪かったな。マジで礼を言うぜ。本当に助かった。ご苦労さん」

マスカードは力なくうなずいて階段を降りていった。

聖ゲオルク教会に着いたマスカード神父はトイレに駆け込んだ。口を開くと同時に胃液が噴きだした。胃袋が空になるまで吐き続け、痛む胃を押さえて寝室に移る。

ベッドに倒れ込むと死んだように眠りはじめたが、眠りは浅く、見た夢は悪夢とも記憶とも現実ともつかないものだった。

そして、その日以来シュテファン・マスカードは、二度と安らかに眠ることは出来なかった。

4.

ベルリン州警察に戻ったヨハンが、これまでの報告書を書いていると、クレープスが顔を出した。

「そろそろ終えて一杯やりに行かんか」

「やりたい気分だが、報告書を終わらせたいんだ。すまない。また誘ってくれ。この次は俺がおごる」

「……お前、近頃働き過ぎじゃねえのか。腹減ってるんだろう。顔色が紙みてえだ。無理すんなよ。どうせ定年まで本部長にも署長にもなれやしねえんだ」

クレープスはヨハンの肩に手を置いた。暖かい手だった。ヨハンは笑顔で相棒に答えた。

「俺は無理だが、お前は署長まで行けるさ」

〈クレープスは粗暴で口が悪くて色々と良くない噂があるが、基本は悪い奴じゃない。ただ昔気質(かたぎ)で、世界一民主的なヴァイマル憲法下で運営される今の警察態勢に順応できないだけなんだ〉

そう考えながらヨハンは相棒に呼びかけた。

「お疲れ様」

「また明日な」

クレープスが出ていくと殺人課には誰もいなくなった。暗いフロアでヨハンはスタンドの明かりのもとペンを走らせ続けた。

静かだ。夜の静けさがシュウシュウという息遣いを連想させる。すでに午後九時。車の行き来も人通りもベルリン州警察前からは消えたらしい。夜の息吹のほかは何も聞こえない。

静寂がヨハンに回想と思索を促した。

十二月の被害者は右手を切断された男。一月は左手をやられた男。三月は右足首が切断された男だった。三人とも死因は鋭い槍のような凶器で胸を突かれたことによるショック死。さらに死体の特徴として手足の切断面は滑らかで流血の痕跡が見られないことが挙げられる。

三人の被害者はいずれもデカダン趣味の黒魔術カルトの信者だった。さらに三人に共通するもう一点は、犯行現場の床に描かれた〈記号〉である。別紙に添付したこの記号は、聖ゲオルク教会のマスカード神父によれば〈水銀〉を表す錬金術の記号であるという。

——そこまで整理するとヨハンは報告書を続けた。

「小官とハンス・クレープス上級刑事はベルリン市内に存在する反社会的教義を有するすべてのカルトを調査。やがて捜査線上に〈Lucens tenebris（ルチェンス・テネブリス）〉なる名前のカルトがあがった。〈Lucens tenebris〉とは〈光る闇〉という意味のラテン語である……」

ヨハンが〈Lucens tenebris〉と書いた瞬間、電話のベルが響き上がった。驚きで脳が縮んだ。こんな夜更けに誰だ。ベルは鳴り続ける。とりあえず書きかけの文章を終えてから、ヨハンは受話器を取り上げた。

「当直のジークムントだ」

法医解剖医からだった。「不審な点は全部報せろ」「遅くとも構わん」——そう命じたのを思い出してヨハンは言った。

「何かおかしな点があったのか？」

「大いにあった。……というより今起こりつつある。今すぐ解剖室まで来てくれ。大急ぎだ」

「すぐに行く」

エレベーターの前まで行くと明かりが消えていた。誰かがエレベーターの電源を切ってしまったらしい。ヨハンは小さく舌打ちすると階段ホールに回った。解剖室は地下一階である。高すぎる天井には裸電球が一つ灯っているだけで、階段の手摺あたりまでは見えるが、それから下は夜闇と影に沈んでいた。

「危ないな」と独りごちてヨハンは手摺に手を伸ばした。ニスの利いた手摺が冷たい。

〈まるで氷のようだ〉

と思った時、水の滴る音が廊下に響いた。ヨハンが眉をひそめると、もう一度。今度はやけに大きく聞こえた。階段を下りる。足音が反響した。何段かに一度、水音が聞こえる。大きな雫が水面に滴った音だ。

〈今のは遠くの音じゃない〉

ヨハンは下りながら自然に耳を澄ませていた。早足で二段ずつ下りる。

突然、水音がした。それからラジオのような、人工的な割れた声——水音ではない。確かに人の声だ。ただし何を言ってるのかは分からない。また、聞こえた。その声が自分の名を呼んだように感じてヨハンの背に冷たいものが走った。

〈何処から聞こえるんだ？〉

ヨハンは足を止めた。耳をそばだてる。水音は階段の下——。ラジオの声はヨハンの背後——殺人課のある上のほうから——。

また、聞こえた。

〈追われている〉

　唐突にそんな考えに襲われた。ラジオの声。水音。ヨハンの足音。ラジオの声。水音。ヨハンの足音。ラジオ。水音。足音。ラジオ。

〈追われている〉

（追われている）

（俺は追われている）

（追われている！）

　機関銃の掃射音そっくりに足音を響かせ、ラジオの声を振り切るように、ヨハンは解剖室のある地下一階まで駆け下りていった。

　解剖室のドアの前で立ち止まる。水音もラジオの声も消えていた。ヨハンは解剖室の中に向かって呼びかけた。

「ジークムント、俺だ。ヴィントだ」

　返事はない。代わりに大きな水音が聞こえた。ヨハンはもう一度、当直の解剖医の名を呼んだ。

「ジークムント……」

　静寂。水音も聞こえない。耳が痛くなるほどの静寂。一息か二息ほど、そうやって解剖医の返事を待つうちに、ヨハンの胸底から暗い声が湧き起こってくる。

（逃げろ。逃げろ。逃げろ。早くここから逃げろ。一秒でも早く出来るだけ遠くへ逃げろ。逃げろ。逃げろ……でないと……）

　固い唾を呑み込んで、ヨハンは自問する。

（でないと？　でないと、どうなるんだ？）

　突然、今までより遥かに大きな水音がドアの向こうから響いた。ヨハンの心臓が喉元までせり上がった。

（向こうに何かいる）

　そう確信して、ヨハンは上着の懐に右手を流した。手応えがない。

（拳銃はショルダーホルスターに入れて殺人課のロッカーに仕舞ったままだ）

　ヨハンは上唇を舌先で舐めた。

　思い切って解剖室のドアノブに手をやった。ノブが冷たい。氷の塊のようだ。あまりの冷たさに掌の皮膚が張り付くような気がした。

（俺は何をビクついてるんだ？）

　意を決してノブをひねり、ヨハンは勢いよくドアを開いた。

　目に突き刺さる白色光。

　凄まじい眩しさだった。

　眩しくて息も出来ないほどである。

　光が強すぎて視界にオレンジの残像が浮かんだ。オレンジはすぐに黒になる。目に痛いまでの黒に。眩い黒に。輝く暗黒に。

（光る闇（ルチエンス・テネブリス））

ヨハンの意識にカール・ノックスの黒魔術カルトの名が浮かんだ。同時に大きな水音が白色に輝く暗黒から響き上がった。その音を耳にした瞬間、ヨハンは白色光が解剖台を照らす手術用ライトであることに思い至った。

（誰かが、ライトをドアに向けて点灯したんだ）

溜息を落としてヨハンは何歩か、大きく右に移動して、凶暴な白色光の攻撃から身を躱（かわ）した。薄暗がりに移動して目が慣れてくるまで数秒待った。解剖台が薄暗がりに現れた。その上に痩せた男の死体。ヨハンは目を細めて死体の横顔に目を移した。山羊髭をたくわえている。カール・ノックスの死体だった。

（死体の位置がおかしい）

それに気がついてヨハンは死体の全体を眺めた。どこが変なのかは、すぐ分かった。解剖台に血溜まりが広がって、大きな血の雫がタイルの床面に滴り続けているのだ。大粒の赤い雫が滴る度に、水音が解剖室に響き、床に赤い水溜まりを広げる。

（廊下で聞いた水音はこれだったのか？）

とヨハンは苦笑を浮かべかけた。だが苦い笑みは途中で凍り付いた。

（ここで血が滴った音が、階段まで聞こえるなんて有り得ない!?）

心の中でそう叫んだ瞬間、視界の端で赤い影が動いた。今度のはライトの残像ではない。血の色をしたなにかだ。

そのなにかが動いた。

悲鳴とも気合ともつかない叫びをあげてヨハンは身を翻した。解剖台から一メートル足らずの位置から真紅の槍が突き出された。素早く槍穂を避けた。ヨハンに躱されて、槍穂の先はタイルで覆われた壁面にぶち当たる。びじゃり、という汚らしい音がして、タイルは砕け、破片が薄暗がりに散った。

槍は素早く、赤いなにかへと戻っていく。

その時になって、ヨハンは初めてなにかの全体を把握することが出来た。血の色をした女。あるいは女の姿を血で象（かたど）ったものである。

女は血の色の髪を乱してヨハンに向かった。右手を上げる。同時に血の色の女の全体に波が走った。

（この女は液体だ!?）

そう心で叫んだが確かめる余裕はない。女のしなやかな手がヨハンの胸当たりを指し示したのだ。

ヨハンはさらに横に逃れようとして——何かに躓（つまず）きかけた。反射的に足元に目をやった。手術着をまとった男が倒れている。ジークムントだ。目を見開いて死んでいた。ヨハンは死体を飛び越え、さらに横へのがれた。だが視線は血の女に据えたままである。

女の口が開いた。

口から水の迸（ほとばし）る音が発せられた。同時に女の右手が細長く伸び、伸びながら赤い槍と化した。突き出された槍の鋭い先端が向かうのはヨハンの胸だった。

ヨハンはさらに横に逃れる。

槍が壁を直撃した。タイルが砕け散った。血の槍は引かれて、またヨハンに狙いを定める。

血の女が笑った。美しい顔全体にさざ波が立った。

（化け物は一撃で決めるつもりだ）

と察してヨハンは息を止めた。

血の槍が突き出されようとした瞬間、ドアのほうから男の声が起こった。

「夜食の差し入れだぞ。何遍も呼んだのを無視して血相変えて駆け下りてゆくから、女でも待ってるかと追ってきたのに、解剖室なんかに飛び込みやがって……」

クレープスだ。

血の女が振り返った。

「クレープス、危ない！」

ヨハンの叫びに水の迸る音が重なった。

ドアを開けた手を懐に流し、拳銃を抜きかけたクレープスの顔面に血の槍が炸裂した。ソフト帽が宙に舞った。肉の詰まった丸顔の鼻から上が大きく抉（えぐ）られた。やっと懐（ふところ）から出た右手首も血の槍で砕かれた。拳銃が大きな音をあげて床に転がった。

頭を失った左手が持っていた紙包みを取り落とした。乾いた音に反応したか、血の槍が左手を砕いた。

でっぷり太った体がバランスを崩して動いた。胴体の下の足にも血の槍が飛んだ。血の槍は飛びながら分岐して、右足首と左足首を砕いた。

両足首から下を失ってクレープスの体が仰向けに倒れていった。

だが、ヨハンに相棒の死を悼む余裕はなかった。クレープスが入ってきた戸口に突進した。ドアは半開きのままだ。そこから廊下に飛び出そうとする。

ダッシュしたヨハンめがけて血の槍が飛んだ。

死に物狂いでヨハンは駆け続ける。

ヨハンの背後でタイルが次々に砕け散った。

蹴破るようにしてドアを開け、廊下に飛び出した。

廊下を包んだ闇が、ヨハンを盲目にする。

（どっちに逃げたらいい？）

恐怖と焦りでパニックになりかけていた。

「右か。左か。どっちなんだ！」

思わず叫んだ時、ドアの向こうから何か聞こえた。排水口がゴボゴボいう音に似ている。あるいは沼の底から腐敗ガスが浮いてくる音に。血の女だ。奴が音を立てているのだ。

（来る……）

だが、ヨハンはまだ闇で視界を失ったままだった。ままよ、と手探りで前に踏み出した。化け物のいる解剖室を少しでも離れたかったのだ。

手を前に出して踏み出した。一歩。何も遮るものは無い。二歩。手は廊下の壁にもふれずにいる。三歩目まで来た時、嫌な考えが浮かんできた。——このまま何にも触れないままじゃないのか？

ヨハンはかぶりを振って低く呟いた。

「うるさい」

——俺は廊下を目隠しした状態で進んでいるのではないのか。

——地下一階の廊下は長くて、解剖室以外にも幾つも部屋があるんだぞ。

「うるさいと言ったんだ」

だが嫌な考えは止まることなく浮かんでくる。

——いつまでも勘だけで歩き続けるつもりか。

「歩き続けてやるさ」

——こうして亀みたいに進むうちに血の女に追いつかれたら、どうするつもりだ？

追いつかれたら？

どうする？

自問が頭一杯に広がった。

追いつかれたらどうする？

ヨハンは全身の毛が逆立つのを覚えた。

不意に強い視線を感じてヨハンは肩越しに振り返った。

真紅の光。微かな光さえ闇に慣れかけた目には痛いほどだ。

次第に光の源が判別できてくる。

それは顔だった。

血の色をした淡い光を帯びた顔が、解剖室の開きかけたドアの隙間からヨハンを睨んでいたのだ。

血の女は解剖室から憎しみの視線をヨハンに向けていたが、進み出る気配はなかった。

（なんて凄まじい憎悪のこもった目だ）

と、ヨハンは思ったが、視線から容易に目を離すことができない。魔眼とはこのような目であろうか。恐ろしい磁力を持った目だった。

（こんな目に間近で睨まれたらカルトの教祖だって銀の

十字架を握り締めたくなるだろう）

すでに心の針が振り切れてしまったのだろうか。ヨハンはそんなことを考えていた。

血の女は唇を開いた。ゴボゴボと汚らしい音が響いた。汚らしい音は声になっていく。遠くのラジオのような、割れてひずんだ声。

（なんだって？　いま、なんと言った？）

ヨハンは耳をそばだてた。

（畜生、こんな時にどうして刑事根性が働くんだ）

女の声が少しずつ明瞭になっていく。

声には遠い水音が重なっていた。川が激しく流れる音だ。

（くそ。水の音で聞こえない）

ヨハンはよく聞こうと一、二歩、ドアに戻りかけて
――

（いかん。これは奴の手だ！）

自分に叫ぶと、慌てて足を止めた。

血の女は一瞬、悔しげに顔を歪めたが、すぐにまた激しい憎悪の目でヨハンを見据えると、水音とも人の声ともつかない震動を発した。それは――

"nox atra cava circumvolat umbra"

まるで熟練した職人が鑿（のみ）をふるったように一字一句までが克明にヨハンの脳に刻まれた。昔のラテン語だ。学生時代にラテン語など得意ではなかったのに、そう理解していた。
それから――

"ATZOUS"

これはあの女から俺へのメッセージだ。反射的にヨハンはそう悟った。そして、血の女に向かって叫んでいた。

「なにを言っている？　今のは、どういう意味なんだ？」

すると、血の女の眼差しから突然、憎悪が消えた。女は淡い光を帯びた血色の美貌（かんばせ）に勝ち誇るような笑みを拡げる。

思わずヨハンは身構えた。

だが、女は血の槍を繰り出すことなく、その全身を波立たせはじめた。瞬く間に血の女の輪郭が崩れた。

と次の瞬間、波の砕けるような音を上げて女は液体と化した。夥（おびただ）しい量の血が床にぶちまけられる。

ヨハンが見つめていると、床の血溜まりから赤い蒸気

が立ち昇りだした。床に広がった血溜まりは僅か数秒で完全に気化して、血の女はヨハンの目の前から消えてしまった。

そして、解剖室には血を失った解剖台上の死体と、床に倒れたジークムントの死体。さらに少し離れた所に転がる、頭の上半分と両手足首から先が消えたクレープスの死体だけが残された。

5.

数日後、ヨハンはヴィンターフェルト広場にほど近い病院を訪れた。緑に囲まれた瀟洒な病院はカトリック系の団体が運営しているということで、医師や看護婦に紛れて尼僧が歩いていた。

受付で教えられた病室に辿り着くと、シュテファン・マスカード神父は身を起こして、病人用のテーブルで何か書き物をしているところだった。ベッドの傍らに置いた小机には分厚い本や新聞が積まれている。

「よろしかったですか?」

ヨハンが尋ねれば、やつれた細面が笑った。

「どうぞ。そこの椅子を使ってください」

「失礼します」

と、ヨハンは病室の隅の椅子を寄せてベッド脇に腰掛けた。

「あの翌朝に入院されたと聞いて驚きましたよ。大事なさそうで何よりです」

「翌朝、軽い貧血を起こして無理やり運ばれまして。睡眠不足のせいだと言ったのですが、周りが許してくれず、こんな個室まで……」

ヨハンの言葉にマスカード神父は苦笑した。

「ご容体は如何です」

「容体なんて大袈裟な。医師は軽い神経衰弱だと決めつけていますが、私は元気です」

そう受けてから神父はヨハンに問い返した。

「私なんかより刑事さんこそ大変な目に遭われたようで……新聞で読みましたよ」

「新聞は当局の発表に尾ひれ付けて面白おかしく書き立てるのです。まあ、これも我がヴァイマル憲法が言論の自由を保障してくれるからですが」

「新聞にはカルトの残党に襲われたとありました。クレープス刑事が殺されたと」

「他に解剖医も殺されましたが、犯人はカルトの残党なんかじゃありません。カルトの教祖、カール・ノックスを殺したのと同一犯……同一の怪物です」

「怪物が？　差し支えなかったら私だけには聞かせてもらえませんか？」

「そのつもりで参りました。同時に、錬金術や魔術や悪魔学にお詳しい神父さんの解釈を窺いたいと思いまして」

　そう静かに前措くと、ヨハンは恐怖の夜のことを話しはじめた。可能な限り客観的に、勝手な推測や憶測を差しはさまず、その目で見、その耳で聞こえたことだけを努めて冷静に話し続ける。

　聞く神父は時折相槌を打ち、鉛筆を取ってはノートに何事か走り書き、また熱心に耳を傾けた。

　総てを話し終えると、ヨハンは言った。

「お尋ねしたいことだらけです。どうして死んだノックスの足の切断面から血が流れ出したのか？　あの女の怪物は何処から現れたのか？　それ以前にどうして現れたのか？　解剖医を殺し、私を殺そうとしたのは何故だったのか？

　――それ以上に、どうして血の女は解剖室から出て私を襲わなかったのか？」

「解剖室から怪物が出なかったのは、出られなかったからでしょう」

「出られなかった？」

「黒魔術において、魔術を最も効果的に現出させるのは〝スペルバウンド〟内とされています」

「〝スペルバウンド〟？　英語ですか？」

「十九世紀の英国の魔術師が呪圏と呼んだ特殊なフィールドです。このフィールド、呪圏(スペルバウンド)内においては如何なる所業も黒魔術師の意のままになりますが、最初に呪圏が規定されていた場合、どんなおぞましい妖物も呪圏から出ることはできません。……出ると妖物は消滅してしまい、魔術パワーは施術者に戻ってしまって、黒魔術師の肉体も魂も滅ぼしてしまいます」

「黒魔術師(やつら)の厳格なルールに助けられたという訳か……」

　溜息を落としてからヨハンは続けた。

「殺されたクレープスの手首と足首は血の槍で打ち砕かれたように見えましたが、解剖室には何もなかった。それで思い出しましたよ。そういえば先に殺された三人の信者の手や足も消えていました。これは何故でしょう？」

　鉛筆を置くと、マスカード神父は口を開いた。

「黒魔術を信奉する人間は、口にするのもはばかれる儀式によって、神の御業を真似ると言われています」

「と申しますと？」

「神は無から光を、さらに万物を生み出されましたが、悪魔の使徒は人身供儀によって、おぞましい怪物(モノ)を生み出すということです」

「では三人の信者は黒魔術の生贄だったと?」

「そうです。そして四人目の生贄は儀式を執り行う者自身でした」

「しかし、四人目は本人でしょう」

「救い主イエスは己の血と肉を人類の贖罪の証（あかし）として自らを神に捧げました。

それと正反対に黒魔術では、自分の欲望を叶えるために血の生贄を捧げます。そして黒魔術で最高の生贄とは儀式を行う黒魔術師本人なのです」

「だから四人目はノックス自身……」

と言いかけてヨハンはハッとした。

（三人の信者はノックス自身がやったか、あるいは完全に物質化していない血の女にやらせた。そして黒魔術の仕上げに血の女を呼び出して自分を生贄にしたのか……）

そこまで思い至ってからヨハンは言った。

「では、被害者たちの手や足は？　ノックスの足音から下は何処に行ったのです?」

「悪魔や妖物の実在を論じた書物で、彼らは犠牲者の血や肉を瞬時に取り込んで自らの血肉にしてしまう、という説を読んだことがあります」

「切断した手足は吸収してしまったというのか……」

「悪魔や地獄より来た魔物に殺された人間の魂はそれらを構成する因子（エレメント）となる、とその悪魔学者は断じています」

「食われて悪魔の一部になるか。絶望的な話だ」と思わずヨハンが呟くとマスカード神父はうなずいた。

「三件の儀式殺人から血の女に自分自身を捧げるまでが儀式の第一段階です。自分の死体をベルリン州警察内にまで運ばせて解剖台に乗せれば足の切断面から血が流れ始めて血の女が現われるようにノックスは計画し、それが実現するよう魔術を仕掛けました。……そして、それは現実となった訳です」

「それじゃ、私の聞いた水の滴る音やラジオのような音は何だったのですか?」

「黒魔術の術中にはまった人間は聞いてもいない音や幻影に誘われるそうです。……催眠術にかかったように」

「水音はそうだとしても。しかし、ラジオのような音も聞こえ……」

そこまで言いかけたヨハンの脳裏でクレープスの言葉が反響した。

……「何遍も呼んだのを」……「無視して血相変えて駆け下りてゆくから」……「何遍も呼んだのを」……

「血相変えて」……

　ヨハンはかぶりを振った。

「私に夜食を買って戻ってきたクレープスの声が、あのラジオの声だったのか」

　そこまで呟いた時、ヨハンの目に涙が浮かんできた。それに気づいたか、マスカード神父は静かに言った。

「悪魔は人の善意さえも己が罠に利用します。あなたも、それがお分かりになったでしょう」

　それから神父は続けた。

「クレープスさんの登場は敵も想定外だったようですね。攻撃をクレープスさんに変えたために儀式執行の流れが乱れ、それがあなたの命を救い、黒魔術師の目論見を未然に防いだのです」

「結局、血の女で黒魔術師は何をしようとしたのでしょう」

「それは黒魔術師ならぬ身には知る由もありませんが。おそらく、あなたを生贄にしてノックスは復活しようとしたのではないでしょうか」

「復活……自分を生贄に捧げたのにですか」

「救い主イエスも磔刑(たっけい)された後に復活しました」

「しかし、あれは神の意志でしょう。ノックスは自分を捧げた癖に……」

　言いかけて、ヨハンは口に手をやった。

「それも神の御業の裏返しなのか？」

　次いで大きな溜息をつくと苦く続けた。

「もうよしましょう。自分が殺人課の刑事だったのを思い出しました。神父様と神学論争なんて私の柄じゃない。これ以上のめりこむと、私のほうが本当に神経衰弱になってしまいそうだ」

　そして立ち上がると、ヨハン・ヴィントは努めて明るく言った。

「あの夜のことは新聞にあった通りです。カルトの残党が捜査の過程で逆恨みを抱いた私とクレープス上級刑事を殺してさらに教祖の死体を取り戻そうと不敵にも企(たくら)みベルリン州警察を襲撃してきたが、当直のジームクント医師と、居残っていた私とクレープスが応戦して撃退した。この過程でジークムントとクレープスは襲撃者の銃で殺害された。以上……ジークムントとクレープスは殉職により二階級特進するでしょう」

「お二人のために私も祈ります」

「そうしてやって下さい」

　と、立ち上がったヨハンは、

「そうそう、この一文、ラテン語だと思うのですが、どういう意味でしょうね。解読できますか？」

神父の鉛筆を取り上げると、恐怖の夜に脳に刻まれた一文をノートに走り書きした。

"nox atra cava circumvolat umbra."

マスカード神父は少し考えてから解読する。

「暗夜はその包む陰もて彼らをも包めり」

それからヨハンの顔を見上げて言った。

「フラティウス・ウェゲティウス・レナトゥスですね。四世紀頃のローマ帝国の軍学者ですよ。ローマの戦略でも捜査に生かそうとでも?」

「いや。同僚の子供の宿題でして。お休みの所、失礼しました。お陰で報告書も上層部が納得できるように書けそうです」

口を濁してヨハンは、さらに血の女が自分の脳に刻んだ謎の一語を記した。

「それでは、これはどうです?」

"ATZOUS"

「アッツォウス……」

マスカード神父が小さく洩らしたのをヨハンは聞き逃さなかった。さらに、その声がかすかに震え、畏怖の念がこめられているのも――。

「なんです、そのアッツォウスとは?」

「なんでもありません。ローマ時代の魔術師か悪魔でしょう。いや中世の神秘学者だったかな。どうも記憶が確かではありませんね」

そう言って笑った神父を見て、ヨハンは眉をひそめた。

(嘘だ)刑事の直感がそう断じた。

(彼は嘘を言っている。……なんのためかは分からないが……)

礼をして帰ろうとしたヨハンにベッドからマスカード神父が問うた。

「例の代赭で描かれた記号は何と説明するつもりです?」

「記号?」

ヨハンは訊き返した。

「ディーの記号ですよ。『死霊秘法（ネクロノミコン）』英訳の下書きに記されていた……」

「ネクロ……なんですって?」

もう一度ヨハンが問い返せば、マスカー神父は慌てたように言い直した。

「その……『ディー断章（フラグメンテ）』と申し上げたのです」

(嘘だ。確かにネクロなんとかと言った)

そう思い、問い詰めようかと一瞬思ったが、すぐにヨハンは考え直した。

(今日はやめよう。相手は神経衰弱だ。下手に問い詰めて自殺でもされてはコトだ)

そして明るい笑みを拡げて神父のほうを軽く示すと、こう言った。

「あなたの説明を応用させて頂くつもりです。代赭は黒魔術的に血を表す。そして上を向いた三日月と十字は、頭の半分を失い、さらに手足の先を失くした人間を表す。『こんなふうにしてやる』という黒魔術師の犯行声明ですね。そしてクレープスはその通りに殺されました」

「よくもまあ、そんな辻褄合わせを……。あなたは刑事をやめて探偵小説を書いたほうがいいのでは?」

「本当に神経衰弱になったら、そうしましょう」

と笑いながらヨハンは改めて一礼するとシュテファン・マスカード神父の病室を辞した。

ソフト帽を被って長く明るい廊下を歩きはじめる。病院の廊下は四月終わりの陽光で一杯に照らされていたが、ヨハン・ヴィントは暗澹たる思いに囚われていた。

闇の世界の事件に鼻を突っ込むのは、これが最後じゃない。——そんな確信がしてならなかったのだ。マスカード神父が訳したフラティウスの一行が重くのしかかってくる。


「暗夜はその包む陰もて彼らをも包めり」


ヨハンは独りごちた。

「すでに俺は暗夜とやらに包まれてしまったらしい」

一人は俺。もう一人はクレープスだった。だが、奴は死んだ。「彼ら」とは誰だ? 他に誰がいる? あの若い神父か?

「まあ、誰でもいい。いずれ俺たちみんな、仲良く揃って地獄行きだ。それもそう遠い事じゃない。すぐ近く——明日にでも……」

病院を出るとヨハン・ヴィント上級刑事はベルリン州警察に戻るために歩きだした。

一九三〇年四月三〇日午前一〇時五九分。

まもなくブロッケン山に悪鬼魔霊が集うという「ヴァルプルギスの夜」のちょうど十三時間前になろうとしていた。

魔術に抗する者たち

死せる妻たちの奇妙な事件

The Curious Affair of the Dead Wives

リサ・タトル　Lisa Tuttle

金井真弓 訳

名探偵ジェスパーソン&レーンの新たな冒険をここに御紹介しよう。新たな――とはいえ、時系列としては「贖罪物の奇妙な事件」（『幻想と怪奇1』所収）と、長編『夢遊病者と消えた霊能者の奇妙な事件』のあいだの事件となる。依頼人は十代の少女、なされているのは死者を蘇生させる秘術？　オカルト趣味が文化を席巻したヴィクトリア朝のロンドンならではの怪事件に、二人はいかに挑むか。初出はガードナー・ドゾワ、ジョージ・R・R・マーティン共編の書き下ろし競作集 Rogue（Bantam Books, 2014）。

その名刺は、玄関ホールの飾り台で輝いている銀盆の真ん中に、表向きに立ててあった。玄関に入ったとたん、わたしの目に飛び込んできたが、依頼人かもしれないという期待感は不安と半々だった。この来客に一人で対応しなければならないからだ。いったい、ミスター・ジェスパーソンはどこにいるのだろう？

来る日も来る日も、何か起こらないかと思いながら部屋で待つことにわたしたちは退屈し、その朝は帰宅時間など決めないで各自が出かけることにしたのだった。いらだちを覚えるなんて身勝手だとわかっていた――ジェスパーソンが悪いわけじゃないのだから。彼の不在を絶好の機会ととらえてもいい。わたしが彼と同等の――あるいは同等以上の――ことをやれる相棒だと証明するための。

名刺にあった名前はミス・アルシンダ・トラバース。この婦人はどれくらい待たされていたのだろうか、それに、女性の探偵の登場を喜ぶだろうかとわたしは考えた。何よりも気になったのは、首を長くして待ち望んでいた、挑戦し甲斐のある本物の謎を彼女が持ってきたのかどうかということだった。壁に掛けた金めっきの枠にはまった鏡で身なりを点検した。シニヨンからはみ出ていたうなじのほつれ毛を後ろに撫でつけ、ウエストあたりの服地をまっすぐに伸ばす。悲しいほどくたびれてみすぼらしい服だが、流行遅れではあっても、せめて有能そうに見られたかった。きちんとしているし、落ち着いてまじめな感じだと判断した。あとはミス・トラバースの期待に添うことを願うだけだった。

依頼人が来ていると示すために名刺を伏せると、居間兼事務所として使われている部屋に入っていったが、子どもがたった一人で待っていたのでぎょっとした。

彼女は大人と見られるように変装していた。似合わない、過剰に襞飾りが施されたピンクの高価そうな絹のドレスを身に着け、突拍子もない帽子をかぶっている。けれども、苦悩に満ちた真剣な表情は、冗談でここを訪ねてきたのではないことを確信させるものだった。だから、わたしは策略に乗ったふりをして、彼女が求めているらしい、大人に対するような話し方をした。ミス・トラバースに自己紹介したあと、待たせたことをお詫びし、用向きを尋ねたのだ。

「姉を探してほしいの」

「お姉さまの年齢は？」

「十七歳と九カ月です」

「お名前は？」

「アルシンダ・トラバース」

わたしは眉を吊り上げた。「それはあなたの名前だと思いましたが？」

彼女の顔は真っ赤になった。何かがこすれるようなかすかな音がする。つかんでいる膝の上の茶色い紙包みから聞こえてくるのだ。「違うの。ごめんなさい。言うべきだったわ……わたし……わたしはそんなことを訊かれると予想しなかったし、それに、思わなくて……思わなかったの……つまり、シンダの名刺を持ってきたのだけれど、それが問題だとは思わなくて――」

「少しも問題ではないわよ」わたしは優しく言った。「事実を確かめようとしているだけです。もし、お姉さまの名前がアルシンダなら、あなたは――？」

「フェリシティ・トラバース。実を言うと、アルシンダは義理の姉です――姉でした――けれど、わたしにとってはお母さまみたいな人で。お姉さまがいなくなったなんて信じられないわ。わたしを置いていくなんて思ったこともなかったもの。一カ月経った今でもまだ信じられない。まる一カ月経ったのに！」フェリシティは両手をかたく握り合わせ、唇を噛んで黙ってしまった。

わたしは椅子の上で身じろぎした。「お姉さまは一カ月前に行方がわからなくなったのね？」

「行方がわからなくなったんじゃないの。とにかく、そういうことじゃなくて。でも、そのことが起こったのは一カ月前よ。つまりお姉さまが……お姉さまが……ある朝、目を覚まさなかったのは。誰にも理由はわからなかった。まったく思いがけないことだったわ。お姉さまは病気じゃなかったのよ。病気になったことなんてないの。それに、とても幸せそうだったし。興奮していたと言ってもいいくらい。お姉さまには秘密があって、何かが起ころうとしていたんだと思うの。冒険みたいなことが。でも、それが何かは話してくれなかった。あとでみんな説明するわねと言って――〝そのあとで〟って――でも、そのあとはもう手遅れだった。だって、朝には、朝になると……」フェリシティは力なく首を横に振った。「お姉さまは目を覚まさなかったの」

わたしは少し待ってから続きを促した。「その夜にお姉さまは亡くなったんですか？」

フェリシティは憤慨した様子でわたしをにらんだ。

「お姉さまは死んでいないわ！」

「ごめんなさい。お姉さまが目を覚まさなかったと、あなたが言ったものだから……それから、何がありましたか？」

「もちろん、お医者さまが呼ばれたけれど、脈をとったら、なかったの。お医者さまの話では、心臓のせいだろうということだった。お姉さまの亡くなったお母さまと同じように、どこか弱いところがあったのだろうと。でも、わたしもお父さまも一度もお姉さまの心臓が弱いしるしなんて見たことがなかったのよ。とにかく、お姉さまが亡くなったとお医者さまが言ったんだから、本当なんでしょう。わたしも、信じたの」

どのように話したらいいかをきちんと心得た者もいるが、こちらが少しずつ話を引き出してやらなければならない人もいるものだ。「それで、お姉さまが亡くなっていないことはいつわかったの？」

「先週、姿を見かけたときよ」

「先……週？　でも、お姉さまはまる一カ月死んでいたらしいということよね?」

　フェリシティはうなずいた。気がつくと、わたしはこめかみをさすっていた。姉が理不尽な悪巧みを正当化しようとしていたとき、母がよくやっていたように。

「医師がお姉さまの死亡を宣告したあとと、あなたがまた彼女を見る前との間にはどういうことがあったの?」

　フェリシティは肩をすくめた。「まあ、だいたいの想像はつくと思うけれど。さんざん泣いたわ。みんな、とても悲しくて。翌日にはお友達や親戚の人たちが家に来て、食べ物を持ってきてくれたけれど、食べたがる人はいなかった。わたしは一晩じゅう、居間でお姉さまのそばに付き添っていたの。目を覚ますに違いない、本当に死んだはずはないって思いながら。お姉さまは死んでいるようにさえ見えなくて、ただ眠っているようだった。でも、どんなに手をこすってあげて、名前を呼んでも、少しも動かずに横たわっているだけだったの。そして朝になると、お姉さまは運ばれて埋葬されたわ」

「埋葬された? それは間違いなく確かなの?」

「わたしは見ていないの。見たのかという意味ならね。葬儀に出ることを許されなかったから。でも、お父さまがその場にいたし、嘘をつくはずないでしょう。わたしはお姉さまのお墓も見たことがあるわ。義理のお母さまは嫌がったけれど。お姉さまにあんなことがあったあとは、わたしが墓地へ行くことを禁じたがったの」

「お姉さまに何があったの?」

　フェリシティはいらだった様子だった。「今話したでしょう」

「わたしが言っているのは、その話が墓地へ行くこととどうつながるのかという意味よ」

「つながってないわ。ただ義理のお母さまが考えているだけのことよ。ちゃんとした考えと呼べるならね。お姉さまは亡くなる数カ月前、毎日のように自分のお母さまのお墓へ行っていた。だから、そのせいでお姉さまが亡くなったんじゃないかっていうの。とにかくばかげているわ。それに、継母に止められたからと言って墓地へ行かなかったら、わたしがお姉さまを見かけることもなかったはずよ」

　わたしは心が沈むのを感じた。一度はフェリシティの話に大いに関心を抱いたが、もはやそうではなかった。

「あなたは先週、お姉さまを見たのね? 彼女が埋葬されている墓地で?」

　フェリシティは断固とした態度でうなずいた。

「もしかしたら、お姉さまはヴェールをかぶっていたのでは?」

「そうよ！」

「それでも、顔をはっきり見ることができなくても、あなたはその人がお姉さまに違いないと確信したわけね？」

フェリシティはまたしてもうなずいた。

「お姉さまは自分の墓石の上に立っていたの？」

「違うわ。お母さまのお墓の横に立っていたの――お姉さまがいつも来ていたところよ。わたしはお墓に供えるお花を持ってきていたの。もしもそのことを知ったら、お姉さまのお墓に花を供えるよりも喜んでくれるだろうと思ったから」

「あなたが目にしたのが幽霊かもしれないとは思い浮かばなかったのね？」

「もちろん、そうかもしれないと思ったわ。だからお姉さまに声をかけなかったし、そばにも寄らなかったの。だって幽霊だったら、触れられるのを嫌がるでしょう。そばに男の人を見たとき、お姉さまが本当にそこにいるんだとわかったのよ。生きているに違いないって」

「どんな男の人？」

「お姉さまを連れ去った人よ！　その人が誰なのかはわからないけれど、どんな見た目かは教えてあげられる」

フェリシティが茶色の包み紙を破って開くと、黒くて四角い冊子が現れた。彼女はそれを開いてわたしに手渡した。

鉛筆で描かれた肖像画だった。豊かな髭を蓄え、細めた目は斜視で、獅子鼻をしている。実物よりよく描かれてはいなさそうだったが、実在の人物であることをうかがわせる、血が通った絵だった。

「これはあなたが記憶を基にして描いたの？」

「まさか。わたしじゃないわ！　お姉さまが描いたの。これはお姉さまのスケッチ帳で、肌身離さず持っていたのよ。前は描いた絵をよく家族に見せてくれたけれど、近ごろはそんなこともなくて。スケッチ帳に描いていた絵とか、文章とかを見せてくれなかったの。この絵を見たのはあとになってから――お姉さまがいなくなったあとよ」

「でも、これはあなたが見たという男の人なのね？」

「その人だったわ。今、あなたを見ているのと同じくらいはっきりと、それに、同じくらい近くで見たの。この人はお姉さまのそばに寄って言ったわ。『ミセス・マール！』って。それから、何かほかのことを言ったのだけれど、わたしにはわからなかった――英語ではなかったと思うの――そして腕をつかんだのに、お姉さまは抵抗しなかったのよ」

フェリシティは深く息を吸った。「幽霊には触れられないでしょう。だから、あの人も幽霊じゃないかぎり、お姉さまは生きているに違いないわ。わたしは二人のあとを追ったものの、もう少しで追いつきそうになったとき、男の人がくるりと振り返ってこっちを見たの」フェリシティは顎の下で両手を組み、肩をすぼめて椅子の中で体を丸めた。「男の人はわたしをにらみつけた。それはもう恐ろしい目つきで。どんなに怖い目つきだったか、とても言えないわ！　そしてあの人は言ったの――静かで穏やかな口調だったけれど、そのせいで余計に恐ろしかった――こう言ったのよ。『あっちへ行くんだ、お嬢ちゃん。わたしにかかわるんじゃないぞ。死ぬ用意ができていないならな』って」

　フェリシティは身を震わせた。「だから、逃げたの！　死にそうなほど怖かった」

「彼はそのつもりで脅したんでしょう。一緒にいた女性はどんな反応をしたの？」

「何も。眠ったまま歩いているみたいだった。わたしがいたことも気づかなかったと思うわ」

「あなたは彼女をよく見たの？」

「あれがお姉さまだったことはわかっているのよ」フェリシティは頑なに言った。「絶対に、間違いなくそうだった！　一言も話さなくても、遠くからや暗闇の中でも、誰なのかわかるくらいによく知っている人があなたにもいるでしょう？　あれはお姉さまだった。お姉さまは生きていて、あの男の人に捕まったのよ」

　フェリシティの青い目に涙がきらめいた。「ああ、なぜ逃げちゃったのかしら！　ひどい臆病者よね！　二人のあとをつけて、あの人がお姉さまをどこに連れていったのか見るべきだったのに。でも、怖くなっちゃって」

「あなたが逃げたのはまぎれもなく正しかったのよ」わたしはきっぱりと言った。「とても危険だったでしょう――それに、まったく愚かなことよ――女の子がたった一人で大人の男性に立ち向かうなんて。とりわけ、女の子にそんな口のきき方をする人にはね」

「お姉さまを見つけるのを手伝ってください。お願い、助けると言って、ミス・レーン！」

　奇妙なほどわたしの心は乱れていた。フェリシティの話はばかげていたし、この子が自分の話を信じているのは明らかだが、だからと言って、ばかばかしいことに変わりはなかった。フェリシティは空想しているに違いない。とはいえ――

「この話をほかの誰かにもしたの？　お父さまには話した？」

　フェリシティはうなずき、打ちひしがれた様子だった。

「お父さまはわたしの頭が悲しみのせいでおかしくなったと思っているの。それで、墓地へ行くことが悪い影響を与えるという継母の意見に賛成して、もう行っちゃだめだと言ったのよ」彼女はがっくりと肩を落とした。「あなたならわたしを信じてくれるでしょう？　すべて本当のことだって誓うわ。お願いだから、調査を引き受けて。ロンドンでこの事件を解決できるほど頭のいい人たちは、ジェスパーソン・アンド・レーンしかいないわ」

つかの間、始めたばかりのわたしたちの仕事について、この子がどこで聞いたのかという疑問に気を取られたが、尋ねなかった。重要なことではなさそうだったからだ。フェリシティは子どもで悲嘆に暮れていて、喪失という現実を受け入れられずにいる。事件などないのだ。そう告げようとしたとき、フェリシティはふたたび口を開いた。

「もう一つ手がかりがあるの。スケッチ帳の中に」まだわたしの手にあったアルシンダのスケッチ帳をフェリシティは顎で指し示した。「後ろのほうにお姉さまが何ページか文字を書いているけれど、わたしには読めなくて。ラテン語かもしれないし、ほかの国の言葉かも。きっと大事なものに違いないわ」

そのページを見つけた。ラテン語で書かれていたのではなかった。とはいえ、さまざまな文字や符号がごた混ぜになっていて、どういう意味か読み取れない。符号や暗号は彼にとって無上の楽しみなのだ。そのとき、はっきりと意識した。アルシンダ・トラバースを生きた状態で発見できると思えなかったが、とにかく彼女の妹を助けなければと決めたことを。

「正直に言わせてもらうわね」わたしは言った。「わたしはお姉さまがどこかで生きていらっしゃるとは思わないし、偽りの希望を与えてあなたを元気づけたいとも思っていないの。でも、お姉さまの死には何らかの謎が結びついているようだし、あなたが墓地で会った男性と関わりがあるかもしれない。わたしの相棒のミスター・ジェスパーソンはお姉さまが残したこういう覚え書きを読み解けるに違いないし、その絵に描かれた男性の身元を突き止められるはずよ――そのあと、調査すべきことがあるかどうかを話し合いましょう」

わたしは希望をくじきそうなことばかり言ったのに、フェリシティは今や明るい表情になり、礼を述べた。

わたしはいくつか関連のありそうな質問をした――墓地の場所、正式に死亡を診断した医師の住所と氏名、アルシンダに求婚者がいたかどうか。また、さらに情報が必要になったり、伝えるべき知らせがあったりしたとき、この若い依頼人に連絡を取る最適な方法について。

「うちの住所はお姉さまのスケッチ帳の表紙の裏に書いてあるわ」フェリシティは言った。「電話番号も。もっとも、知らない人からわたし宛てに手紙が来たり電話がかかってきたりしたら、継母はひどく怪しむだろうけれど——わたしがまたここに来るわ」

「明日の午後に来てくれたら、ミスター・ジェスパーソンに会えるでしょう」わたしはフェリシティに言った。


その日のかなり遅く、ジェスパーソンからの伝言を携えた使いの者がやってきた。所属しているクラブの名入り便箋に書かれた伝言によると、夕食に招かれたから自分を待たずに食事してほしいということだった。

一般的に個人の家庭では、あらゆる食事の献立を考えたり料理したりするのは女性に任されているが、食卓に男性が加わらない場合、〝きちんとした料理〟を作る手間をかける人をわたしは見たことがない。男性抜きとうことになれば、女性たちは喜んで〝ごちそう〟を楽しむ——台所のテーブルのところで立ったままとか、暖炉の火の前で毛布にくるまったままで——食料貯蔵庫から探し出してきた物をでたらめに取り合わせて食べたり、半熟卵にバターつきパンを添えた〝子ども部屋のお茶〟の献立で済ませたりして満足する。または読書しながら紅茶を飲み、ケーキやリンゴ、チーズを食べるのだ。

話し合うまでもなく、スープや牛肉、じゃがいもなどすべてを翌日のために取っておくことでミセス・ジェスパーソンとわたしの意見は一致した。パンとチーズがあれば、今夜は充分だろう。

「アップル・タルトも食べましょう——簡単だから、明日もう一つ作ればいいわ」ミセス・ジェスパーソンは言った。「ここで食べますか、それとも……?」

「もしもかまわなければ」わたしは言った。「自分の部屋へお皿を持っていきたいのですが」

「好きなようにしていいのよ、ミス・レーン」

そのことについては申し訳ないと感じたが、わたしたちの間にはなんとなく打ち解けない空気が漂っていた。「イーディスと呼んで」とミセス・ジェスパーソンは一度ならず促したが、こちらがそれにふさわしい申し出をしなかったため、彼女は相変わらず「ミス・レーン」と呼ばなければならなかった。いっぽう、わたしはミセス・ジェスパーソンにどう接していいかわからず、彼女の感情をこれ以上傷つけまいとしていた。

ミセス・ジェスパーソンはすばらしい女性だった。有能で親切で、知性があった。息子のような才能はなかったかもしれないが、賢い人で、わたしは彼女の友情に感謝すべきだっただろう。どこの馬の骨とも知れないわたしを迎え入れ、詮索もしなければ、見返りに何かを要求するわけでもなく、部屋と食事を提供し続けてくれる。もちろん、そうしているのは息子に喜んでほしいからだろう。性が合わない若い女との共存を強いられる、似たような状況にある母親は多いはずだが、わたしたちの場合はかなり事情が違った。

ジェスパーソンとわたしは仕事のため、互いへの好意と敬意を通じて一緒にやってきたけれど、いまだに半ペニーの利益もあげていないのだから、この探偵事務所は金食い虫の趣味にすぎない。わたしの部屋、正面のすばらしい寝室は家賃を払ってくれる下宿人に貸せそうなものなのに、無料なのだ。しかも三度の食事がすべて提供され、洗濯さえしてもらえる。潤沢とは言えない遺産でみんなを養っているこの女性によって。

人に依存して楽しかったことなど一度もなかった。ミセス・ジェスパーソンの投資が賢明だったと、わたしはどうあっても証明したいと思っていた。自分の生活費すら稼がないで、ここにあとどれくらいいられるものだろうか。ジェスパーソンにはそんな問題がわからなかった――彼にとって問題など存在しなかったのだ。なんといっても、イーディス・ジェスパーソンは母親なのだし、やり手で元気づけてくれる彼女の支えがない人生など、彼は知るはずもないだろう。ジェスパーソンは若いし、男性で、自分の才能へのどんな投資も千倍にして返せるという絶大の自信を持っていた……いずれ時期が来れば、と。

時期。わたしは時期を待たなければならない。ジェスパーソンと手を組んでから六週間しか経っていないのだと自分に思い出させた。落ち着いて夕食に取りかかることにした。ラップランドを旅する大胆な婦人の冒険についての本をじっくりと読みながら。

朝、階下へ行くと、ジェスパーソンがわたしよりも先に来て、大きな机に向かってすでに仕事を始めていた。

「早起きなのね」わたしは切り出したが、皺になったシャツの襟や染みのついた袖口、顎にかすかに生えた金色の無精髭に目が留まった。「それとも、ずいぶん遅くまで起きているのね、と言ったらいい？　いつ帰ってきたの？」

ジェスパーソンは上の空の表情でこちらを見た。「ああ、たぶん何時間か前だろう」

「何にそんなに夢中になっているの?」

「おやおや、何だかわかるだろう? これを解くようにときみが置いていったんじゃないか」ジェスパーソンはアルシンダのスケッチ帳に取り組んでいたのだ。

「暗号は解けた?」

「それほど難解ではなかったが、取り組み始めたときは頭があまりはっきりしていなかったせいで、出だしはいくつかつまずいてしまった。だが、いったん解読できたら——なんとも興味を引かれる話だよ! このあとがどうなったか、聞くのが待ちきれない——ぼくが思うに、若い婦人の突然の死と、彼女の遺体の紛失を巡るちょっとした謎ではないかな?」

わたしはまじまじと彼を見て首を横に振った。「突然の死と言うのは当たっているわね。でも、遺体は埋葬されたの。数週間後、彼女の妹が墓地で、始めは幽霊だと思ったあるものを見たのよ」わたしは鉛筆書きの肖像画を示しながら、できるだけ無駄がないように物語った。

ジェスパーソンは険しい視線を長い間わたしに向けていた。「おそらくミスター・Sという人物が絡んでいるのだろう」彼は立ち上がり、書いたメモを渡してくれた。「ミス・トラバースが何を書いたか読むといい。その間にぼくはもっと見苦しくないものに着替えてくる。これは——奇妙な話だよ。出かける用意はできているかい?」

よくわからないままうなずいた。「ええ。でも、どこへ——?」

「もちろん、墓地だ」


(以下はJ・Jが書き写したものである)


〈わたしが何にもまして望んでいるのは、いとしいお母さまとふたたび会えること——お母さまの存在を感じ、そばにいてくれるのを確かめることです。

幼かったとき、毎晩のようにお母さまと話しました。想像もつかない神様へのお決まりのお祈りが終わると、もっと熱心に自分の願い事や怖いこと、経験したことを愛するお母さまに話したものです。質問に対して、お母さまは夢に現れるという形で答えてくれるのだとわたしは思っていました。または、ほかの人にとっては意味がないことだけれど、わたしだけが気づいて理解できる隠れたメッセージを、日々の暮らしの中で残す形で返事をしてくれるのだと。

大人になるにつれて、わたしの信仰は失われていきましたが、たとえどこにいようと、お母さまが相変わらず見守ってくれるという信念はどうにか持ちこたえていました。でも、ただ信じるのは、何も知ることができないまま、頭から鵜呑みにするだけなのは大変でした。つまり、もう手遅れになるまで、わたしも死んでしまうまで知ることができません。そのときが来るまで、お母さまとの会話は一方通行のままなのです。自分自身に話しているだけではないか——誰も聞いていないのではないか——という恐怖はわたしにつきまとい続けるでしょう。肉体が滅びたあとで存在している人はいないし、肉体を持たない霊魂などないから、疑問や告白を聞いてくれる人などいないかもしれないという恐怖心は消えないでしょう。

こんなことを信じたくはないのです。わたしは知識がありすぎて現代的すぎるから、気持ちが落ち着かないのかもしれないわ！　国教の温かい慰めに身を委ねることができたら、どんなにいいでしょう……

わたしの中の一部はまだ信念を持ち続けています。あの世へ行ったら、お母さまとふたたび一緒になれるだろうと。でも、皺くちゃで歯抜けで、分別も失うようになってから亡くなったら、ぶつぶつと独り言をつぶやき、笑い声で礼拝の邪魔をする、教会の後ろの席でときどき見かけるあの醜い老婆のようになってから死んだら……ああ、お母さまに気づくことさえできなかったり、お母さまがわたしを見分けられなかったりするかもしれないわ——なんて恐ろしい！

そんなことは望みません。わたしは思いどおりの死を迎えたいのです。

自分がやろうとしていることに危険が伴わないのはわかっています。確かに怖いとは思うけれど、どんなことが可能かをミスター・Sが示してくれた今、この目で見なければなりません。

古代エジプト人には死後の世界へ連れていってくれる案内人がいたし、ヒマラヤ高地の仏教の師にもそういう人がいました——来世について生者に教えて心構えをさせることに価値があると見なす文化は多いけれど、わたしたちの〝文明化された〟社会は、人生の結末にとうとう直面するまでは死というものがわからないふりをしたがっています。ミスター・Sの話では、どんな旅人も戻ってきたことがない国として死を考える必要はないそうです。彼自身、一度ならず死後の世界へ行って戻ってきたのだと。そして彼は——とうとう！——自分の知識を教えることを承諾してくれました。

　彼は不思議な人。死後の世界に精通している頭の良さは称賛に価するし、わたしを助けるのを承諾してくれたことには大いに感謝しているけれど、当惑もさせられます。彼に見られているとき、何かを求められているような気になるのです。わたしから得たいものを理解することを期待されているのではないかと。でも、求婚されるのかもとわたしが思うなり――彼はわたしの若さや無垢さについて述べ、こう助言します。この大きな冒険に乗り出すまで、あと数年は待ったほうがいいと。

　だから、彼の表情については思い過ごしでしょう。けれども、わたしを止めるにはもう遅すぎます。遅すぎるのです。彼は何をしなければならないかを伝え、手段を授けてくれましたし、わたしは今夜、それを実行するつもりです。

　こんなことを書いていると知ったら、彼は腹を立てるでしょう――たとえ、慎重に隠してあっても――彼について、あるいは取り決めができた計画については誰にも一言も話さないと、わたしは約束したのですから。誰にも話してはいません。もっとも、フェリシティと秘密を分かち合いたいという衝動はとても強かったけれど。でも、あの子はまだ子どもです。お父さまに話してしまうかもしれません。

　こうして書いているのは、今夜死ぬつもりだけれど、わたしの死は永遠のものではない――そうならないはずだ――と告げるためです。自殺したいとは思っていません。二度目の死、本物の死はこれからかなり長い年月を生きたあとで訪れるものにしたいと思います。最初の死は一種の探検、真実を知る方法にすぎません。

　もし、これがうまくいかなければ、わたしは心から残念に思うでしょうが、失敗する可能性は避けて通れないのです。フェリシティ、もしもあなたに暗号が解けて、ここに書いた文章を今読んでいるなら、伝えたいことがあります。心からあなたを愛していると。そして可能なら、わたしはほかの次元からあなたを見守り続けるでしょう。お母さまが見守ってくださると、わたしが感じているのと同じように。もし、より良い地へ少し早目に行くことになってしまったなら、あなたが理解してくれ、わたしを許してくれることを願っています。いつかふたたび会いましょうね〉

墓地はかなり新しかった――アルシンダの母親はここができたばかりのころに埋葬された一人に違いない――「パーク・グルーヴ墓地」へ通じる控え目な門に着いたとたんにわかった。ロンドンのもっと広くて現代的な墓地と違い、ここは静かに内省する時間を過ごしたくて訪れるかもしれない人々のためを考えて設計されたのではなく、遺体を地下に保存することだけを目的に作られたのだと。

子どものころ、わたしは地元の教会の墓地で遊んだものだし、「ハイゲイト墓地」へ家族で行ったことを覚えている。そこにおじやおば、祖父が埋葬されていたのだ。アルシンダが訪れていたという母親の墓もそれと似たような場だろうと、わたしは想像していた。厳粛な表情の石造りの天使や古典的なゆったりした衣装に身を包んだ女性の像に見守られ、すすり泣くような音をたてる柳や、蔦が絡んだ陰気な木々に囲まれたところだろうと。わたしが思い描いていたのは、奇妙なシンボルで飾られた霊廟や家族墓地、彫像、墓碑といったものだった。どれも嘆き悲しむ人を引き付ける道具立てで、ある年齢や気質の少女たちの心をとらえることが多い。

けれども、この現代的な墓地は公園(パーク)という示唆に富んだ名前なのに、植え込みがほとんどなく、木立は皆無で、公園という言葉からわたしが考えるものとはまるで違っていた。彫像だの装飾的な記念碑だのは一つもなく、墓石は一様に平凡だった。規則正しく引かれた枠線に沿って並ぶ墓石は、厳格で効率を重視している雰囲気で、学校の寮や軍隊の兵舎を思い出させた。わたしと同年代の人の中には、慣れ親しんだ死者への哀悼を示す感傷的で凝った儀式を嘲る者もいるかもしれないし、骨がどこに保管されようが死者は気にも留めない、と主張する者もいるだろう。とにかく「パーク・グルーヴ墓地」は整然と組織されているが、残酷なほど非人間的な未来を垣間見るかのようで、生者になんら慰めを与えるところではなかった。葬儀が終わったあとでこの場所を訪ねたくなる理由はほぼなさそうだったから、アルシンダがここに執着したことがなおさら奇妙だった。

「ミス・トラバースのスケッチ帳に、崩れかけて蔦に覆われた墓石や彫像の絵が一枚もなかった理由がわかるよ」おもしろみのない通路を次々と歩きながら、ジェスパーソンが言った。

「でも、彼女がスケッチ帳や鉛筆をわざわざ持っていたのはどうしてかしらね」

「秘密主義のミスター・Sは絵のモデルになることを承知しなかったに違いないな」

わたしもアルシンダが記憶に基づいて彼の肖像画を描いたほうがあり得ると思った。

「ここに管理人がいるかどうか探そう。ミスター・Sの顔に見覚えがあるかもしれない」ジェスパーソンが言った。入り口のほうへ引き返すと、こぎれいで小さな門番小屋があった。

そのとき、ずっと降りそうだった雨がとうとう頭上の重たげな灰色の雲からどっと落ちてきたので、厳粛で悲しげな墓参客として現れるはずだったわたしたちは息切れし、よれよれのぐしょ濡れの格好で門番小屋に到着した。

ノックしようとしたジェスパーソンの拳が触れたか触れないかのうちに、毛足の長いツイードの上着姿の、小柄で溌剌とした禿頭の男性が扉を開けた。彼はいそいそと招き入れてくれ、その間じゅう、雨が降ってきたことをくどくどと詫びていた。降ったのは自分のせいだとでも言わんばかりに。

「どうぞ、お嬢さん、暖炉のそばに座ってください。気持ちよくあったまるし、あっという間に服も乾きますさあね」彼は言い、暖炉前に一番近い、インド更紗の覆いがかかった安楽椅子へわたしを導いた。狭い部屋のわりに椅子の数はとても多かった。

わたしたちに紅茶を注ぎながら――今、新しくポットに淹れたばかりだと言い、断る隙を与えようとしなかった――彼はなおも天候が残念だとぼやき、好きなだけいてもらってかまわないと請け合った。

管理人の次から次へと続くもてなしの言葉の合間に、ジェスパーソンはどうにか質問を差し挟んだ。「たぶん、あなたはここの管理人だと思うのですが――それとも、番人とお呼びしたほうがいいですか?」

「いやあ、もう、だんな、あっしはそのどっちでもあるし、それ以上の者でもあるんですよ。管理人で、警備員で、番人で、筆頭庭師で、墓掘り人で、弔問客の代理人で、必要なときは案内人にもなります」彼は誇らしげに言った。「このエリック・ベイリーがお役に立ちますとも。『パーク・グルーヴ墓地』について何か知りたければ――過去のことでも現在のことでも、または未来のことでも――尋ねるべき相手はあっしというわけで。よかったら、うちの案内が書かれた冊子を一冊、持っていきませんか? 暇なときに読めますよ」

「ありがとう――なんともご親切に――」ジェスパーソンは口ごもりながら言い、小冊子へ手を伸ばしたが、壁にある何かに注意がそれてしまった。

ジェスパーソンの視線を追うと、数字や文字がそれぞれの下に書かれたベルがずらりと並んでいた。大邸宅で使用人を呼ぶために取りつけられていたのを見たことがあった装置に似ているが、それが墓地で何の役に立つのか想像もつかなかった。

「もし、墓所の購入をお考えなら、喜んで質問に答えますが、事業のそっち方面はあっしの担当じゃないので、その紹介を――」

「いや、そうではない」ジェスパーソンが言った。「こちらへ来たのは、ある若いご婦人のためです。ここの墓の一つを訪れている間に――一部始終をお話しするより、簡単に要点だけ言いましょう。つまり、そのご婦人はある品物をなくしてしまって、ここで会ったある男性が助けになってくれるのではと思っているんです」

ミスター・ベイリーはこのいかにも見え透いた話にすっかり納得したふうではなかった。質問するためにまことしやかな口実を考える努力をもっとすべきだったと、わたしは思った。「ひなもの？　どんなひなものですか？　もし、ここで何かがなくなったら、見つける人間はあっしに違いありませんよ。なんと言っても見回っていますからな。ここの地所をくまなく――」

「この紳士と話がしたいんです」ジェスパーソンは作り話にこだわるのをあきらめ、スケッチ帳を開いた。「こちらの男性が誰だかわかりますか？」

ミスター・ベイリーに見覚えのある人だということはたちまちはっきりした。「ああ、わかると言っていいでしょうな！　もっとも、ミスター・スマールはこれに似ていると言われたら喜ばないでしょうが――この絵の顔つきはとても悪そうだ。あのだんながこんな表情をしているのを一度も見たことがないですよ！」するとミスター・ベイリーは眉を寄せ、わたしたちを疑わしそうに見つめた。「ははあ！　あなたがたのお友達はミスター・スマールが彼女の〝ひなもの〟を取ったとほのめかしているんじゃないでしょうな？」

「いや、そういうつもりはありません」ジェスパーソンはすかさず言った。「どうか誤解しないでいただきたい――別に中傷しようというわけではない――ただ、彼を見つけられたら……彼女はたいそう感謝するでしょう。そしてぼくたちは彼女の代理として……」

意外にも、管理人はくつくつと笑った。疑念の表情は消え去り、心底からおもしろがっているようだった。「その若いご婦人はミスター・スマールにまた会いたいってんでしょう！　ああ、驚くことじゃありませんな！　で、彼女はミスター・スマールの気を引くため、道にハンケチを落としたというわけで？　おやおや！　こういうことは前にもありましたよ。何度も何度もね……」ミスター・ベイリーは首を横に振り、真顔になった。「そちらの若いお友達に伝えたほうがいいですよ。ミスター・スマールはしゃーわせな女房持ちだと」

ジェスパーソンは顔をしかめて首を振った。「絵から判断すると、彼が色男だという印象は受けないが。ミスター・スマールはしょっちゅう墓地へ来るのですか?」

「まあ、そういうことで！　ミスター・スマールはあっしの親方ってわけでさ！『パーク・グルーヴ墓地』の創設者の一人で主要株主です。長い歴史があって、うんと尊敬されている葬儀屋で、地域社会の重要な一員なのは言うまでもなく」ミスター・ベイリーは座ったまま姿勢を変えて、テーブルに置かれた名刺の山から一枚取ると――ジェスパーソンの両手はスケッチ帳でふさがっていたので――わたしに寄こした。

スマール・アンド・スニッグ
一八七九年創業の優良葬儀社
シデナム
ハイストリート百二十一番地

墓地にいた男性が姉を「ミセス・マール」と呼んでいたとフェリシティが言ったことを思い出し――わたしは意味を悟って、冷たい恐怖心にとらわれた。

ミセス・スマール。

自分でも意識しないうちに立ち上がっていた。「行かなくちゃ」わたしは言った。「今すぐに」

相棒はわたしが慌てふためいていることに疑問も唱えなかった。ジェスパーソンも同じつながりに気づいたのだ。もっとも、彼は礼儀正しい態度を崩さないで管理人に礼を言ったが。わたしはと言えば、扉へ突進して雨の中へ出ていった。予想されるアルシンダの運命を思って、体の中が燃えそうに熱くなった。

でも、何をしたらいいのだろう？　アルシンダがどこにいるのか、見当もつかなかった。わたしはただ歩き回るだけで、思考は混乱状態にあり、服はどんどん濡れていった。とうとうジェスパーソンが馬車を呼び止め、優しいけれどもきっぱりした態度でわたしを中に押し込んだ。「勇気を出せ、勇敢な人（クラージュ・マ・ブラーヴ）」とジェスパーソンに耳元でささやかれた。どういうわけか、この言葉は気付け薬を少々振りかけたような効果があり、わたしの頭ははっきりした。

「わたしたちがスマールをよく知っていることを本人に悟らせてはだめよ」わたしは言った。「ちょっとした芝居をしてみるわ……死期が近い、年寄りの遠縁の親戚がいることにして、スマールのところでどんな葬儀をしてくれるのか尋ねてみる。確信はないけれど、もしかしたら彼の住まいを突き止められるでしょう。その間、あなたのほうはスマールを見張っていなければならないわね。どこかへ出かけたら、あとをつけるのよ――家に帰るのかどうか――別のところへ行くのかを見張って――食事を取りに行くのか、その日の仕事を終えたのかを確かめるの。こういう計画でいかが？」

「理にかなった行動のようだな」

ハイストリートにある葬儀社はここから徒歩で五分ほどのところだった。容易に歩いて行けるし、そうすれば馬車代を節約できたのだが、雨がさっきよりも激しくなっていた。ずぶ濡れになって不快な思いをするより、軽く濡れた程度で到着するほうがいいとわたしは認めた。ジェスパーソンは御者に料金を払い、わたしが葬儀社から出てくるまでどこかで待とうと、きびきびした足取りで歩き去った。

扉を開けたとき、わたしの心臓は落ち着かないほど速く打っていた。入っていくと呼び鈴がチリンと鳴り、甘いと言っていいほどの高い声に迎えられた。

「いらっしゃいませ。どうぞお入りください。ご用件は何でしょうか」

いくらか重荷を降ろして差し上げますよと言わんばかりに両手を広げて近づいてきた女性は、おそらく三十代前半だろう。薄紫色の絹の服を上品に身に着け、茶色の髪をきちんと撫でつけた彼女の顔立ちは平凡だったが、相手の気持ちをなごませそうな表情豊かな黒い目が印象的だった。

「よろしければ、ミスター・スマールとお話ししたいのですが」

彼女は両手を握り締めながら（わたしが手を取ろうとも、握ろうともしなかったので）、残念だという感じのしかめっ面をして、首を横に振った。「申し訳ありませんが、ミスター・スマールは個人的な相談に割く時間が今日はございません――明日も無理です。とてもお忙しい方なのですよ、わたくしどものミスター・スマールは！　たぶん、わたくしでお役に立てるのではありませんか？　ヒヤシンス・スニッグと申しまして、エドガー・スニッグの娘です。父も今は手が離せないのですが、いささかも案じる必要はございません。この仕事のあらゆる面についてわたくしは充分に心得ておりますし、いかなる質問にもお答えできるうえ、助言を差し上げるだけの資格は充分にあります。お掛けになりませんか？」

彼女は臙脂色のフラシ張りの小さな長椅子のほうを身振りで示した。

「いえ、結構です。とてもご親切に。ですが、どうしてもミスター・スマールとお話ししたいのです」

洗練された、職業的な悲哀の色を浮かべた彼女の顔つきが変化し、より偽りのない感情を示すものになった。

「どうやらおわかりじゃないようですね。わたくしは受付係ではありませんの。この会社の正規の共同経営者で、ほぼ十年間の経験があります」

「ああ、ミス・スニッグ！」今やわたしはいらだっていた——自分自身に。「誤解です。失礼なことを言うつもりはありませんでした。もし、葬儀の手配を望んでいるとか、そのたぐいのことで助言を求めているなら、大いに喜んであなたのご意見を仰ぐでしょう」

ミス・スニッグの眉が軽くしかめられた。「葬儀の手配について相談するためにいらしたわけではないのですか？」

わたしは唇を噛んだ。「正確に言うと、そうなります。つまり……問題は込み入っていて、急を要するのです。どうあってもミスター・スマールとお話ししなければなりません。この件で助けになっていただけるのは、彼だけです。待つのはかまいません。ほんの二、三分でも彼が会ってくだされば、説明できます」

ミス・スニッグの顎がこわばった。「二、三分でミスター・スマールに説明できることでしたら、どうかお好きなだけ時間をかけてわたくしにそれを説明してください。わたくしは飲み込みが悪いわけではありませんし、本当に仕事の問題なのでしたら、お役に立てるはずです」

とっさに作り話を思いつくことは得意ではなかった。わたしが口をつぐんでいる時間が長くなるにつれ、こちらに対する彼女の心情がさらに硬化していくのが感じられた。同性を侮辱し、仕事の問題は男性としか話さない女性の一人だと彼女に思われるのは心外だった。葬儀の手配の相談に来たのではないとあんなにはっきり言わなければよかったと思ったが、今となってはほかに逃げ道が見つからなかった。

「ミスター・スマールとの用事は個人的な性質のものなのです」わたしは言った。

ミス・スニッグの目がきらりと光った。「なるほどね。でしたら、勤務時間外に連絡を取るほうがよろしいのではありませんか——自宅へ電話をかけたらいかがでしょう？　または手紙を書くとか？」

「自宅の住所を知らないのです」

「まさか、わたくしが教えるとお思いではないでしょうね」

「教えていただけたら、まことにありがたいのですが」

ミス・スニッグは鼻を鳴らした――鼻を鳴らしたというのが正確だった。そう表現したら彼女は異議を唱えるだろうが。「あなたの妄想をたきつけるようなことをわたくしはしませんよ。ミスター・スマールに個人的な性質の用事があると想像していた女性はあなたが初めてではありません」

「おっしゃる意味がわかりませんが」わたしは言い、この上なく冷ややかな目つきでにらんでやった。

「あら、おわかりでしょう、ミス……?」

返事をせずにいると、ミス・スニッグはせせら笑った。

「ミスでよろしいのですよね?」

「ずいぶんいろいろと推測なさるんですね」わたしは相変わらず冷たい口調で答えた。「わたしが誤解を与えたようならすみません。そんなつもりではありませんでした。ここへ来たのはミスター・スマールと内密の話をしたいと思ったからです。彼の奥さまについて」

そう聞いてミス・スニッグは驚きの色を示した。「彼の奥さま?」

「ええ」当てずっぽうの話だったが、それ以上まともな言い訳を思いつけなかった。「ミセス・スマールとはお知り合いですか?」

「もちろんです」ミス・スニッグは背筋をぴんと伸ばした。「言いましたでしょう、わたくしが十年あまりもこの会社にいると。わたくしたちは家族ぐるみの長い付き合いです。どちらのご夫人も存じています」

これを聞いたとき、わたしの顔に浮かんだ驚愕の色はいかばかりだっただろうか。とはいえ、彼女はすぐさま詳しく説明した。「言うまでもなく、ミスター・アルバート・スマールのお母さまと奥さまのことです」

「ご結婚なさったのは割と最近ですよね?」

ミス・スニッグは眉を寄せた。「どうして、そうお思いに? ミスター・スマールはたぶん十年以上前にご結婚なさったかと。もし、あなたが奥さまをご存知だと主張なさるなら……」

彼女を味方に引き入れることはどうあっても無理だとわかった。「奥さまを知っているなどと主張しません。ミスター・スマールとの用事は奥さまに関することだと言ったのです――でも、もしかしたらわたしの間違いかもしれません。彼の家に同じ名前を持つ別の女性がいることを知らなかったものですから。見つけてほしいとわたしが依頼されている『ミセス・スマール』は、彼のお母さまかもしれませんね。ここへはトラバース家の代理として来たのです。最近、葬儀があったので思い出してもらえるのでは——」

「ああ、あの気の毒なお嬢さまですね！　もちろん、覚えています。忘れられるはずないでしょう？　本当に若くてきれいなお嬢さまだったし、あまりにも突然に、不可解な亡くなり方をしたのですものね！　とてもとても悲しいことでした！」ミス・スニッグは目を潤ませ、初めて見たときと同じように、全体の態度はふたたび柔らかで同情のこもったものになった。「ですが、あのご一家がミセス・スマールにどんな用事があるのでしょうか？」

「ここか、あるいは葬儀で、ご一家はミセス・スマールと会ったことがあるかもしれません」

「あら、まさか。そんなことは決してありません。どちらのご夫人もこの仕事とは関係ないのですから」

「もしかしたら、通りすがりに会ったことがあるとか……？」

「いいえ。きっと何かの間違いに決まっています。おそらく、わたくしが極めて明確に自己紹介したにもかかわらず、トラバースの奥さまが考えているご夫人というのはわたくしのことでは？　伝言を話してくだされば、わたくしが……」

「間違いはありません。ミセス・トラバースが葬儀でミセス・スマールに会っていないなら、おそらくどこかほかのところで会ったとか——」

「絶対にあり得ません」

わたしたちはにらみ合った。わたしは言った。「あなた驚くほど確信がおありなのですね」

「ミスター・スマールは訪問者を受け入れないのです——それに、仕事もなさいません——ご自宅では。お母さまも奥さまもお体の具合がすぐれず、ここ何年もの間、めったに家から出られることはありません。お客さまがいらっしゃることもないのです。ですから、トラバースの奥さまがお医者さまか牧師さまでない限り、どちらのご夫人とも会ったことがないでしょう」

わたしは引き下がらなければならないと悟った。「ごめんなさい。やっぱり考えてみると、彼女はあなたのことを思い浮かべていたのでしょうね。心から親切にしていただいたと、深く感動していましたから……」ミス・スニッグの態度が軟化したのを見て取り、もう一度当ってみた。「でも、ミスター・スマールと話すまで、わたしは自分の義務を果たした気になれないでしょう。今日、あとでまたうかがってもよろしいですか？　ミスター・スマールは絶対にいらっしゃいませんか？」

訓練と仕事に関する彼女の本能――おそらくミスター・スマールがどう言うだろうかという考え――が、追い返したいという欲求と戦っているのが手に取るようにわかった。「ミスター・スマールはご自宅に帰る少し前にいつもここに立ち寄ります。夕食――昼食を取りに帰る前に。十二時半から一時までの間です」

わたしは大げさに、しかも心とは裏腹な口調で礼を言い、戻ってきますと告げた。「わたしを待ってくれるように彼に頼んでいただけませんか？　せめて一時までは」

スマールの住所を知るほかの方法があるかもしれないと思いついた。外に出てジェスパーソンと一緒になると、最寄りの郵便局へ行くべきだと提案した。地元の住所氏名録を見るために。スマールはあまり見かけない名字だから、間違える可能性はなさそうだった。実際、「スマール・アンド・スニッグ」が会社名のところに載っていたのを除けば、地元の住所録にスマールは一つしかなかった。アルバート・E・スマール。地域の地図を一目見ただけで、ジェスパーソンはスマールの家の通りを突き止めた。葬儀社と墓地のちょうど中間ぐらいにあった。

わたしは壁に掛かった時計を見やった。「彼が自宅に帰るまで、まだ二時間近くあるわね」そう言った。「雨が上がってよかった」

わたしたちは早足で歩き出した。このあたりはわたしにとって馴染みがなかったが、ジェスパーソンの方向感覚を信用していいことはわかっていた。それに、記憶力も。地図を一瞥しただけで、彼が頭の中にとどめるには充分なのだ。

囚われている場所を見るまでは救出計画を立てようとしても無意味だと承知していたものの、わたしはアルシンダの状況について考えずにはいられなかった。スマールは彼女を屋根裏に閉じ込めているのだろうか？　それとも、多少の自由は与えているのか？　アルシンダの存在にスマールの妻や母親は気づかないのだろうか？　もしかしたら、アルシンダは二人の病人のための使用人とか世話係として働かされているとか？　それとも、アルシンダに対する呼び方が示すように、彼は彼女を妻と見なしているの？　妻であり奴隷であり囚人――残念ながら、これらの言葉はわざわざ分けて考えるまでもないものだ。

「彼女は望んで囚われの身となっているのかもしれない」ジェスパーソンが言った。

彼の言葉を聞いて身震いし、異議を唱えずにはいられなかった。「肖像画を見たでしょう――恋人にふさわしいような顔だった？」

「ぼくにはそう思えなかったが、ミスター・ベイリーの話を思い出してくれ――ミス・スニッグの話も――ある階級の女性にとって、彼は魅力的に見えるに違いない」

「アルシンダは違うわよ！　彼女が書いたものを読んだじゃないの――スマールが言い寄るかもしれないと予想して嫌がっていたのよ」

「アルシンダが誰を納得させようとしていたと思うんだい？　自分自身か？　とにかく、頼むから、言い合いはやめよう！　この娘がぼくたちに感謝しない可能性を心に留めておいてほしいだけだ。助け出されることを拒みさえするかもしれないと」

　わたしは理解した。愛という名目でどんなことが行なわれるかについて、わたしだって全然知らないわけではない。心とはそういうものなのだ、とかいうことを。たとえミス・トラバースが誘拐犯に心を奪われなかったとしても、彼女の前にいた多くの女性のように、犯人のそばで世話を受けることを耐えるほうを選ぶかもしれない。家に戻って世間から無視され、まるで柔らかな果物であるかのように女性を評価する世の中で、〝傷物〟扱いをされるよりは。「でも、彼女に選ぶ機会を与えなくては」

「もちろんだ」

　わたしはジェスパーソンの腕を取り、並んで歩きながら、誘拐がどのように行なわれたのかと声に出して考えていた。当然、ミス・トラバースは何らかの薬をのむことを承諾したに違いない。でも、アルシンダ自身の葬儀から彼女を連れ去れることに、どうしてそこまでスマールは自信を持っていたのだろう？　彼には共犯者がいたのか？　もしかしたら、死亡証明書に署名した医師が共犯とか。または、空の棺にすり替えて、ミス・トラバースが生きたまま埋葬されないようにするのを手伝ってくれる、信頼する従業員がいるのかも……

「むろん、彼女は生きたまま埋葬されたんだよ」ジェスパーソンが言った。

　わたしはたじろぎ、彼の腕をつかんでいた指に力が入った。彼は驚いたようにわたしの顔を見下ろした。「きみだって気づいただろう？　ベイリーの小屋にあった警報ベルの装置に」

「わたしが思ったのは……侵入者があったときに知らせるベルじゃないかと。たぶん、死体泥棒から守るためじゃないの？」

「なぜ、自分を守ってほしいと死人が誰かを呼ぶんだ？　ぼくもわからなかったことを認めるよ。ベイリーからもらった案内書を読むまではね」ジェスパーソンはなかなか助けになると気づいた箇所を引用した。

〈「安全棺」はスマール氏自身の独自の設計（特許出願中）に基づいて製作され、非常に妥当な追加料金でお求めになれます。不運にも時期尚早のうちに埋葬されたことによる埋葬者の再生は数分以内に、備え付けの警報装置によって施設内の警備員（昼夜の別なく、警報を聞くことが可能）に知らされるでしょう。そのような事態に備えて、この棺は中に収められた人が健在かつ快適でいられるように設計され、棺が発掘されるまでの間、呼吸するのに充分な空気を供給します。埋葬された人の不快感を減らし、あらゆる不安を取り除くため、棺の発掘は可及的速やかに行なわれるでしょう〉

「なんてこと」わたしは膝から力が抜けそうに感じながら小声で言った。思い切り口を開けて空気を吸い込みたい衝動と戦わねばならなかった。

ジエスパーソンがわたしの腕を握る手に力がこもった。

「アルシンダは棺にいた間ずっと意識を失っていて、一瞬たりとも恐怖を感じなかったかもしれない。スマールはアルシンダが死んでいないことを知っていたから、助けを求めて彼女にベルを鳴らさせる理由もなかっただろう……もっとも、彼が自分の装置を確かめてみたいと思っていただけなら、話は別だが……すまなかった」ジエスパーソンは深く悔いているような口調で言った。「ああ、ここだ」

着いたのは長くて曲がりくねった静かな通りで、どっしりした家々が道路と家屋の間に広い前庭を挟んで建ち並んでいた。

「どの家なの？」

「すぐそこの家だと思うが。門柱についた番号が見分けられるかい？　黄花藤（ラバーナム）が上にかぶさっている門柱だ」

ラバーナムが何なのかはわからなかったけれど、灌木が垂れている門柱は見えた。近づいていくと、ヴェールさながらに覆っている葉と葉の間から「14」という数字が表れた。

ジエスパーソンは門を開け、わたしの先に立って通り抜けた。玄関までの狭い道をあとについてくるようにと身振りで示しながら。わたしの頭は空っぽも同然だった。脇に寄って相棒が扉を叩くのを見守る。わたしたちは待った。ジエスパーソンはふたたび扉を叩いた。時間が過ぎるにつれて、不安といらだちの思いが次第に募っていった。家の中では何も動いている気配がなかった。ひそやかに動く音も足音も聞こえず、部屋の扉をそっと閉める音も聞こえなかったが、これほどしんとしていても、なぜか家が無人だとは感じられなかった。

当然ながら、扉には鍵がかかっていた。

ジェスパーソンは上着のポケットの内側に手を伸ばしかけて思いとどまり、扉のまわりにすばやく視線を走らせた。わたしは彼の視線を追った。入り口の上の横木、何の変哲もないドアマットへと向いた視線は、かなり弱々しい植木へ落ちた。柑橘類の木の一種だろうが、扉の右側に置かれたテラコッタ製の鉢に植えてあった。ジエスパーソンはそちらへ踏み出すと、しゃがんで鉢を持ち上げ、その下を手探りして、満足そうな笑顔で鍵を振り回して見せた。

古めかしい大型の鍵で、誰かを締め出すためにも閉じ込めるためにも使えそうな、扉の両側から施錠できる種類のものだった。ジェスパーソンが鍵を差し込んで回すと、タンブラー錠が滑らかだけれども重みを持って動く音が聞こえ、扉が開いた。一瞬後、わたしたちは暗い玄関ホールに立っていた。天井は高く、壁は暗緑色の地にクリーム色の模様が描かれた紙で覆われ、前方に階段が見える。両側の壁にはニス塗装を施した暗い色の扉が並び、開くのを拒むかのようにどれも固く閉ざされていた。

「ミセス・スマール」呼びかける相棒の声に、わたしは飛び上がった。大きすぎる声は、自分たちが無断で玄関から入ったことよりも不法侵入のように思われた。「ミセス・スマール？　心配なさらないでください。あなたに害を与えるつもりはありません。気になさらないといいのですが、勝手ながら入らせていただきました」

ジェスパーソンが口をつぐみ、わたしが息を殺していると何かが聞こえた。彼と目を見交わし、やっぱり音を聞いたのだとわかった。あまりにも小さくてかすかだったから、何の音かも言い当てられなかったが、右側の扉の向こうから聞こえてきたのだ。

その扉を開けてみると、部屋には女性が大勢いた。誰もが椅子に座り、等身大の人形さながらに無言で身動き一つしていない。

「失礼しますが」ジェスパーソンは言い始めたが、言葉は静寂の中に石を落とすようなもので、それきり彼は黙ってしまった。

全部で六人の女性がいた。なんらかの宗教の集まりか裁縫の会さながらに、間隔をあけて輪になって居間に並んでいる。『眠れる森の美女』の城を守っていた呪文でもかけられて、突然に凍りついたかのように。眠っているのだとしたら、目を開けたまま寝ていることになるが、何も見えてはいないだろう。彼女たちが蠟人形でもなければ遺体でもなく、生きた人間であることは明らかだった。ゆっくりした息遣いのせいで、ごくわずかに体が動いていたし、片方の目はときどきまばたきしていたからだ。
ジェスパーソンとわたしは一言も言わずに、部屋のいっそう奥へそっと進んでいった。とはいえ、もっと激しい動きをもってしても、この不自然で不気味な静けさをかき乱すことにはなりそうになかったが。わたしは彼女たちをさらに詳しく調べながら、最初に見えたような等しく同じ人形としてではなく、一人一人の人間として観察し始めた。身につけている、簡素ながらも仕立てのいい、似たような絹のドレスの色に少しずつ違いがあることがわかった。髪の色もやはりそれぞれがわずかに違っていた。おもに茶色かベージュか灰色の、鼠を思わせる色合いだった。姉妹さながらにそっくりな顔なのは、いずれも同様に表情がないせいだろう。あたかも同じ一つの仮面を模倣した仮面をつけているかのごとく。どの顔を見ても、平凡と言っていいのか、美しいと表現されるものなのか、わたしには決めかねた。

女性たちの中で目立つ二人がいた。一人はどう見てもほかの女性よりもはるかに年がいっていて髪は白く、やや背中が曲がっていたからだった。もう一人は若くて金髪だったため、目についたのだ。

これがアルシンダに違いないとわたしは思い、彼女の名を呼ばずにはいられなかった。

反応は遅かったが、間違いなく彼女は応えた。わたしのほうへ顔を向けたのだ。

横に立っているジェスパーソンの体が緊張したのを感じた。わたしは息をのんだ。「アルシンダ？　わたしの声が聞こえる？」

彼女の目は相変わらず無表情で、外の世界に無関心なふうだったし、それ以上の動きは見られなかった。

「ぼくたちが見逃している呪文でもあるんじゃないだろうか。それとも、彼女たちの注意を引かなければならないだけかもしれない」ジェスパーソンが言った。普通の話をする口調で彼は続けた。「こんにちは、みなさん。みなさんの実に巧みですが、不可解な『活人画（タブロー・ヴィヴァン）』の主題が何か教えてくださったら、まことに感謝いたしますよ」

「これが聖書にあるものとか、一般的な歴史上のものとかと関係ないことは確かよ」わたしは言った。「おそらく——婦人たちの聖書の勉強会とか？　いえ、違うわね——わかった。現代のメソジスト教徒の、イギリスでのハーレムなのよ。彼女たちはご主人さまのお帰りを待っているのでしょう」冗談のつもりで言い始めたのだが、この部屋の一つの椅子だけあいていることに気づくまでの話だった。大きくて、使い古されてはいるが、座り心地の良さそうな革製の安楽椅子が用意されていた。このおとなしくて小さな集団の族長のために。

「この〝絵画（タブロー）〟がもっと〝生き生き（ヴィヴァン）〟してくれるほうがいいんだが」ジェスパーソンが言った。「さあさあ、ご婦人がた！　みなさんは義務を怠っていますよ。お客さまを少しはもてなす態度を示してもいいんじゃないかな」

「彼はこの女性たちに何をしたのよ？」わたしはつぶやいてアルシンダの片手を取った。どんなにこすったり握り締めたりしても、相変わらず冷たく、死んだ魚のようにぐんにゃりして反応がない。脈は見つからなかった。何度か脈を探そうとしたあと、アルシンダの手をまた膝の上に載せてやった。「どんな薬をのませれば、こういう状態になるの？」

　ジェスパーソンはかぶりを振った。「ぼくはむしろ催眠術がかけられた結果だと思うよ。おそらく鎮静剤をいくらか服用したことで、余計に催眠術が効いているのだろう」

「薬なら、時間が経てば効果は薄れるでしょう。催眠術からはどうやって目覚めさせたらいい？」

「それにはスマールの手を借りなければならないかもな」

　ジェスパーソンがスマールの名前を口にしたとき、目に見えない何かが揺れるような気配をわたしは感じた。部屋の中を震えが駆け抜けたかのごとく。だから、ある考えを思いつき、大声で言った。「ミセス・スマール！」

　すぐには何も起こらなかった。あとになって思い当ったのだが、わたしが言葉を発してから、彼女たちが反応するまで間があいたのは、空気よりもはるかに濃い、なんらかの媒体を通じて音がゆっくりと伝わるしかない場合にありそうなことだった。言葉を聞いた人は話された音節を個々に解釈するしかなく、それからやっとひとまとまりの言葉として、ある言語から別の言語へ置き換えられるというわけだ。二秒か三秒後、わたしがもう期待するのをやめたとき、五人の女性が青白くて目が見えないひまわりのようにこちらを向いた——誰もが自分の名前を呼ばれたから反応したのだ。「ミセス・スマール」と——ただ一人、アルシンダだけは別だったが。

　不気味な一瞬だった。見えていない目で一斉に凝視され、わたしは恐怖で身震いし、一人の男による束縛の力を想像した。

「ミセス・スマール、わたしの声が聞こえるなら、立ち上がってください」

　たっぷり一分間は待ったが、何も起こらなかった。

　わたしはジェスパーソンと目を見交わした。もしかして男性の声なら、期待したような結果になるのだろうか？　「ミセス・スマール」ジェスパーソンは低い声でゆっくりと言った。「ミセス・スマール、ぼくの声が聞こえるなら、うなずいてくれ」

　誰も身じろぎ一つしなかった。

「彼女たちを催眠状態から解き放つためには、何らかの鍵となる言葉があるのかもしれない。または、あいつは彼だけの声にしか反応しないように女性たちを訓練しているとも考えられる」

　大いに考えられることだとわたしは思った。こんな家庭を築いた男なら、それを支配する力を誰のためであれ、手放す危険など冒すはずがない。

　とはいえ、アルシンダは「ミセス・スマール」と呼ばれても反応しなかった。だから、わたしはもう一度やってみた。

「アルシンダ。立ち上がってください」

　わたしは息をのんだ。彼女が立ち上がったのだ。

　ジェスパーソンと視線が合い、二人とも同じことを考えているのだと知った。アルシンダを連れて出ていっても止められないだろう、と。いったんスマールのところを離れて、朦朧とした状態から回復したら、アルシンダは元に戻るかもしれない。もし、うまくいかなくても、医師がいるし、催眠術に詳しい専門家だって……

　でも、ほかの女性をわたしたちに従わせることはできないだろう。今にもスマールが戻ってくるかもしれないけれど、彼女たちをここに残していけるはずがある？

手に負えない窮地に立たされた。

「アルシンダをガウアー街へ連れていってくれ」ジェスパーソンはきっぱりと言った。

「ここに一人で残るわけにはいかないでしょう」

「一人ならいいんだが」彼はにこりともせずに言い、無言の聴衆たちのほうへ頭を傾げてみせた。

「あなたにそんなことをさせられないわよ」

　半ば腹立たしげに、半ばおもしろがるような表情でジェスパーソンはわたしを見つめた。「どうやってぼくを止めるつもりかな、ミス・レーン？　耳をつかんで引きずっていくとか？」

「お願いよ」わたしは自分と同じようにこの状況を考えてほしいと思いながら、ジェスパーソンをじっと見た。

「あまりにも危険すぎる――」

「ぼくが中年の葬儀屋に太刀打ちできないというのかい？　少しは信用してほしいな。あいつは女性にとって危険かもしれない。しかし――」

　ジェスパーソンの誇りを傷つけたと見て取り、わたしは説明しようとした。「スマール自身はたいした相手じやないし、もちろん、か弱い数人の女性をあなたが恐れるはずはないでしょうけれど、想像してみて。スマールが発した言葉によって、彼女たちがマイナデス（酒神バッカスの信女たち。神を崇め狂乱におちいる）みたいになったらどうなるか。恐れを知らない人間はもっとも残虐なことができるのよ。もしもスマールが彼女たちにとって神に等しい存在だとしたら！」

　戸惑ってじれったそうなジェスパーソンの顔を見てわかった。ここにいる、ドレスに身を包んだ静かで生真面目な雰囲気の婦人たちが血に飢えたけだものに変身し、素手で男を引き裂いて血まみれの肉を堪能するかもという、わたしの想像など彼には論外なのだと。

「いいかい、ミス・レーン」ジェスパーソンは穏やかに言った。「ぼくを信用してくれ。見捨てるわけにはいかないだろう――」

「もし、あなたが残るつもりなら、わたしはここからまっすぐ警察へ行く」

　椅子のきしむ音とスカートの衣擦れの音がして振り返ると、彫像さながらの女性たちの一人が息を吹き返すところだった。茶色のドレスを着た女性で、隣にいる灰色のドレスの女性にかがみこみ、何やらささやいていたが、低すぎて聞き取れなかった。

「ミセス・スマール？」女性は背筋をまっすぐにした。もはや青ざめて生気のない彫像ではなく、冷ややかな表情の人間になっていた。黒い目をぱちぱちさせ、意志の強そうな顎をして、好戦的に顎先を突き出している。耳にかぶさった茶色の螺旋状の巻き毛は少女のものなのに、彼女は三十八歳以下には全然見えなかった。

「あなたたちは誰なの？」彼女は訊いた。「こんなふうに侵入してくるなんて、どういうつもり？　招かれてもいないのに、よくも入ってきたものね？」無理もない怒りの響きがあるにもかかわらず、低くてめりはりが利いた声で言いながら、彼女はジェスパーソンとわたしにすばやく視線を走らせていた。

「本当に失礼しました」ジェスパーソンは心にもないことを言った。「しかし、何度か扉を叩いても返事がなかったので、ほかに選択の余地はないと思いまして――」

　彼女の巻き毛が震えた。「押し入ったということですか？」

「そうではありません」ジェスパーソンが鍵を見せびらかすと、彼女の目は驚きで大きくなった。

「でも――どうやって――どこで――？」

「どこだと思いますか？　ぼくたちがミス・トラバースを心配しているとミスター・スマールが聞いたとき、当然ながら――」

「ミス・トラバースとはどなたです？」

ジェスパーソンは問題の若い婦人を指さした。アルシンダは話が聞こえた様子もなく、相変わらずわたしのほうをぼんやりと見ている。

ミセス・スマールは不興げにフンという声を軽くあげ、冷ややかに言った。「そのお嬢さんはあなたと関係ないでしょう」

「だが、関係あるのですよ。家族が家に帰ってほしがっています」

「ここが彼女の家です。わたしたち、わたしたちが彼女の家族なのです」

ジェスパーソンは疑うように片方の眉を上げた。「本人からそう聞いたほうがもっと信じられますがね」

「彼女はあなたに話すことができません」

「そうらしいな。しかし、誰が話すことを禁じているんですか？」

「スマールさまがそれをお望みになりません」

「ミスター・スマールは不当な監禁やほかの罪状で逮捕されて起訴されることを望まないと思うが」

「脅そうというのですか……？」彼女の声はささやき程度にしか聞こえなかった。見えなくなりそうなほど唇が引き結ばれる。

「そうです」ジェスパーソンは言ったが、楽しそうな口調だった。「彼は重婚罪も課せられるかもしれない。もっとも、彼の婚姻の大半はこの部屋の外で認められないものだろうが。英国人の家庭は主の城だと言われるが、家の中で行なわれたことでも罰を受けずにはすまないものもある。どうしてあなたがたは彼を守りたがるのですか？　ほかの女性と夫を共有して幸せなはずはない。彼が家族から盗み出して、無理やり服従させた女性たちと――」

彼女の青ざめた顔に赤みが差した。「よくもそんなことを！　スマールさまは善良なお方です。申し分のない紳士なのですよ。女性に力を振りかざしたことなど一度もありません――わたしたちの意志に反して何かを無理強いしたことなど決してないのです」

「こういうのが彼女たちの意志だと言うんですか？」ジェスパーソンは無言で動かないままの女性たちを手で示した。

「あなたはわたしたちのことが何もわかっていません。これは彼女たちにとって良いことなのです。こうしていれば、いっそう楽しく一日が過ぎていきます」

「朦朧となって夢うつつの状態でいることが？　ああ、

阿片窟に入り浸っている奴らはそんな理屈をこねるだろうな。しかし、あなたのおっしゃる〝申し分のない紳士〟の妻としての生活に、どうしてそんな逃げ道が必要なのですか?」

ジェスパーソンが話し続けているうちに、わたしはだんだん落ち着かなくなっていった。ここに来てからどれくらい時間が経っただろう? 妻について尋ねた人がいることを聞いて疑わしく思ったスマールが、今にも帰ってくる途中だとしたらどうするの?

動揺している小柄な女性——わたしも大きくはないほうだが、彼女はさらに小さかった——を見ながら言った。

「ミスター・スマールやあなたの生活を、お好きなように正当化なさってかまいません。ですが、わたしたちはミス・トラバースのために来たのだし、家に連れて帰るつもりです」

「そんな人はおりませ——」

「アルシンダ」わたしははっきりした口調で言い、どうにか彼女をさらに引き寄せた。アルシンダを自分で行動できるようにさせるのはなかなか難しいだろう。わたしは腹を立てている女性にふたたび注意を向けた。

「この人の目を覚まさせてくれませんか?」

「そんなことをすべき理由がありますか?」

「もし、彼女がここにいたいなら、本人の口から言わせましょう。そうしたら、わたしたちは帰ります」

彼女はわたしをじっと見つめた。「この人を連れずに帰るということですか?」

「もちろんです。彼女の意志に反して連れ去るつもりはありません」自分が本心を話しているのかどうか、確信が持てなかった。

ジェスパーソンが言った。「約束しますよ。もし、こちらのお嬢さんがここにいたいと言ったら、そのままにしておきます。そうでないなら、彼女が行きたいと望むところへ送り届けます」

「そして、主人についての偽りの話を、この人が広めるのを放っておけということですか? お断りします。彼女はわたしたちにとって、あまりにも厄介な存在になってしまうでしょう」彼女は背を向けて何やらつぶやき始め、催眠状態にあった女性たちが一人ずつ目覚めていった。最後の一人に来たとき、わたしの耳はどうにか彼女の声を聞き取れるようになり、簡単なラテン語の一節のあとにそれぞれの女性の洗礼名をつけた言葉を繰り返しているのだとわかった。こう命令していた。「今を（カルペ）楽しめ（ディエム）、ヴァイオレット」

つまり、身動きもしない状態だった女性を解放するための、いわば「開け、ゴマ」にあたるスマールの呪文がこれなのだ。戸惑ったような態度や眠そうな様子といった、女性たちのゆっくりした反応から察すると、すぐさま危険な存在になることはなさそうだ。とはいえ、最初の女性がもう何語か発した場合、彼女たちが狂乱の一団と化す危険を、わたしは捨てたわけではなかった。看守は得てして囚人の間に「模範囚」を置くものだから、どうやらスマールはほかの女性に及ぼす力をこの最初の女性に与えたらしい。スマールが〝亡くなった〟女性たちを収集できたのは、彼女の協力があったからだろう。この女性が本当のことを話してくれれば、スマールは今ごろ投獄されていたはずだし、ここにいる女性のほとんどは本物の家族の愛情に守られて無事に暮らしていただろうに。今回のことはスマールだけでなく、この人にも責任があるとわたしは思った。彼女への怒りに満ちた軽蔑の思いが心の中で募っていく。もしかしたら、公正な見方ではなかったかもしれないし、スマールは何年もかけて彼女の精神を破壊していき、卑屈な奴隷にさせてしまったとも考えられた。けれども、彼女はどう見ても奴隷にされているようではなく、うぬぼれた薄笑いを顔に浮かべて立っていた。自分がわたしたちに勝てる可能性が次第に高まってきたことを心得ているようだった……

「カルペ・ディエム、アルシンダ」ジェスパーソンが言った。

娘の目がぱっと開いた。さながら驚いた人形といったふうだったが、それから困惑と怒りと恐怖の感情が葛藤しているような表情になった。

「あなたを助けに来たのよ」わたしは急いで言った。「教えてちょうだい。ここを出ていきたいと思う?」

「あらまあ」アルシンダは熱意のこもった口調で言った。「ええ、ぜひとも!」

「アルシンダ!」〝責任者のミセス・スマール〟が大声で言った。「眠れ（ドルミーテ）!」

ただでさえ弱い女性の脳に死語は損害を与えるかもしれないからと、姉妹やわたしはラテン語を学ぶことを許されなかったが、父が話すちょっとした言葉を耳にしながら成長した。今聞いた命令の言葉は、長くて疲れた一日の終わりに父が子どもたちの誰かによく言ったものだった。

「彫像ゲーム」の最中とでもいうようにぴたりと動きは止まったが、アルシンダの空疎な表情はこれが遊びではないことを告げていた。

「ヴァイオレット」わたしははっきりと言い、ベージュのドレスを着た、蒼白で弱々しい女性に驚きの表情が浮かんだのを見て取ると、こう命じた。「ドルミーテ」効果はあった。残念ながら、ほかの女性たちの名前はわからなかった。

「さぞかし自分を賢いと思っているのでしょうね」ミセス・スマールは言った。

「それほどでもないわね。あなたが彼女を目覚めさせ、わたしたちがアルシンダを目覚めさせたといった、あれやこれやを考えれば。ずいぶん時間を無駄にしました。わたしたちがここにいるところをスマールに見つかるのは、あなたも嫌に違いないでしょうから……」

「もっとお嫌なのはあなたがたのほうじゃないかしら」彼女は悪意のある微笑を浮かべて言った。

　わたしは不安で身震いするのを感じた。スマールが帰ってくるまで、ミセス・スマールはわたしたちをここに足止めしておこうと本気で考えているのではないだろうか。

　その間にジェスパーソンはアルシンダを目覚めさせていた。そして落ち着き払った態度で、彼女を連れていくとミセス・スマールに告げた。「お二人のどちらか、ぼくたちと一緒に来たいという方はいらっしゃいますか?」彼は魅力的な笑顔で、ミセス・スマールの横にいる二人の女性を見やった。彼女たちは下劣な提案でもされたかのように反応した。びくっとしてたじろぎ、首を横に振ったのだ。灰色のドレス姿のやや太り気味の女性は目を閉じた。

「わたしたちはこのままで幸せなのです」ミセス・スマールは灰色のドレスを着た震えている婦人のウエストに腕を回しながら言った。

「みんながそうということではないでしょう」わたしが言って手を差し出すと、アルシンダにしっかりと握られた。

「この恩知らずの生意気娘!」ミセス・スマールはにらみつけた。光を受けてきらめく剃刀の刃のように一瞬、怒りが燃え上がったが、彼女が肩をすくめたときには消えていた。くつろいだ表情になったようだった。「よろしいでしょう。そうしたければ、出ていってもかまわないわ、アルシンダ。でも、二度と戻ってはこられませんよ。許しを得られることはありませんからね。それに、わたしたちを裏切ろうなどと考えでもしたら――」

　わたしの横にいるアルシンダがわななきつつ首を横に振るのが感じられた。

　ミセス・スマールは話し続けた。「でも、裏切ろうとしたら、スマールさまが復讐しにいらっしゃるでしょう。あの方から逃れるすべがないことは、あなたもわかっているわね。どれほど遠くへ行っても、この世でスマールさまの身にどんなことが起こっても、あなたに及ぼす彼の力は決して失われないのです」

「何も言いませんわ、マーサ。話さないとミスター・スマールに約束したし、それを守ります。彼のほうは約束を守ってくれなかったとしても。わたしは何度もミスター・スマールに言いました。あなたを愛することはできないと。わたしはあの人と結婚したくありません」

「あの方は何も悪いことをしていないわ。アルバートは善良な方よ。あなたに無理やり言うことをきかせようとはしなかったでしょう? それは認めるわよね? ええ、あなたが認めていることはわかるわ。真実の前には頭を下げるしかないものよね。わたしもあなたも知っているわ。あなたが間違いの元だったこと、彼のわずかな弱点だったことは。だからと言って、世界が終わるわけではないわよね? そうではないわ。もうすぐあなたもどうしたら幸せになれるか悟るでしょう。ほら、まだ間に合うのよ。ただ……」

わたしは気づかなかったのだが、同じようなことを繰り返す彼女の単調な声が効果を及ぼしていた。幸いにもジェスパーソンがその危険を見抜き、アルシンダがさっき与えてくれた鍵をすかさず利用した。

「マーサ、ドルミーテ!」ジェスパーソンは叫んだ。彼の声を聞いて水を浴びせられたような衝撃を覚え、わたしはぎょっとして我に返った。

マーサ・スマールはたじろいだが、一瞬怒りを見せたとはいえ、彼女の目はこれまでどおり警戒の色を浮かべた慎重なもののままだった。呪文は彼女に効かなかったのだ。「本当に厚かましいわね」マーサはにらみつけながら背筋を伸ばした。「よくもわたしの家へ押し入って平和と静けさを邪魔しておきながら、そちらの名前も言わないくせに、勝手にわたしの名前を呼べたものね? 女性は夫の指示しか受けないものなのに、ずうずうしく命令しようとするなんて。出ていって」マーサは危険な響きをはらんだ低い声で言った。「すぐに立ち去るのよ」

アルシンダを連れて扉まで半分ほど行ったところで、わたしはジェスパーソンが動いていないことに気づいた。

「行く前にもう一つ」彼は言った。「はっきりさせておきたい。ここから出ていきたい方がいらっしゃれば、必ずぼくが守りますよ」

「わたしたちが守ります」わたしは口を挟んだ。「ご主人さまが別の人に替わるだけだと思う女性がいるといけないからだ。

「そんなことを望む人はいません」ミセス・スマールが

言った。

「失礼ながら、奥さま、ぼくはご婦人お一人ずつの口から答えをうかがいたい。代わりに話す資格があると、あなたがどんなに感じていらっしゃるとしても」

ミセス・スマールとジェスパーソンとの間につかの間無言の闘いが繰り広げられたが、彼女は観念して仲間の女性たちを目覚めさせた。彼女がほのめかしたように、起こしても無駄だったことがわかった。当惑しすぎて状況を理解できずにいる年老いたメアリーを除けば、どの女性もミスター・スマールへの愛を表明し、ここにとどまりたいという希望を示したからだ。広い世間からどう判断されようと、彼女たちはみな自分がスマールに愛されている妻だと感じていた。たとえ何が起ころうとも、愛するアルバートのもとを去ることなどできないとヴァイオレットがまだ情熱的に宣言している間に、老いたメアリーが立ち上がってふらふらと部屋から出ていった。

マーサ・スマールはいらだちのあまり声をひきつらせた。「あの人は決して落ち着かないし、わたしは彼女を追いかけ回して時間を無駄にしなければならないのよ。スマールさまはさぞかしご機嫌を損ねられるでしょうね。夕食が遅くなったら――」

「大丈夫よ、あなた」気がかりそうな口調でヴァイオレットが言った。「わたしが行ってメアリーお母さまのお世話をしてきますわ――あなたはお料理を進めていらして」

そういう次第で、女性たちを連れてはこなかった。わたしたちにはほかに何ができたというのだろう？　アルシンダを救ったことで幸せな結末だったと満足しなければならない。考えてみれば、それ以上のことをしろと依頼されたわけではなかったのだ。


アルシンダが生まれ育ち、家族が今も暮らしている家は墓地の反対側の二マイルも離れていないところにあったが、彼女はそこへ行きたがらなかった。家に帰るように勧めるとさらに不安そうになるだけだったので、一緒にガウアー街へ戻らないかとアルシンダに提案した。少なくともしばらくの間は、またスマールに出くわしそうな機会から彼女を遠ざけるほうが賢明だと思われた。

三人で鉄道の駅へ向かい、ほどなくして客車の一つを占領して快適に身を落ち着けた。誰にも盗み聞きされる心配をしなくてもよかったから、わたしはスコットランド・ヤードへ行くという話を持ち出した。

アルシンダは目を見開いた。「どうしてですか？」

「スマールは近所でとても評判がいいので、地元の警察は避けたほうが無難かもしれないからよ。それに、彼の犯罪の重さを考えると――」

アルシンダの目に涙があふれ、今にもこぼれそうになった。「犯罪?」彼女はささやくように言った。「ああ、いいえ、違うわ、違います!」

アルシンダはミセス・スマールがほのめかしていた復讐に怯えているのかもしれないと思ったが、わたしは忍耐心など持ち合わせなかった。「彼はあなたを誘拐したじゃないの」と指摘した。「それはとても重大な犯罪よ」

「でも、わたしはそのことに同意したのです!」

「スマールに監禁されることに同意したというの? そうではないでしょう。もし、喜んであそこにいたいなら、連れ帰ってあげます」アルシンダが身震いしたのを目にして、わたしは手厳しい言葉を後悔した。

「いいえ。やめて。そんなことは望んでいません。それに、わたしは感謝しています――ああ! どんなに感謝しているか、おわかりにならないほどよ! 本当のことなのです――彼がわたしの信頼を裏切ったのは。世間に対してわたしを死んだことにしておきたい理由が彼のほうにもありました。わたしは自分の計画に夢中になりすぎて、それがわからなかったのです。埋葬されてから一日か二日したら、また家に帰れるものと思っていました。そして――」アルシンダは言葉を切った。恐怖のあまり、わたしが叫び声を抑えきれなかったからだ。「どうなさったの?」

「つまり、あなたが言っているのは……生きたまま埋められるとわかっていたということ? そのことに同意したの?」

「もちろんです。ミスター・スマールは安全な棺の仕組みを説明してくれましたし、それに――とにかく――わたしはどうあっても死というものを経験しようと決心していましたから、死亡して埋葬されたと宣告されなければ、満足できたはずはないでしょう? そこまでいかないものはただの眠りにすぎません。わたしは完全に死んだ状態になりたかったのです。お墓の静寂を知るためには――それにはこの方法しかありませんでした」アルシンダは揺るぎない信念を持って語っていたが、いにしえの、遠い昔に忘れられた神を称える賛歌を聞いている感じだった。わたしはアルシンダのスケッチ帳にあった書きつけだけでも充分に奇妙だと思ったが、今では彼女の考え方と自分の考え方の隔たりをいっそう強く感じていた。わたしたちは二つの別の人種に属し、異なった信仰を吹き込まれているのかもしれない。わたしからすれば、アルシンダにはどこか人間離れしたところがあるように見えた。

そんなことを思ってわたしは言葉を失ったが、ジェスパーソンは好奇心で顔を輝かせて尋ねた。「怖かったかな?」

「まあ、もちろんです! 決まってますわ! 怖かったです!」アルシンダは落ち着かない様子で笑い声をあげ、もはやかわいらしくて現代的な普通の娘にしか見えなくなった。「あれほど恐ろしかったことはありません……でも、そういうのも死の一部じゃありませんか? 死ぬことを恐れない人などいないでしょう?」

ジェスパーソンはうなずいた。「きみは〝死〟というものに会いたかったのだな。おとぎ話に出てくる少年のように——そしてスマールにしてみれば、自分の棺を宣伝するのにこれほどうってつけの機会はなかったのじゃないかな?」

アルシンダはジェスパーソンが途方もなく驚異的な結論を導き出したかのような顔をしていた。シャーロック・ホームズが帽子を一瞥しただけで、持ち主の男性の職歴を並べ立てるときのように。「ええ! そのとおりなんです! なんて頭が良い方なの! 当然ですけれど、事の次第を知った人たちはミスター・スマールを悪く言うでしょうが、そういうことではないのです! 本物の犯罪ではありません——わたしに関しては絶対に犯罪などではないのです。わたしは彼に懇願しました——実際、無理にやっていただいたのです! それに、まったく危険はありませんでした。なにしろ彼は知っていたのですから。成功すると——」

「以前に少なくとも三度は同じ計画を実行しているからよね」わたしは口を挟んだ。「あそこにいた気の毒な女性たちに。まさか彼女たちもあなたと同じように死を味わいたがっていたとは言わないでしょうね? あるいは、発明品の価値をスマールが証明するための手助けをしたわけでもないでしょう?」

アルシンダは顔をしかめた。「ええ、もちろん違います。あの人たちの理由は……愛のためにそうしたのです。それだけです。彼女たちはアルバート・スマールを狂おしいほど愛していたから、頼まれればなんでもしたでしょう。彼とともに生きられるなら、どんなばかげた計画でも承諾したはずです」

「その後、彼にとって自分が唯一の女性でないことを知っても、気持ちは変わらなかったの?」

「彼女たちの言葉を聞いたでしょう。あの人たちは奇妙で気の毒だと、わたしも思います! 愛とはなんとも不思議で強力なものだと思いませんか、ミス・レーン?」

アルシンダがわたしに向けた表情に当惑させられた。さっき隔たりを感じただけに、急に彼女との共通点を意識させられるのは余計に意外な気がした。

「愛のせいで愚かな行動に走る人もいるわね」わたしは言った。

「アルバート・スマールはその一人です」アルシンダはため息をついた。「彼はわたしに恋をしました――こちらから愛情を求めたことなどありません！――そして彼は誘惑に抵抗できなかったのです。おそらく女性たちとのこれまでの経験から、わたしが彼の気持ちに応えるに違いないと考えていたので、なおさらでしょう。じきにわたしが彼と恋に落ちると思っていたのです……」アルシンダは訴えるような表情でわたしを見た。「ミスター・スマールはいつも親切にしてくれました。彼がわたしを愛していることは責められませんわ、ミス・レーン。そんなことはできません。確かに、彼がやったことは間違っていましたが、わたしにも咎がないわけではないのです。全面的にミスター・スマールに協力しましたし。こうして自由の身になった今、これで終わりにしたいのです。あの人を告発するつもりはありません」

非常に確信を持った口ぶりのアルシンダは、抜け目のない催眠術師によって意志に反した行動をとらされている人間には見えなかった――とはいえ、その方面についてわたしは専門家ではない。それに、罪状の告発についてはあとで議論してもいい。まずは話し合わなければならないほかの問題があった。

汽車が走るにつれてスマールの縄張りから遠ざかっていき、実際に彼との距離ができると、ミス・トラバースがいつ、どのようにして自宅へ戻ったらいいかという問題を俎上に載せられるようになった。アルシンダも警戒心を覚えずにその問題を考えられるようになったらしい。なぜか、自宅のある通りのほうへ向かうだけで胸がどきどきして呼吸が浅くなるのだとアルシンダは話してくれた。自分でも正体不明の何かを恐れているように見えた。

ジェスパーソンは言った。「きみが囚われの身になっていた間、スマールが何らかの暗示をかけたのだと思う。ついにどうにかきみが脱出した暁に、ご家族の元に戻らないようにさせるためにね。理由はわからないが、かつての住まいへ行くことを嫌だと感じているんじゃないかな」

アルシンダは動揺した様子だった。「なんて恐ろしい！では、わたしは二度と家に帰れないということですか？家族が別の家に引っ越したらどうなるでしょう？そうしたら、家族のいるところへ戻れるのでしょうか？」

ジェスパーソンは微笑した。「催眠術による暗示は解くことができる――とりわけ、いったんその存在に気づいたならば。簡単なコツを教えられるし、そちらのほうがよければ、きみの許しを得て、あの男が生み出した問題を簡単に取り除いてあげられますよ。ぼくは催眠術の技術を研究したことがあるので……」

ジェスパーソンの才能には限界というものがないの？　わたしなら、また別の奇妙な男性が自分の心に近づくことを許すのはあまり歓迎しないだろうと思ったが、ジャスパー・ジェスパーソンにはどこか非常に好ましいところがある――それに信頼できそうな人間であることは間違いない――だから、ミス・トラバースが彼の申し出に感謝を示しても驚きではなかった。

「でも、家に帰れたときですが」アルシンダはためらいがちに言った。「家族にどう話したものでしょうか？　誰もがわたしは亡くなったものと思っています。どうしたらうまく説明できるでしょう？　どんな話を伝えたらいいのでしょうか？」

「ご家族には本当のことを話さなければなりません」わたしはたちどころに言った。「どんなに荒唐無稽な話でも、どんなに摩訶不思議なことでも……真実というものは打ち消せない力を持っています。あなたが考え出そうとしているどんな作り話よりもはるかに優れているはずです」

「でも……そうなると、言わなければならないでしょう……彼の名を」

アルシンダの躊躇は、催眠から覚めたあとでも効果を及ぼす命令によるものだけなのだろうかと、わたしは思い巡らした。育ちのいい娘なら、何度も重婚している男に誘拐されたと認めたくない思いは相当あるに違いない。いったん自分の話が公になったら、社交上でどんな結果が伴うことになるかわかるくらいの分別をアルシンダは確かに備えていた。彼女は主張するかもしれない――それが真実だということもあり得るが――スマールは家に迎えた客として、礼儀を持って誠実に接してくれたと。そうしたところで、結婚という市場でのアルシンダは永久に〝傷物〟として猜疑のまなざしで見られるだろう。社会は女性に重荷を負わせるものなのだ。そんな重荷を運んでいることに気づかない者もいるし、簡単に荷物を振り捨てる者もいれば、負わされた荷にあの手この手でなんとか適応する者もいる。わたしはあまりアルシンダを知らないから、いわゆる〝死の雰囲気〟を味わうことが、長く続く疑惑を受けてもかまわないほどの価値があると彼女が考えたのかどうかはわからなかった。

「今回のことにスマールを持ち出さないわけにはいかないでしょう。ほかの方法は思いつかないわね……なんといっても、早くお墓に入りすぎたあなたを解放させてくれた装置を発明したのは彼なのだから」

「しかし、きみが何週間も墓にいたという話は誰も信じないだろう」ジェスパーソンがつけ足した。「今のきみのように健康そうに見えるのでは無理だな」

アルシンダはかすかに顔を赤らめ、まつげの下からジェスパーソンを見上げてほほ笑んだ。彼の態度には戯れめいたものなどなかったのだが。

ジェスパーソンは話を続けた。「きみは埋葬されて間もなく助け出されたが、それは内密にされた。おそらくスマールの妻が――いいかい、妻は一人だけだ。ほかのご婦人がたは彼女の未婚の姉妹に違いない――献身的にきみの世話をして健康を回復させてくれたのだろう。彼らが家族に知らせなかったのは、きみがいつ死んでしまうかわからないと恐れていたからだ。間違った希望を家族に与えることをためらっていたというわけだな」

「ええ、そうね」アルシンダは熱心に言った。「それでいいわ！　それなら信じてもらえると思います。実際に起こったことに近いですし――わたしが普通の状態に戻って、外出できるほど本当に元気になったのはつい二、三日前からのことだと言っていいでしょう……世話をしてくれた人が眠っている間に目を覚まして、自分がどこにいるのかわからずに怖くなってしまったのだと……」

アルシンダは眉を寄せ、自分の心の中を見つめていた。慎重に考えられた作り話を予行演習する彼女の唇が動いているのをわたしは目にした。

二〇三Aの家に着くと、この上なくうれしい料理のにおいに歓迎された。わたしたちがいつ帰ってくるかわからなかったから、ミセス・ジェスパーソンは最高に効果的な方法で牛肉を料理していたのだ。玉ねぎと人参、パースニップ、蕪、じゃがいもと大鍋でじっくり煮込み、温め直せるうえに大人数でも全員に充分行きわたる一品を作ったのだった。

わたしたちは〝ラグー〟（ミセス・ジェスパーソンはそう呼んだが、わたしが子どものころの家では単にシチューと言っていた）を、軽く茹でたキャベツと焼きたての堅焼きパンと一緒に旺盛な食欲で食べた。そのあとはチーズと、クリームを添えたアップルパイも出た。

ジェスパーソンとわたしにとってはその日初めての食事だったし、客のアルシンダも負けず劣らずの食欲を示した。だから、交わされる会話は「塩を取ってください」とか「もっとパンをいただけませんか」程度のものだったが、みんながとうとう食べ終え、消化されるのを待とうと満腹状態で椅子の背にもたれた。その間、ミセス・ジェスパーソンはやかんを火にかけに行った。

ちょうどそのとき、玄関の扉を叩く音がした。ジェスパーソンが応対に出ていき、ほどなくしてフェリシティが駆け込むようにして部屋に入ってきた。

「本当なの？　お姉さまを見つけてくれたの？　ああ、シンダ！　わたしのシンダ！」

アルシンダは危うく椅子を引っくり返しそうになりながら急いで立ち上がり、たちまち二人は抱き合って、喜びのあまり泣き出した。

「でも、どうやって？　どうやって妹のことがわかったのですか？」アルシンダは妹からつかの間離れ、戸惑ったような視線を彼女からこちらに向けた。

わたしはフェリシティが依頼人だったのだと説明した。

「どうしてわたしたちがあなたを探しに来たのかと、不思議に思っていたでしょうね？」アルシンダがその件を尋ねなかったことをわたしは妙だと思わなかった。考えることがほかにいくらでもあったからだ。

けれども、アルシンダの返事には驚いた。「いいえ。お母さまがなさったことだと確信していました」

「義理のお母さまが？」

アルシンダはあやふやな微笑を浮かべながら首を横に振った。「亡くなった母、わたしの実の母のことです。お母さまはこの世を去りましたが、すっかりいなくなったわけではありません。今ではそれがわかります。だって、わたしが……死んでいたとき……お母さまにまた会えたから」アルシンダはため息をついた。「ミスター・スマールから受けた仕打ちに対してわたしが腹を立てたり、復讐心に燃えたりしないことをあなたがたは不思議に思っているでしょうが、そんな気持ちにはなれないのです。わたしが彼を恐れているからだとか、怒りを感じないことを強制されているせいだとお思いかもしれませんが、違います。本当に感謝しているからなのです。ええ、彼がしてくれたこと、与えてくれた大きな贈り物に心から感謝しています。もしかしたら、もっと長くあの家にいて、妻の一人になれと強制されていたら違うふうに感じたかもしれません。でも、あそこにいたときは良いことが悪いことを上回っていたように、やっぱり思うのです。ミスター・スマールはわたしに〝意識を失わせる〟たび、ほかの場所へ逃げられるようにしてくれました——そこにお母さまがいたのです。いつまでもお母さまといたかったのだけれど、戻らなくてはだめよと言われました。まだ若すぎるし、生きるべき人生があるのだからと。逃げなければならないと、お母さまは言ったのです」アルシンダは眉を寄せ、心もとないといった表情をしていた。「逃げようとしたことは覚えているわ。一度、なんとか家から逃げたと思ったのですが、ミスター・スマールに見つかって連れ戻されて……」アルシンダは肩をすくめ、はっきりしない記憶を振り払った。「何が起こったのか正確にはわかりませんが、心配しなくていいとお母さまは言いました。わたしを救ってくれる誰かをよこすからと」アルシンダはわたしたちに笑いかけた。「そうしたら、あなたたちが来てくれたのです」

「お姉さまのお母さまがわたしをよこしたのよ」フェリシティが言った。「わたしの夢に現れたの。正夢だったわ――わたしはそうなるってずっとわかっていたの」フェリシティは勝ち誇ったようににっこりし、つけ加えた。「墓地でお姉さまを見かけたあと、夢を見たのよ」

フェリシティはアルシンダがどういうわけか逃げ出したのだと説明し、自分が見たものについて描写した。けれども、スマールに何を言われたかをフェリシティが話すと、それは本当のはずがないとアルシンダは大声をあげた。あの方がそんなことを言うなんて、とりわけ子どもに言うなんて信じられない、と。

「そのことが夢じゃなかったのは間違いないの？」

フェリシティは姉をにらんだ。「もちろん、夢なんかじゃなかったわ！　目が覚めているときははっきりとわかるもの。でも、お父さまもわたしを信じてくれなかったの。わたしが会ったのがミスター・スマールだなんてご存知なかったのに。どうしたらいいかわからなかったわ。どうしたらまたお姉さまを見つけて、恐ろしいけだものから救い出せるかわからなかったの」

姉の反論に耳を貸さずにフェリシティは話し続けた。

「ミスター・シャーロック・ホームズがお話の中だけの人でなければいいなと思ったわ。もし、現実にいるなら、手紙を出せるから。あの人だったら、わたしが嘘を言っていないって必ずわかってくれると思ったの！　その夜、わたしはミスター・ホームズが本当にいるから、訪ねようと決心する夢を見た。一人で汽車に乗ってロンドンへ来て、ベイカー街を探そうとしていた夢よ。どこかの街角に立って、ちゃんとは読めない地図を見ていたとき、親切な女の人がお手伝いしましょうかと言ってくれたの。その人はお姉さまのベッドの上の壁に掛けてある絵とそっくりだったから、たちまち誰なのかわかったわ。もう少しで『あなたはお亡くなりになったんじゃありませんか？』と言いそうになったけれど、失礼だと思ったから、お礼を述べてこう言ったのよ。ベイカー街二二一Bにいる偉大な探偵を探しているんです、って。そうしたら、女の人は言ったの。お嬢ちゃんが行きたいところの住所は、実はガウアー街二〇三Aなのよ、と。それからずっと一緒に歩いてくれて——途方もなく詳しい夢でしょう！——女の人は扉をわたしに示してくれたの——これがあなたの探していた扉ですよ、って」フェリシティはわたしたちにうなずいて見せながら言った。「でも、夢の中では本物と違いがあったわ。ここの扉には番地しか書いてないでしょう。夢の中では、扉に真鍮の表札があって、ジェスパーソン・アンド・レーンと書いてあったのよ。目が覚めたとき、住所と一緒にその名前を覚えていたの。これこそ行かなくてはいけないところだとわかったわ——シデナムからとても遠かったけれどね。おまけに汽車賃も高かったし」

「あなたがどうやってここを見つけたのかと思っていたのよ」わたしは言った。

「存命だったころのわたしの母をご存知でしたか?」アルシンダが困惑の様子をありありと見せながら尋ねた。「ミセス・ユージーン・トラバースになる前、母はマリア・レッシンガムでした」

ミセス・トラバースが亡くなったころはほんの子どもだったはずのジェスパーソンは穏やかに言った。「お会いする光栄には浴していないですね」

わたしはレッシンガムという名を聞いても、トラバースの名と同様に何も思い当たらなかったが、そう言う前に、ここ数年間、照明を落とした部屋で多くの時間を過ごしたときのことを考えてみた。死者と話すことができ、彼らの霊魂の媒介として行動する能力があると主張する男や女たちと一緒だったときを。ほとんどとは言わないにせよ、その多くは偽物だったが、全部を否定することはできなかった。思考の読み取り、あるいはテレパシーは降霊術者たちが主張するほど、霊魂の力を正確に説明しているわけでもないと思うことはあったが。マリアはありふれた名前だ。生前のアルシンダの母親に会ったことはないと断言できたが、どこかの交霊会で彼女の霊がわたしの霊と出会ったことがあるという可能性はそう簡単に否定できなかった……

つかの間、霊能力に関する調査をしていた初めのころの興奮を思い出し、些細なあれこれにとらわれて、死んだあとの人間がどうなるかという大きな疑問からよくも目をそらしていたものだと考えた。そして最初に思ったほど、自分とアルシンダ・トラバースとの隔たりがないことに気づいた。おそらく何年か前なら、スマールの奇妙な提案は断れないほど心をそそられるものだと、わたしも思ったのではないだろうか？

ミセス・ジェスパーソンがティートレイを持って戻ってきた。息子にはかなり濃いコーヒー（睡眠不足の脳を蘇らせるため）が入った小ぶりの銀製のポットを、そしてほかの者には小さめの美しい青と白の中国製の茶器に入れた、薄くて香りのいい中国茶が用意されていた。

礼儀もお構いなしにお茶を一息に飲むなり、フェリシティは家に帰りたがった。アルシンダは自分の懸念を説明し、ジェスパーソンに手を貸してもらえないかと言った。「もしも、あまりご迷惑でなければ、今晩ここに泊めていただくわけには……」

フェリシティは姉の言葉をさえぎった。「今すぐミスター・ジェスパーソンに助けてもらえないの？」

「もちろん、できるよ。もし、きみがそれでよければ」ジェスパーソンは言い、残りのコーヒーを飲み干した。

間もなくアルシンダはもっとも座り心地のいい椅子に落ち着き、ジェスパーソンは隣に置いたスツールに腰かけた。

「席を外したほうがいい？」わたしは尋ねた。

「いや、そんなことはない。ミス・アルシンダがかまわなければだが」

「かまわないわ」アルシンダは言った。「フェリシティとそうすぐに離れたくありません！」

「フェリシティと家に帰りたいかな？」

「ええ、もちろんです！」

それを聞いてわたしは、家に戻るのを妨げていたものがもはや消え去ったと思ったが、ジェスパーソンは話し続けた。

「そこの場所を思い浮かべてほしい。きみにとってわが家を意味する、具体的な場所を」

「わたしの寝室です」アルシンダは間髪入れずに言った。「家の中で一番狭い部屋で、一番高いところにありますが、わたしが自分のために選びました」

「できるだけ詳しくその部屋を思い浮かべてほしい」

「ああ、簡単なことだわ。屋根窓の下に小さな作業机と椅子があります。ベッドは部屋の奥の壁にくっつけて置かれています。支柱には輝く真鍮製のノブがいくつもついていて、ベッドにはわたしが親友二人と作ったパッチワークキルトが掛けてあって。ベッドの上の壁にはお気に入りの母の肖像画が掛かっています。わたしは毎日、昼も夜もその絵を見るのです。よく、それに向かって話しかけたものでした」

「その絵に集中して。できるかぎり絵の細かい点を思い浮かべるんだ――ただし、声に出さなくていい。自分のために絵をよく見て」

アルシンダは目を閉じた。

「絵を頭に浮かべながら、もう一度家に戻れたら、どんなに幸せかと考えてみよう。その部屋にいて、お母さまの顔を見ていたら、どんなに心が安らぐかと。お母さまの顔にはきみへの愛情が浮かんでいるだろう。彼女はきみを誰よりも愛してくれた人で、いつもきみを守ってくれる。きみがいたいところはそこ以外にない。ぬくもりを感じ、守られて愛されていて安全だと感じられる場所はそこだけだ。きみは自分の部屋にいて安全で幸せで、暖かくて申し分ない気持ちでいる」

ジェスパーソンはそんな調子でもう数分ほど続けた。実に説得力があって眠気を誘う声だったので、いつしかわたしはうとうとして、その部屋にいる夢を見たほどだった。一度も見たことがない部屋なのに、自分の本当の家のように感じ、くつろいで心地よく幸せな気持ちでわたしの母親の絵を見ていたのだ。実際のところ、母とわたしはそんな気持ちとほど遠い関係だったのだが。

ジェスパーソンがアルシンダに――わたしたちに――現在の状況に戻るようにと話したとき、わたしは彼が成功したのだとわかった。わけのわからない呪文など唱えなくても、彼の平凡な魔法の言葉は効き目があった。何よりも意外だったのは、わたしにも効果を及ぼしたことだった――相棒がアルシンダに今の気持ちについて話していたとき、わたしは彼女と同じくらいすっきりして、ゆったりした気分だった。

はるばるシデナムまで送ってもらう必要はないとフェリシティとアルシンダは言ったが、ジェスパーソンは行くと言って聞かなかった。もしも彼女たちの家の外でスマールが共犯者と待ち伏せしていて、逃げ出した囚人を捕まえる気満々でいたらどうするのだ？　たぶん、ミス・トラバースは考え直したほうがいいかもしれない。ロンドンを発つ前にスコットランドヤードへ行ったほうが……

けれども、アルシンダはいかなる罪状でもスマールを告発する気はないと言って譲らず、自分の決断を尊重してほしいと頼んだのだった。

わたしたちはホルボーン・バイアダクト駅まで歩いていき、そこからシデナムまでの切符を買った。実は、送っていって正解だった。フェリシティは往復切符の帰りの分を持っていたが、アルシンダのために片道切符を買えるほどのお金がなかったからだ。ジェスパーソンがポケットに手を突っ込んで、一等車の片道切符を一枚と往復切符を二枚買うためのお金を探っていたとき、わたしは思った。取り組んでいる奇妙な事件から報酬を得られるときが、この先もあるのだろうかと。

家の外で姉妹と別れながら——家族と会うのは自分たちだけのほうがいいと二人が言ったのだ——わたしは今回の件からやんわりと追い出されたように感じた。アルシンダがどんな説明を考え出すとしても、ジェスパーソン・アンド・レーンの名前を出すことはないだろう。でも、それが彼女たちの決断なら、こちらが異を唱える権利などあるだろうか？　良い行ないはそれ自体が報酬という場合もあるのだ。

邪悪な目的を持ってアルシンダたちを待ち受けていた者はいなかった。通りは静かだった。木々で数羽の鳥が鳴いていた。姉妹が何事もなく家に入るのを見届けると、ジェスパーソンとわたしは話し合うまでもなくスマールの家へ向かった。

目的地に着いたころには夕方になっていた。街灯はまだ点いていなかったが、通りに並んだ家のほとんどの窓には温かな明かりが輝いていて、住民が心地よく過ごしていることをうかがわせた——スマールの家を別にすれば。けれども、先に来ている者がいた。ラバーナムの灌木の脇の門を押し開けて進み、ためらいがちに玄関の扉へと足を運んでいる。

その姿には見覚えがあった。とたんに、誰なのかわかった。墓地の管理人、エリック・ベイリーだ。

わたしたちは彼を観察するため、さっきよりも足取りを緩めながら家に近づいていった。ベイリーは何度か扉を叩いた。しんとした空気の中にノックの音がはっきり響いた。ベイリーがミスター・スマールと呼び、自分の名を言う声が聞こえたが、家からは何の反応もなかった。このころにはわたしたちは門のすぐ外まで来ていたから、ベイリーが扉の取っ手を回そうとするのが見えた。それから彼はかがんで鍵穴から中を覗いた。

立ち上がったとき、ベイリーの態度は一変していた。鍵穴から何かを見て心配になったのだろうか、とわたしは思った。ベイリーは顎をさすり、不安そうにそわそわして、その場で回れ右した。このとき、ジェスパーソンが門を開け、彼とわたしは敷地に入っていった。

ベイリーは驚きの声をあげ、もごもごと挨拶の言葉を口にした。

「こんばんは」ジェスパーソンは帽子の縁に触れながら言った。「またお会いしましたね、ミスター・ベイリー！」

相手が誰なのかわかって、ベイリーはややほっとしたようだった。「いやあ、奇遇ですな！　ミスター・スマールを訪ねていらしたので？」

「そのとおり。あなたからもらった案内書がとても興味深かったのでね。名高き『安全棺』について、発明者本人からもっと詳しく聞きたいと思ったのですよ」

聖ペテロから天国での彼の地位について相談するために招待されたとジェスパーソンが言ったとしても、ベイリーはこれほどの驚きを示さなかっただろう。「まさか、ミスター・スマールが自宅にあなたがたを招いたってんじゃないですよね？」

「なぜかな？　そんなに珍しいことですか？」

「そんなことをなさったと聞いたことはありませんよ！　仕事のためだろうと何のためだろうと、奥方さまが病気になられてからというもの、一度もね――四年か五年、もしかしたら六年ぐらい前からずっとかな？　あっしだって、ここへ来るのはちょいと妙な感じだったが、ほかにどうすればいいかわからなかったんでね。一時少し前にお帰りになってから、誰もミスター・スマールを会社で見ていないそうで。あっしはミスター・スマールと三時に約束していて、時間になってもお見えにならなかったんだが、特に深くは考えなかったです。あの方は墓地に顔を出すのがお好きだが、何か用事ができたんだろうと思いましてね。葬儀社の人たちの話では、ミスター・スマールは会議二つに姿を現さず、伝言もよこさず、連絡一つしてこないそうで――とにかく、あの方らしくないんでさあ。ミスター・スマールは一時に食事を取りに家へ帰ったとか。思うに、もしも奥方さまの病気が悪化したなら……」ベイリーは何かを考えてたじろいだらしく、ジェスパーソンを鋭いまなざしで見た。「だんなは約束があるんでしたね？　ミスター・スマールが自分の住まいへ、仕事の話をするためにだんなを招いたということで？」

「いや、そんなことは言っていない。ぼくはもしかしたら会えるかと考えて立ち寄ろうと思ったんだ。しかし、ミスター・スマールは留守らしい」

スマールは逃亡したのではないか、とわたしは思った。残りの〝妻たち〟を全員まとめて、身を隠そうとヨーロッパ大陸へ向かったのではないだろうか。それとも彼らはサザンプトンにいて、アメリカへ船で渡ろうと計画しているのかもしれない。一夫多妻のモルモン教徒に歓迎してもらおうと願っているとか。

エリック・ベイリーは浮かない顔で首を振った。「扉は内側から鍵がかかってます」

「おそらく奥方は夫が戻ってくるまで誰も中へ入れたくないのだろう」

「奥方さまは病弱なんですよ。ミスター・スマールから何度もそう聞いています。だんなさまを中に入れるために一階へ降りてくるなんて無理ですよ――扉に鍵を掛けることも」

「ほかの出口があるに違いないわよ」わたしは言った。「庭へ出る裏口とか」

裏庭は高い塀に囲まれて鍵のかかった門があったため、近づくことができなかったが、脚が長くて力のある敏捷な若い男性にとって、当然こんなものはたいした障害でもなかった。ジェスパーソンが戻ってきて状況を話してくれるのを待つ間、わたしは想像していた。たぶん家の中は空っぽで、探している相手は逃亡したのだろうと。ミスター・ベイリーとわたしの視線が合ったが、お互いにぎこちなくそらしてしまった。何も話すことがなかったのだ。かなり時間が経ったと思われたころ、ジェスパーソンが塀を乗り越えて戻ってきた音がした。

暗がりの中で見えたジェスパーソンの顔は幽霊のようだった。

「ミスター・ベイリー、どうやら警察を呼びに行ったほうがよさそうだ」彼は言った。

ジェスパーソンが話してくれたところによると、家の横側には食事室の窓となっているフレンチドアがあったという。ジェスパーソンは中を覗くなり、彼の言い方を借りると、死の絵画と呼ぶべきものを見て取った。暗かったので多くの細かい点までは見えなかったものの、何人もの体があった場所から判断すると――テーブルの上に倒れている者、椅子の中でくずおれている者、床の上で身をよじっている者――全員が突然に、しかも恐ろしい死を遂げたことがうかがえた。

「何人もの体？」墓地の管理人は恐怖の表情で、かすれて上ずった声をあげた。「しかし、誰の？」

「男が一人と、女が五人」ジェスパーソンは簡潔に答えた。「もっとも、もはや誰も救いようがないに違いないが――地元の警察署へ行く一番の近道は？」

わたしたちはミスター・ベイリーと一緒に警察署へ行ったが、スマールをよく知っているわけではなかったから、引き留められなかった。警察が調査して出した答えをわたしたちが知ったのは公表されたあとだった。警察の結論には同意できなかったが、それを告げる必要もなかったし、言うのは賢明でもなさそうだった。

アルバート・スマールは地元で尊敬されていた人物で、

影響力のある友人も多かった。公式の評決は、砒素が混入されたスープの摂取によって引き起こされた〝事故死〟だった。殺人など一言半句もほのめかされなかった――心の卑しい者たちによる噂話は別だったが。事故でしかあり得ないとされた。スマールの母親は正気を失っていることで知られていた。おそらく彼女は手伝いをしようとして、義理の娘が用意しておいたスープに塩だと思ったものを入れたのだろう。「台所に砒素を置いていたのは誰か」とは誰も尋ねようと思わなかったらしい。

出された疑問のほとんどは、スマール家の者と一緒に食事室にいた三人の正体不明の女性の身元に関するものだった。みな年齢が同じくらいで優美な服をまとっていたことから、使用人や貧しい親戚というよりは、ミセス・スマールの友人らしいと思われた。彼女たちが少なくとも数週間とか数カ月、家族と暮らしていたらしい痕跡も家の中から見つかった。

新聞は警察に協力し、該当しそうな年齢で行方不明の女性の身内がいる者は名乗り出てほしいと報じた。無名の犠牲者たちの死後の写真は不快すぎるだろうから公開されなかったが、地元の警察署では調べられたのかもしれなかった。どれほどの人たちが名乗り出たのかはわからないが、もし「おやおや、彼女が三年前に死んだことを知らなかったら、これはうちの隣人の娘さんの写真だと言ったでしょうな！」などと述べた人がいたとしても、そんなニュースは記事にされなかった。そして、この三人の女性の身元は警察にとっても世間にとっても謎のままとなった。

家にいた全員が死んでいるとジェスパーソンが報告したときから、アルシンダをなんとか助け出せてよかったとわたしは安堵し、ほかの五人の女性を気の毒に思った。彼女たちを殺害したのはスマールに違いないと感じた。悲しいことだが、この世を去るときに妻や愛人や使用人を道連れにすることを主張した昔の残忍な王たちのように、現代の男性が振る舞わないわけではない。スマールのような恐ろしい男ならそんな行動をとりかねないし、自分の犯した罪に対する裁きに直面するのを避けるために自殺するとき、犠牲者たちも道連れにしたのだろう。

ミセス・アルバート・スマールの洗礼名がヴァイオレットだったと知ったとき、わたしは考えを変えざるを得なかった。

マーサとは誰だったのだろうか？

調べた結果、「パーク・グルーヴ墓地」にマーサの偽の墓と思われるものが見つかった。二年前、亡くなったと見なされた当時の彼女の名前はマーサ・ボイド・エリオットで、チャニング・エリオットと結婚していた。彼は妻の墓に「若くして天に召されし最愛の妻」と記していて、名前と死亡日の下には「永遠に我が心の中に」という文字が刻んであった。

こういうことがわかったからといって何も変わらなかった。同じいまわしい犯罪が、同じ人々に対して行なわれたわけだ。状況が変化したわけではなかったが、このことを知ってから、わたしは考えずにはいられなかった。もしかしたら、犠牲者であるとともに悪党でもあった人がいたのかもしれないと。

マーサ・ボイド・エリオットとアルバート・E・スマールのどちらが犠牲者であり悪党でもあったのかと自問しても、わたしには確たる答えがない。

けれども、ある言葉が心から離れないのだ。「彼を責めることはできません」とか「彼にはどうしようもなかったのです」と言っていたアルシンダの柔らかで優しい声が今でも聞こえるようだが、こうつぶやいた警官の言葉も頭に残っている。「毒薬って奴は女の武器だからな」と。

《Le forum du Roman Fantastique》創作

海坊主

井川俊彦

この文章は、正味三十分で書き上げた。

朝起きて、アパートの階段を下りて新聞を取って部屋に戻り、それから、一気に書き上げたのである。

新記録の早さだ。

書くのはいまこのときしかない、という虫の知らせが私を駆り立てたのだ。

発端は小学校のころにさかのぼるのだが、〈それ〉を知ったのは二年前、まだ私が商社に勤めていて、ロンドンに住んでいたころのことである。

そこに旧友の吉川君が訪ねてきて、〈それ〉の話を聞いたのであった。

吉川君は、浅草で老舗の呉服屋で生まれ育ち、その呉服屋を継いだ。

彼は小学生時代の同級生であるが、その後はお互い別な道に進み、地理的にも離れてしまっていた。だが、馬が合うというのだろうか、細くではあったが連絡は取り合っていた。

そして二年前、吉川君夫妻が世界一周旅行の途中にロンドンへ来たとき、私と再会したのである。

ロンドン見物をした後、ショッピングの包みを開いている夫人をホテルの部屋に残し、我々はバーへ入った。

ひさしぶりに見る友人は、いかにも老舗の店の主人という落ち着いた雰囲気を漂わせていたが、話をはじめれば、すぐに小学校の子供時代に戻るのであった。

いろいろな思い出話をしているうちに、私が言った。

「それにしても世界一周旅行とは豪華だ。よっぽど店が繁盛しているんだな」

「そうじゃないんだ」

「そうじゃないなら、なんなんだ?」

「海坊主なんだよ」

「え、なんのことだ」

「覚えていないかなぁ。庭で見たじゃないか。ほら、ミンのミンのミンだよ」

「あぁ」私は思いだした。

吉川君の家の庭で遊んだ日々が記憶によみがえり、怪異な形相の人物が思い出された。

「そういえば、海坊主そっくりな男がいたよな」

「うん。あの海坊主がまた来たんだ」

「え?」

「実はな……」

そう言って吉川君は〈それ〉の話をはじめたのであった。


だが、吉川君の話の前に、小学校のときの発端を説明しておこう。

その当時、吉川君とはよく一緒に遊んだものであった。

彼の家は浅草の老舗の呉服屋で、店の奥には広い庭があり、そこが我々のチャンバラの舞台であった。

この庭の出入りは母屋からするのであるが、商売用の応接室から庭を観賞することもできた。

逆にいえば庭から応接室を見ることができるのだ。したがって、応接室に客がいるときには客の姿も見え、話を盗み聞きすることもできたのである。

二人でチャンバラに明け暮れていたある日のこと。

我々は正義の味方の伊賀忍者であり、悪の権化である髑髏党の秘密基地を探していた。

ふと応接室を見ると、そこでは吉川君の父親が一人の客と対面していた。

その客は、体に比して頭部が異様に大きく、髪が一本も生えてなかった。たまたま彼が庭の方を向いたときに見たのであるが、右目の脇に赤黒い痣(あざ)があり、それがちょうど涙が落ちかかっているように見えた。よくピエロの泣き顔のメーキャップがあるが、あのような珍妙な表情になっていたのである。

普通の背広を着ていたのだが、子供の目にも、妙に似合っていなかったことを覚えている。アラビアンナイトに出てくる魔法使いが着るような、中東風のゆったりした服装の方が似合いそうであった。

すぐさま我々は彼に海坊主という渾名を付け、髑髏党の副党首にしてしまった。

「海坊主なら髑髏党のまぼろし城を知っているにちがいない」

「そうだ」

「よし。あいつの話を盗み聞こう」

「気付かれるな」

「ああ。おぬしこそぬかるなよ」

こうして我々は、客と主人の会話を聞いていたのだが、もちろん、子供に会話の内容が正確に把握できるわけではなかった。後になって、吉川君が父親から聞いたところでは、次のようなやりとりがあったそうである。

海坊主は、突然、来店し、吉川君の父親に面会を求めたのであった。

かなりへりくだった態度で、いきなり来たことをくどくどと弁解し、買いたいものがある、と切り出したそうである。

彼は、甲高い声で、丁寧な日本語を使っていた。丁寧すぎる言葉使いが、かえって外国人であるような印象を受けた、とは吉川君の父親の感想である。

「それで、なにかお求めのものがございますのでしょうか?」と吉川君の父親が聞いた。

「こちらにあります明の眠の未を、ぜひ売っていただきたいのであります」

吉川君と私には、〈明の眠の未〉が何であるのか分からなかったが、それはミンのミンのミンと聞こえ、語呂がいいので、すぐに、髑髏党の城へ入る合い言葉になってしまった。

「明の眠の未？　それはなんでございましょうか」

吉川君の父親も知らないのであった。

「知らないというお言葉はうなずけないでございます。お隠しにならないで下さいませ」

「いえいえ、本当に存じませんですが」

「あの陶器でござりますよ。明時代の陶器でござりますよ。どうぞお譲り下さいませ。お礼は十分に用意してありますです」

彼はかなりの金額を提示したそうである。

「明？　中国の明時代の陶器？　なるほど、骨董でございますか」

「はい。もちろんでござります」

「それならば、持っておりません」

「はぁ?」

吉川君の家は江戸時代から続く老舗であり、蔵の中には、先祖から伝わった多くの骨董があった。だが、呉服商という職業なので、先祖が収集していた骨董は、美人画をテーマとした絵画であった。寛文美人画をはじめとして浮世絵、明治時代の洋画、日本画などなど、すべて美人の姿を描いたものを収集していたのである。

そして、吉川君の父親は、蔵の中にある骨董の内容をすべて知っていた。太平洋戦争が終わって日本中が飢えていたとき、吉川君の家でも貧乏に苦しんでいた。米を買うために、蔵の中にある骨董品が売れないだろうか、ということで家にある骨董品のリストを作ったのであった。そのリストには陶器類はなく、絵画でも中国のものはなかった。

吉川君の父親はこのように説明したのであるが、客は納得しなかった。値段をつり上げるための駆け引きと思ったらしい。

「そんなはずはありませんです。あなた様はお持ちでございます。天の巡りがそうなっております」と言い、買値を次第に上げたそうである。

吉川君の父親は商人らしい丁寧さで応対した。

一方、客はだんだん興奮して金額を大きくし、しまいには大きな家が買えるほどの数字を提示するまでになった。

あまりのしつこさに、とうとう吉川君の父親も、引導を渡すことにした。

「くどいですな。あればご希望に沿いたいですが、ないものは売れません。いくら金を積まれても無理でございます。どうぞおひきとり下さい」

海坊主は泣き出しそうな顔をして立ち上がった。

私は、吉川君に言った。

「おい、後を付けよう。髑髏党の隠れ家が分かるかもしれない」

「合点」

我々は、庭から母屋へ入り、勝手口を通って近道をして、海坊主が店を出るのに間に合わせた。

だが、店の前の通りに彼の姿は見えなかった。

かなり見通しのよい通りなのだが、どこにも、珍妙な姿の人物は見当たらないのであった。

これが小学校時代のことである。

そして、ロンドンで、吉川君が言った。

「あの海坊主があらわれたんだぜ」

「どこに?」

「俺の家に」

「いつの話だ」

「つい半年前さ」

「どういうことだ」

「まあ聞いてくれ」

吉川君は、大学の経済学部を出るとそのまま家業に入った。それから数年して父親が亡くなり、老舗の呉服屋が彼の双肩にかかったのである。

彼には商売の才覚があった。古くからの顧客を大切にする一方で新しい分野に挑戦し、立派に店を盛り立てていった。

そして今では、押しも押されもせぬ老舗の主人なのであった。

ある朝のことである。

吉川君が店の戸を開けると、店の前に、紫の袱紗（ふくさ）に包まれた箱のようなものが置いてあった。誰かが落としていったようにころがっていたわけではなく、きちんと置かれていていてゴミ一つ付いていなかったそうである。

不審に思って店に持ち込み、袱紗をほどくと古い桐の箱が出てきて、箱を開くと中には陶器製の羊の置物が入っていたのであった。

両手で抱えるほどの大きなもので、うずくまって寝ている姿の羊の置物なのであった。精緻な作り、深い色合い、そして時代を経た古さ。骨董に素人の吉川君にも、由緒ある品らしいことが分かった。

心当たりもなく、隣近所に聞いても知らないというので、店の前とはいえ、道で見つけた拾得物ということで、警察に届け出た。そして、誰も名乗り出ずに規定の日数が経過して、その陶器は吉川君のものになったのだ。

ところで、警察の拾得物係が台帳に記録するとき、一人の骨董好きの警官がこの羊を見て思い当たり、調べたところ、これこそ明の眠の未ではないか、と驚いたそうである。

今から五百年ほどまえの中国の明の時代に、黄河流域の上流地方で、陶製の羊が作られたことがあるそうだ。平和な姿で羊が寝ている形をしている置物なのだ。羊は未とも書く。すなわち、眠っている羊なので〈眠の未〉。そして明の時代のものなので、まとめて言うと〈明の眠の未〉となるわけである。

なぜ眠っている羊なのかというと、この地方に古くからある伝説では、羊が眠った姿が、富と平和の象徴なのだそうだ。

もちろん、眠る羊を題材に取った陶器は数多く作られたが、普通、〈明の眠の未〉という場合には、当時の有名な名人が作った特定の作品を指すのだそうである。そもそもこの名人は作品数が少なく、長い年月を経ているので、今では、世界中を探しても一つしか残っていないだろう、といわれる幻の骨董品なのであった。

吉川君が受け取りに出向いたときに、そういう価値ある骨董らしいから、しかるべき所で鑑定してもらい、大切にした方がよい、と注意してくれたそうである。

「なるほど、それでミンのミンのミンか」

私は、長年の謎が解けた思いがした。

「鑑定してもらった結果はどうだった」

「いや。鑑定してもらっていない。俺に骨董趣味はないし、忙しいし、押入にいれたままにしておいた」

「しておいた、って過去形だが、今はもうないのか」

「うん。それで海坊主だ」

「え?」

「あの海坊主が来たんだぜ」

「お店にか?」

「そうだ。突然、店に来て、話があるっていうんだ」

「海坊主って、あの、チャンバラしていたときの男か。あれは、そう、三十年も前のことになるな。だいぶ年寄りになっていただろう」

「それが、そんな年寄りじゃない。昔と変わっていない」

「じゃ、息子だろう」

「いや、本人だと思う。三十年も昔のことだから、記憶があいまいだが、それでも、目に痣があったこと、覚えているだろう」

「ああ」

「あの痣があるんだ。息子なら顔形は似ていても、痣まで同じということはあるまい」

「それなら本人だろうな。しかし、もうかなりの年のはずだがなぁ」

とにかく、その男はくどいくらいに初対面の挨拶をし、それから明の眠の未を譲ってくれ、と言ったそうである。

吉川君は、子供時代の記憶と思い合わせて呆然としていたのだが、男の息せき切った話がとぎれたところを見計らって説明をした。

確かにその骨董品は所持している、しかも手に入った事情が事情だから（と、店の前に置かれていたことを話して）売ることはやぶさかではない、ただ、なんとも腑に落ちないことなので、陶器の由来と、なぜそれをほしがるのかを教えてくれ、と質問した。

ところが、涙が落ちそうになっている顔をくしゃくしゃにして、

「どうか、どうか、それだけはお聞きにならないで下さいませ。ともかく、今度は私が持つことになっているのでございますよ」

と言うばかりであったそうな。

吉川君は何度も食い下がったが、口は堅く、

「それは言えませんです。お願いいたします。お譲り下さいませ。お値段がご不満でしたら……」

と、次々と買値を引き上げたのだそうである。とうとう、豪華な家屋敷が買えるほどの金額になった。

さすがに吉川君も根負けし、家人にその陶器を持って来させ、売ることにした。もとよりこれで儲けるつもりではなかったので、最初に提示された金額でよい、と言ったのだが、海坊主は、大げさに感謝し、

「それでは私の気がすみませんでございます」

と頭を下げた。

結局、最後の値段で取引することになった。

海坊主は、持参したバッグから無造作に札束をいくつも取り出したそうである。

思いもかけないところで、予定外の大金が手に入ったので、吉川君は、奥さん孝行もかねた世界一周の旅を思い立った。その途中、海坊主の話でもあるので、ロンドンの私を訪ねる予定も入れたのだそうである。

吉川君の話が続く。

「ところがさ、また来たんだぜ」

それは、陶器を売ってから一ヶ月ほど後、海外旅行のプランも形ができはじめたころのこと、また、海坊主が店を訪ねて来たそうである。

彼は、お初にお目にかかりますがと、くどくどと挨拶をし、突然訪問したことは幾重にもお詫びしますと言って、例の陶器の話を出したらしい。

「こちらのお宅には明の眠の未があるはずでございます。あれは、こんどは私が持つことになっているものでございます。お礼はいくらでもしますから、どうかお譲りくださいませ」

まるで同じ話である。

「なんだそれ、本当に同じ海坊主か」

「まちがいない、頭の禿具合、目の痣、同じだ。俺も商人だ、人の顔を覚えるのは自信がある」

海坊主は興奮してしゃべり、訳が分からず吉川君が黙っていると、勝手に買値をつり上げていったそうである。

吉川君は、たまりかねて、海坊主をさえぎり、

「ちょっとお待ち下さい。それは、一月ほど前、お宅様にお譲りしましたでしょう」

「え」海坊主の驚愕は大きかったそうである。

「私が……私がもうあらわれましたか……」

吉川君は頷くしかなかった。

「そうですか……あらわれたか……もう終わりだ」

海坊主は、本当に泣き出して涙を流し、それでも丁寧に挨拶して帰ったそうである。

以上が、ロンドンで吉川君から聞いた話である。

もちろんこの話だけではない。ひさしぶりの再会である。いろいろな思い出話で楽しい時間を過ごすことがで

きた。

そして、ニューヨークへ向かう夫妻を見送りに空港へ行ったのだが、これが吉川君を見た最後になった。

彼は、飛行機の中で眠り、そのまま帰らぬ人となったのだ。

信じられなかった。ロンドンでの話によれば、彼は、結婚してから人一倍健康には気を付けていたということだ。今度の旅行の前にも健康診断をした、と話していた。死ぬはずがない。

心不全。医者が書いた診断書にはそう書いてある。公式には、心不全としかいいようがないのだ。

彼の家は妹夫妻が継いでいる。

私は、吉川君の死を聞いて、人間は死ぬものである、というあたりまえのことを実感した。一度しかない限られた人生なら、悔いを残したくないと決心し、商社を辞めて、昔からの夢であった小説家になることにした。

覚悟していたこととはいえ、プロはきびしい。

今日までの二年間、どうにかアパート暮らしができるくらいの生活が続いている。

心の中で思っていることが文章で表現できず、また、文章を書くこと自体が遅いのだ。

夢と現実の差を、身にしみて感じさせられる毎日である。

我ながら、自らの遅筆を嘆くばかりである。

だがしかし、この一文だけは別である。文字通り朝飯の前に仕上げることができた。

実は、新聞を取りにドアを開けたとき、ドアの前に紫の袱紗に包まれた箱のようなものを見つけたのだ。

虫の知らせで、袱紗をほどく前に海坊主の経緯を書いておいた方がよいと思ったのである。

これで書き終えた。

では、袱紗をほどくことにする。

《Le forum du Roman Fantastique》創作

くらう

中川マルカ

中庭に連れ出され、わたしは間近に大きな亀を見た。

亀はぜんぶで四頭。東西南北、四隅それぞれに鎮座する。大人の背丈ほどもある亀らは、それぞれに、あたまを中央に向け、尻尾は、ぴ、と張り四つの方角を指していた。

ひとびとのひしめく奥の部屋の明かりは次第に落とされ、暗く深い、赤い瓦の重なる屋根がさらに深い影をつくる。金色のたらいに、亀は恭しく乗せられて配されていた。たらいは、細く差す月光をその鈍く露わな肌に全て取り込み、たらいと、たらいの内の亀に自然と視線が集まった。地面には、いびつな月が四つ出ているかのようで、それは満ちることも欠けることもなく、ほの白い穴のようでもあり、見つめている者たちをすこし混乱させた。やがて、ひとつのたらいに女がふたりずつ付いた。漢服のような衣をまとった女たちが、亀のあたまのあたりにひとり、と、尾っぽのあたりにひとり来て、あたまの近くにいる者は柄の長い柄杓(ひしゃく)を両腕に支え、その柄杓の合で、時折、亀をぽかりと叩く。柄杓は金属でできているらしく、重く涼しい音がして、叩かれた亀は瞼(まぶた)を下から上に慌てて閉じてぎゅうと首を縮める。一度ならず、二度、三度。柄杓が下り、そのたびに、ぽかりの音が軽やかに鳴った。何を契機にぽかりをやらかすのかわからなかったが、女たちは都度フルスイングをかまし、柄杓が振り下ろされる度にひどく嫌な気持ちがした。

「なぜ叩く」

同行者に小声で聞くが、その人は、じきにわかると誇らしげな顔をした。叩くのをやめてはくれないだろうか、と告げると、しかし、あれも儀式のうちだから静かに見ておくようにと言われ、黙るしかなかった。

たらいに押し込められた亀の足元には、透明な水が滾々と湧き出でる。水は碧(あお)く澄んでいてあたたかそうだった。溢れゆく水の先端はひたひたとあたりに広がり続け、庭ごと沈んでしまうのではないかと不安になる。短い手足は捻じ込まれるようにしてあって、首をすくめると同時に内側で伸び縮みをしているようであり、しかし、動いているのか止まっているのか、本当に生きているのかも判別がつかない。いちばん近くにいる亀は、錆びた銅のような、苔のようなくすんだ緑色で、他のは、緑というより黄色の強い茶をしている。土をかぶった蝉色は、ぽかりの受難を避けられぬまま、皆、やがて瞼を閉じる。甲羅は丸く盛り上がり、なだらかな曲線の、幾つもの重なりによってつくられ、その裾野は奇怪な模様にふちどられ、山全体に岩肌の冷やかさをたたえていた。黒く太い線に描かれた模様は人の顔のようでもあったが、しばらく眺めていると歪んだ虹がかかっているかにも見え、亀が大きすぎるのか、果ては、自分のからだが縮んでしまったのかと錯覚するほどであった。真後ろに立つ男たちの息が不規則に荒く、詰めかけたひとびとの前のめりな欲望が張り巡らされていき、つい、横目で出口を確かめる。

「ここからが、本番なんですよ」

男が腕を組み直し、ほら、と、顎で東の亀を指した。

女共が袖口をたくし上げ、白い腕を剥き出し、摑みかかるように前のめりになると、赤い襟元を何度も直しながら柄杓で亀の口をこじあけようとする。

それは、なりふり構わぬ。

と、いうわけでもなく、はじめのうちはとかく周りの目を気にしている風で、頬にかかる髪を品よさげに払いのけたり、裳裾(もすそ)を整えたりしながら、こういったことは何でもないというさりげない顔をしていたのに、だんだんとその動作に没頭してしまったのか、柄杓はより高く振り上げられ、ぽかりのリズムも激しく高ぶり続けた。ひじを突き出し、亀のあたまを握りつぶさんばかりの勢いで、目を三角に、頭を打ち振り、髪を乱し、眉を吊り上げて食いしばった口元に泡をぶくつかせながら誰彼ともなくきいきい声を漏らしてわめき、しとどに汗をかき、散らし、中にはとうとう片脱ぎになる者までもがあらわれ、中庭の温度はめきめき上がった。亀たちは、ほとんど動かずにおとなしくたらいにおさまっている。女たちがはちきれそうになり、男たちの息がさら熱くなる。この場所の尋常ならざる圧に潰されてしまいそうになるが、出入口はすでに戸板でふさがれていた。獣くさいのはたぶん、酒の回った男共のやみくもにたれながす汗や浮き出る脂のせいだ。血走った目で何かを待っている。巻き込まれてはかなわない。入り乱れる女たちの、すとんとした胴回りに薄羽の袖と、地面をはい回る裾がとても贅沢で、折々あらわになる素肌が、やたらとうまそうに光った。まとわりつく幾重もの布は、鮮血の赤と羽二重の白と海の瑠璃色とで出来ており、からだを振るたびあたらしい景色が広がる。赤色と土の色の重なる様に呆然としていると、四隅からまた別の女たちが静かにあらわれ、両手でやっと抱えられるくらいの盆を胸の高さに掲げて亀の口元に恭しく運んだ。そうして、ようやっと開きかけた口にはまた違う柄杓が差し入れられ、後から来た女たちが手のひらにちょんと盆を乗せ持ってくると、ゼンマイ仕掛けの人形のように、ぎこちない動きで亀に向かって三遍お辞儀をした。息を乱した先の女らも我に返り、上気したまままっすぐに背を伸ばし、同じように三遍頭を下げた。それから、柄杓を抜き取ると、亀は嘴の如き三角の口をこれでもかと開き、そこからぽこぽこと白い玉をこぼしはじめた。

　それは、淡くつやのある、大人のこぶしほどの大きさの白玉であった。

「や」「や」「や」

　皆がそれを指し、玉子だ、玉子だと騒ぎ立てる。

　一つ落ちると、それから、十も、二十も、数珠つなぎになってぽこぽこぽこぽこ吐きだされる。共に吐かれる半透明の粘液に包まれ、結構な勢いで滑り出る玉子は、亀を取り巻く女たちが忙しく立ち働き、一つとて取り落とすことなく受け止めた。亀は両目にいっぱいの涙をため、次々に玉子を吐いている。粘質の涙が、にゅんとはみ出し、落ちる玉子を見送るように、いつまでもそこに留まっていた。

「や」「や」「や」

　誰もが、玉子に夢中であった。

　玉子を真二つに割り、亀の口内を思わせるような桃色の舌をちらつかせながらちうちうと中身を吸い出している。殻は中央に積まれ、玉子を吸った者たちは顔面を紅潮させて恍惚としている。すぼめた口は阿呆のようだった。上着を脱いだり、足を踏み鳴らしたりして、さきほどよりもずっと興奮し、前後不覚でゆらめいたり、互いのあたまをかきむしりあったり大変な騒ぎとなっていた。

●

「うまい料理を食べさせる場所があるんですよ」

と、玉子を出す亀のところへ案内してくれたのは、墨色の絹シャツを着た男であった。

先輩面をする彼の、すべらかなシャツの袖口には黒蝶貝、隙間には古めかしい時計が覗いている。鰐革と思しき足元の、磨き込まれた艶のいやらしさと、外に跳ねたように尖った耳の先端が気になってしまう。男は機嫌良く、ちょっと珍しい料理に詳しいことを自慢気に語り、苔に見紛うキノコの鍋のことや膨れすぎた熊の睾丸のステーキのことやうまれたばかりの仔羊の脳みそのカレーのことなどをたのしげに喋った。そのうち、伊勢海老と結婚してしまった金持ちのことを笑い、ねえ、と相槌を求められたところで立ち止まると、やけに真っ直ぐな目で「最高だよね」と言った。

まちのはずれのいかがわしい建物は、赤で青で黄色で黒で金で、門構えは牌楼(はいろう)のように仰々しい。門から建物までの、およそ十五メートルにわたるアプローチには、群生する竹がアーチをつくる。稈がしなり、葉がそよぎ、空をふさぐ。灯りを囲む硝子(ガラス)には、山水や花鳥が精緻な筆で描かれ、ちいさな世界に幽玄の美を示す。

「この竹は、金明竹(きんめいちく)」

何でも知っているこの男は、竹葉のかかる空を指さし、飛び石を無視して玉砂利を蹴りつけるように進んだ。

「金明竹は別名鼈甲竹(べっこうちく)といって真竹の突然変異種。棹に、金色のしるしが入る。ほら見てごらん」

夕暮れにはまだ早く、季節の変わり目に、細い雲が遠くに流れる。至る所に宮灯(きゅうとう)がぶら下がり、本館の反り上がった軒下には金色(こんじき)の龍が立ち、訪れる人々を見おろしている。右手の奥には祠(ほこら)や石灯籠もある。近くの川を勝手に引き込んでいるのか、湧き水なのか、龍の尾の先をざんざんと水が流れ落ちていた。龍の目には翡翠(ひすい)のようなものが埋め込まれ、水面と共にてらてらと光った。これはまた凝ったつくりで、などと軽口を叩いてみたくもなるが、こんなもの、頼まれても家には置きたくない。両手を合わせている人たちを差し置き、男は何を気にすることもなく扉に手を掛けようとする。おそろしく分厚い扉は石造りのようで取っ手らしきものも見当たらぬ。どのようにして開けるのかと訝(いぶか)れば、押すでも引くでもなく右手をかざしてみせる。

「ごま」

扉は音もたてずに開き、するりと迎え入れてくれた。

「すごいね」

と、感心したところで扉は石にみせかけただけの自動式の扉であった。

重々しく開いた先に、表情の変わらぬ若い男がふたり待ち受けていた。作務衣(さむえ)の上からもすぐれた肉体であることは瞭然だった。かばんを開き、中を見せ、頭、肩、腰、万歳をさせられて、脇回り、尻をなぞられて靴を脱がされ、足の裏まで探られた。何も持っていないですよ、と、微笑んでみせるが、大きい方の男が一つ頷いただけで、あとは職務に没頭し、目を合わせてくれようともしない。

「どうぞ」

機械的に送り出された我々を出迎えた者が、言葉少なに先導する。

「お足元にご注意を」

脱いだばかりの靴にまた足を入れる。

鰐皮の靴には相応の靴べらが必要だった。俺のは背鰐であるなどと男が威張り、出迎えの者が飴色の靴べらを持ち介添えをした。靴くらいひとりで履けとおもうが、口には出さない。

玄関からひとつ下り、地階へ向かう。通路はいずれも小狭く、細い階段は横歩きで降りねばならなかった。窓の向こうに景色はなく、窓枠と見える縁の中には紅色と真緑色とで牡丹が描かれていた。部屋には毛並みの良い絨毯が敷き詰められており、靴音を消した。チベット風の重厚な調度品が配され、吊り下がるシャンデリアは十二もの灯を抱え、涙型に切り込まれたクリスタルが絶えずきらめきを放ち、重苦しいばかりの豪奢は途切れない。窓にも欄間(らんま)にもテーブルにも、それぞれに細かな細工がしてあるが、目を凝らすと、蝶番(ちょうつがい)は傾き、ところどころに色は剥げ、粗雑な仕上がりであると知る。真面目に取り合うと眩暈(めまい)がしそうだった。地下はそのまま下れば道の向こうの洞窟につながっているのだ、と、地階で待つ服務員が教えてくれた。彼の差し出す鍵のついた箱に携帯電話を預け、ようやく通された待合の小部屋で腰を下ろすと、ふさのついた別珍(べっちん)の椅子がみしみし鳴った。

「アラビア語ならイフタフヤーシムシム」

「何それ」

「さっきの」

「え」

「シムシムが、ごま。イフタフが、開け」

「へえ」と、足を組み替えると椅子がまたきしみ、面白くなってからだを揺らす。イフタフヤーと唱えながら男は胡麻なるものが如何に珍重されてきたものかを喋ろうとする。

「どうぞ」

柱の陰に控えていた青い髪をした詰襟の女がしずかに進み出で、茶を点てた。

細い茶さじを筒に差し入れ、引き抜くと同時に茶壷へ茶葉を送り込む。こぷこぷと品よく湯が沸き、土を捏(こ)ねただけのような茶器に湯を滑らせて、花を咲かせた。茶壺から細かな泡が取り除かれ、澄みきった茶が器を満たす。小ぶりな茶杯が目の前に来る。とっぷりと注がれた琥珀色が麗しく、湯気の下に優雅が広がる。卓を人差し指でそっと叩く。聞香杯（もんこうはい）が寄せられ、鼻腔に向け茉莉花茶が不躾なほど一直線になだれ込んでくる。

「本当ですか」

「何が」

「さっきの、洞窟」

　洞窟は冷蔵庫の代わりになっているらしい。それにしても随分大きな冷蔵庫を用意したものと感心し、何が仕舞われているのかと男に聞いてみるが、さあね、とはぐらかされてしまった。何でも知っていると思っていたのに。女は何も言わないし、服務員は静かに笑みをたたえるばかりであった。わたしは椅子を揺らすのをやめた。誰もが黙ると、奥の部屋からごうごうと火のあがる音がした。重ねて、包丁の音がひっきりなしに響き、何かを引き剥ぐ音がして、時折、水の跳ね音が鳴り、耳を澄ませているあいだに胃をふるわすほど旨そうな香りが部屋いっぱいに押し寄せてきた。それは、ものを言うのもはばかられるほど、香ばしく甘く、誉れある香りだった。

●

「どうぞ」

　花茶を三杯飲むと地下から二階に移り、のけぞるほどに旨い中華そばを食わされ、それからまた下って上って、また降りた。

　建物は、地下に二階、上に三階建ての、威圧的でくだらないほど立派な構えであった。各階の天井は高く、柱がやたらと太い。下がっても上がっても天井には龍が現れ、一抱えもあるような朱色の円柱には蓮の花や双魚や法螺貝といった八吉祥紋様のタイルがはめ込まれており、幸運のシンボルが舞い散っている。それぞれの部屋に比べると、通路はどこも狭く階段の勾配はきつい。建物の中を移動する際には必ず誰かしらが付き添い、わたしには詰襟の女が付いた。青色の髪を揺らして、女は手を取り、角を曲がるたびに胸や腰を押し付けてくる。気づかないふりをしながら、布越しの体温に、逐次反応してしまうことをやめられない。

　今ほどすすり上げた麺は全部で半斤ほどもあり、器からこぼれそうな白髪ねぎをかき分けると、月のかけらのような黄金のふかひれが姿を現した。ふかひれは、つややかに光を帯びて湯気を立て、箸をあてると菊の花びらのように崩れ、とぐろを巻いた麺にしつこく絡みつき、昆布とも椎茸ともつかぬ旨味のかたまりの弾けたスープと合わせて、それはもう最高であった。

「最高だよ」

「最高だね」

「あがるね」

「あがるよ」

満たされた欲望と満たされぬ矛先に肉の奥が疼く。

細い指が裂け目に滑り込んでくる様を思うと、閉じた足の間がぬめり、つけている布がじっとり蒸れてくる。恥もなく。

螺旋階段は階下から上階まで吹き抜けており、要所、鼻をかすめる冷たい空気に交ざったぬるくいやなにおいが上がった。さきほどまでの極楽の香りを捻じ伏せる、生きていたものが、死んでしまったあとのような生臭い風。水を流しても消えないような。たぶん。そういうものが追いかけてきて、置いていかれぬよう、付いていかなければと早足になり、しまいに、女の手を振りほどく。ぎ、と潰れた声がして女がいなくなる。おそろしくなり目をつむる。瞼には、暗い洞穴に百も二百も吊り下げられた羽根のない鶏や、酸素のない水に放られた鯉の口がやみくもに開き、蟹が鋏をふりかざす。切り離された牛のからだとあたまだけになった豚と、袋詰めの海老と貝。中華そばのスープの源をあれこれと想像し、くちくなった腹をさすって、葱のにおいの息を吐いた。湿った屋内には、ここを通り過ぎて行ったものたちのすべてが見えない澱(おり)のようにいつまでも残り香が留まっている。淀んだ空気が重なり合う中をかき混ぜるようにして進み、今日、こうして出向いてしまったことをすこしばかり後悔した。

「どうぞ」

亀の居る庭は、その一角だけが打ちっぱなしのコンクリートで、のっぺりした灰色で出来ていた。コンクリートの冷たさは枯れた植物のように感じられて好ましく、禍々しい、極彩色の世界から解放される安堵があった。

●

軒下では、手持無沙汰な人々に酒が振舞われていた。白磁の甕(かめ)に蓄えられているのは、糯米(もちごめ)と麦、辣蓼草(からたで)、陳皮、肉桂からなる黄色の酒で、つよい香りを放っていた。男が、甕から徳利のようなものにそのとろりとした酒を注ぎ分け、徳利と杯とを女たちが運んだ。中庭に集う人たちの手に杯が配られ、何方も酒で満たされた。誰が発声したわけでもなく、知らぬ者同士が干杯と盃を交わし始める。男も、女も、どちらでもないものたちも、かまわず、入り交じる。男は地面に両膝をつく。両手をつく。四つん這いになった姿で腰を振り、おどけてみせる。

「亀の夢は、吉兆」

　男の言葉に、わたしは、尋ねる。小さい亀でいいのか、大きい方が良いのか。一頭なのか、複数か。断片でもいいのか、全体が必要なのか。わたしを無視して、男は喋る。

「解体された亀を見たことはある？　刻んでしまえば、ただの肉だよ。亀はあたまを落としてから甲羅を開く。甲羅はもともとあばら骨なんだ。亀の肋骨は横にのびて、体壁と合わせて肩甲骨を引っ張り込んで甲羅をつくる。骨だから固い。育ちすぎた陸亀の甲羅ともなると固くて、食べられやしない。だから、甲羅を外すんだ。こうして、ひっくり返して隙間から刃を入れる。外れるんだよ、ちゃんと。上手に刃を当てさえすればどんな生きものもばらせるようになる。決まった場所があるんだ。一度覚えるといい。甲羅を剥がしたら最初に膀胱を取る。これを破ってしまうと始末が面倒になるからね。破れると、くさいんだ。とても。半透明のサンドバッグのような大きな袋が膀胱で、その付近には、ほら、金柑みたいな玉が押し込まれているだろう。ご覧。それが玉子だよ。や。気をつけて。生まれる前の玉子は太陽のように赤く輝いてある。それだよ。オレンジの玉の細い血管に囲まれた姿は今にも再び脈打ちそうじゃないか。ね、みどり」

　男は、わたしにみどりと名付けて、勝手に呼んだ。

「死に際の亀は、きい、と鳴く」

などと、いつだかに、男が言っていたのを思い出す。熱を帯びぬ亀の肌は、きっと冷たくあるのだろう。

　彼らが爬虫類の温度を保ったまま建物の一部として飲み込まれていくのであればそれはそれで幸せなことなのかもしれない、などと巡らせながら、長い柄杓でつつかれて咆哮し、白い玉を吐かされている様を眺める。

●

いつ帰ろうかと様子を伺っているところに再び歓声が上がる。呼び止められて振り向けば、わたしにも「どうぞ」と玉子が差し出された。

「いえ、結構です」

　拒むと、係の女が嘘だという顔をしたが、構わず首を振り、もう充分だと後ずさりした。酒だけ受取り、一気に飲み干す。男が立ち上がり、よごれた手を自分の尻に擦り付けた。彼らは、怪訝そうな笑顔をつくり、行き場のない玉子と空いた盃と、引き攣るわたしの顔を交互に見た。

「これは食べておかないと。ねえ」

「ご存知でしょう。これほど高価なものはありません。こんなに珍しいものは他にありません。選ばれた方だけが、召し上がれるのです」

などと、二人して玉子を讃え、勧める。押し問答を繰り返しているうちに、もう二人やって来て、同じ笑顔で「お食べなさいな」と、けしかける。

「せっかくですから玉子をお召し上がりになりませんか。あなたも、遠慮をすることはありません。どうぞ、どうぞ。このように貴重なものは、どうしたって手に入るものではありません。月の隠れる前に、あなたも幸運を掴むべきでしょう」

口々に煽りたて、囃し、「万年の亀」「永遠の命」「選ばれたひと」「うまい」「すごい」と平たい言葉を尽くして熱心に、腕まくりをして詰め寄った。いや、遠慮なんかではない、と伝えるが、彼らはどうにも信じてくれようとせず、わざとらしく勿体ぶっているのは何事であるかと非難し、男は、「これを口にすることができるなんて誰もが羨んでいる」というようなことを、声を落として、すこしむっとしたように、しかし執拗に言い立てて、「はるばる連れてきてやったのに」と繰り返し、「ほら、どうぞ、どうぞ、どうぞ、どうぞ」と手振りを加え、ものを知らない小さなこどもに言って聞かせるように頷きながら、含みのある目を向け顎を外すと、白いものを丸呑みしてみせた。

開かれた喉に殻付きのまま転がり渡る、と、飲んだはずのものがつるりと吐き出され、男はそれを取り出してまた飲んだ。つるりを披露するたびに、とてつもないうまさであるなどと大仰に身をよじり、あふれ出る唾液に唇を濡らす。そのうちに、はちはちの玉子はぱちりと割れて、粘度の高い液体が男の体液と混ざり合う。舌でこねくり回された白濁の液は顎を伝い、係の女がはみ出したものを薄い袖で丁寧にこそぎとる。殻は捨てられ、踏みつけられる。こちらに突きつけられた女の指先も、玉子を覆う粘液に光った。

「せっかくですけれど」

腹はもうすっかり膨れてしまっている。

「無理です」

わたしは迫りくるものを拒む。

「物理的にも」

「物理的にも?」

玉子を掲げる二人の女たちは、拒む言葉をくだらない冗談と受け取ると、だらしなく笑い合い、わたしは、無理であることを繰り返し告げた。取り囲む人々は、それを意気地なしの戯言（ざれごと）だと思っていたらしく、へらへら笑いは、馬鹿にしたような曲がった笑顔になって、そのうちに、ぐうと嘲る底意地の悪い口元に変わった。平らげたばかりのあの上等な中華そばがからだの真ん中あたりをぷかぷかと浮いた。

「どうぞ」

四隅の亀の口からは、玉子がこぼれ続けている。

それはぬらぬらと光る、永遠の、いのちのあかしであると男は言う。

と、亀が、中庭に大きくないた。

どこかいびつな白玉をぽこぽこ吐きつづける亀の足元の、水はざんざと湧き出している。わたしは、耳をふさいで逃げ出そうとする。やおら迫ってきたぬくとい水に、うろこのないさかなにも似たはらひらの足を、すくいあげるようにして出口を探す。指で割く水の、甲で割る波の、よごれた水を蹴散らして、容赦なく、しぶきをあげて。くだんの白の玉子を手にとれば、うその数だけ、だんだら模様がうかんではぜる。そう言って迫る男の出し入れするものが、濁った縞を浮かばせた。こぼれた露のしたたりの、つやめく玉子のはちはちに耳孔を押しあて、濡れそぼるのもかまわずなだらかにふさぎ、息を合わす。殻の内には、いとけなき子亀のちきちき声が、かすかに溜まりふるえてあるようで、背骨をもたぬ、へちゃりのからだをひきずりだしてしまえたら、などと考えてしまったりもするけれども、しかし。わたくしは選ばれた人間などではないし、永遠に生きたくなどなかった。

それでも、男はにじり寄る。男は、何でも知っていて、わたくしそれが飲むことは決まっている未来であると、宣告する。

罰を受けたような顔をして、わたしはみどりの名前ごと、えいやで吸い込み目を閉じた。ずるりと流れくるものが、のどの内側をなぞって落ちる。一筋の流れは、螺旋を描きながら、胸を通り、腹を抜け、やがて手指の先端にまで行き渡る。決して、欲しがってはならない、地獄の味。中身を失った薄い殻は、バランスを取りながら終わりなくゆれる。

《Le forum du Roman Fantastique》創作

消える

伴名練

「じいちゃん、こんにちは!」

元気に声を上げながら病室へ大翔(ひろと)が駆け込んできて、その後から「父さん、起きてた?」と申し訳なさそうに順也(じゅんや)も入ってきた。

私はベッドの上で体を起こしながら応じる。

「おお、二人とも、よく来たねえ!」

驚いたように見せているが、廊下を近づいてくる足音を聞くだけで、息子と孫のものだと分かる程度には病院生活が長くなってしまった。それでも、一週間ぶりの二人の訪問に、否応なしに頬が緩んだ。

「体調の方はどう?」

そう順也に聞かれて、

「まあ一進一退ってところだな」

と返事をする。言葉が嘘でないほどには症状はまだ軽い。大翔の手前、あまり病気の話に深入りするのもよくないし、すぐに話を変える。

「どうだ、大翔。お父さんは毎日ちゃんと料理作ってくれてるか?」

「きょう、父ちゃんがギョーザ作ってくれたけど、皮がぜんぶフライパンにくっついて、中身だけしか食べらんなかった」

「ごめんな、今度は失敗しないようにするから」

憤慨する大翔を順也が宥める。順也の妻であり大翔の母である里穂さんは、通訳の仕事でここ一カ月アメリカにいる。その間、仕事に家事、何より小学三年生の大翔の面倒を見るので順也もなかなか大変そうだが、夫婦共働きの増えた現代、珍しいことでもないのだろう。

大翔は思いのままに次々に話を変える。人気アニメのグッズが貰えるウェブ懸賞に当たったこと、登校日に地震体験車に乗ったこと、近所に変な名前のパン屋ができたこと。

　話題は大翔の好きな人気YouTuberの話に及んだ。

「だからナンジャTV観て！　ぜったいバクショーするから！　じいちゃんは好きなYouTuberいる？」

「うーん、じいちゃんはテレビばっかりで、あんまりネットを観ないからなあ」

「YouTube ほうが、テレビよりぜったい面白いよ！」

「そうだなあ、大翔がそう言うなら頑張るよ」

　苦笑しながらそう答えた。

　年を取ると、今起きていることに心を乱されたくないという気持ちが高くなった。ＳＮＳを駆使し、動画を見て、現代に併走し続ける元気な高齢者もいるようだが、自分はそうはならなかった。スマホでネットを使うことはあまり多くない。

　例外は、昔の記事を見るときくらいだ。炭坑の爆発、ビル火災、山岳遭難、水難事故、航空機の墜落、子供の失踪事件、そういった、古い事件事故のウェブ記事を巡回する。もちろん、その類の記事が次々新たに増えるわけもなく、何度か見たものも多く含まれるが、つい再訪して読み耽ってしまう。

　こういう関心が芽生えたのは、確か順也が生まれたばかりの頃だった。

　小さな息子がそういう事故に巻き込まれては大変だという、不安な思いがあったのだろう。今はもうなくなってしまった駅前の書店で、事故や事件、災害に関する本を買い漁り、妻に気味悪がられたのを覚えている。

　あれから三十年以上が経って、順也ももう心配される側ではなく、元気いっぱいに遊びまわる大翔に心配させられる側だ。

　自分にとっても、可愛い孫の身を案じる思いはもちろんあるが、そこらじゅうに監視カメラがあり、誰も彼もがＧＰＳ付きのスマホを所持する時代になったせいか、昔ほど不安は深くない。そう簡単に、人は消えなくなった。

　どちらかといえば、自分自身に、消滅願望というか、ある日突然ふっと消えてしまうことができないか、という衝動が芽生えている。

　珍しくもない病気で、五年生存率が二十パーセントと告げられてから一年。平均寿命よりは少し短いじゃないかと神様に異議申し立てをしたい気分もあるが、四十年連れ添った妻が一昨年、脳梗塞で亡くなってから、現世に対する執着というものが薄れている。出会って以来、快活で健康的で、自分より長生きするだろうと思っていた連れ合いは、思いもかけず先に逝ってしまった。それをきっかけに、生命への執着が消えつつあるのを肌で感じている。

　ただ、死の間際まで病に苦しめられるのは御免被りたい。だから、自分が人間の理解を超えたものに消してもらえるかもしれないという連想は、恐怖よりも奇妙な安らぎを覚えるものになっていた。

　恐らく、子どもの失踪事件だからこそ、ニュースになりウェブ辞書の項目にもなっているのであって、きっと自分のような年寄り一人がふっと消えても、後世に語り継がれる謎の事件にはならないのだろう。

　深夜に看護師が見回りに来て病室のベッドを見ると、一時間前にはベッドに寝ていたはずの自分の姿がなく、そのまま行方知れずになる――そんな結末もありだと思う。若い頃アンブローズ・ビアスの失踪譚を読んで震えたときには想像もつかなかった、安らぎの感覚がそこにあった。

　ウェブ記事を巡回し過ぎたせいで、今となっては、誰々ちゃん事件、何々くん事件と聞くだけで、親が目を離した数分で玄関先から消えてしまった話だとか、バス停を降りてから家までの数百メートルで消えてしまった話だとか、その具体的なディテールまで思い出せてしまう。なんとも悪趣味な老人だ。

　自嘲気味な思考は大翔の言葉に遮られた。

「来週の土日に、子ども会でキャンプに行くんだ」

「キャンプか」

　思わずオウム返しに呟く。

　一瞬、引き止めようかという迷いも起こった。キャンプ場で子どもがいなくなった事件というのを二つほど知っているからだ。ただ、それは日航ジャンボ機墜落事故を引き合いに出して飛行機に乗るなと言っているようなもので、杞憂も甚だしいお節介だ。

「あまり危ないことをしないように、それから知らない人に着いていかないようにな」

「はーい」

　律儀に返事をする大翔に、順也が口を尖らせる。

「キャンプまでに宿題終わらせる約束だったけど、大丈夫か？」

「もうだいたい終わった」

「本当に？　まだ読書感想文用の本、読み切ってないだろ？」

「だってアレ面白くないし」

　順也と大翔のやりとりがちょっとした言い合いになっているうちに、こっそりスマホを操作する。

　杞憂は杞憂だが、過去にキャンプ場で起きた失踪事件を頭に入れておいた方が、より詳細な注意ができるかもしれない。

ウェブ辞書で「日本の失踪事件」の項目に飛んで、そのリスト中から目的の事件を選び出そうとしたとき、ふと目に入った文言があった。

「畑西満くん失踪事件」

思わずタップしていた。

それは簡素な記事だった。小学校の班登校の途中、五年生の少年が家に宿題を忘れたから取りに帰ると言って班を離れ、そのまま家にも帰り着かず失踪してしまった事件。発生した日時は三十年以上前の北海道だった。その時代その場所なら、コンビニの監視カメラや道行く車のドライブレコーダーなどもなく、こんな風に行方知れずになってしまう事件も起こりえただろう。

誘拐されたとか、変質者に殺されたという可能性が第一に考えられるし、場所的にクマのような野生生物に襲われたとか、川に落ちて流されたという説も上がっていたが、いずれにしても、きっともう解決することはない事件なのだろう。他の未解決事件とさしたる違いは見えなかった。

だが唯一、気になるのは、あれほど失踪事件の記事を見てきた自分が、この記事を読むのは初めてだということだ。だからこそ目についてタップしてしまったのだ。

北海道で起きた別の事例なら覚えているが、こういうシチュエーションで小学生の男の子が消えていたというのは初耳だ。

もしこの記事がでっち上げでないとしたら、これまであまり世間に広まっていなかった過去の知られざる事件を、物好きな誰かが発掘してきて記事を書いたということなのだろうか。

「のど渇いた」

「帰ったらヤクルトあるから我慢しなさい」

「でもオレンジジュース飲みたい、いますぐ飲みたい」

気づけば大翔と順也は別の話題に移っていた。私は日用品を入れている巾着袋から、小銭入れを出し、五百円玉を大翔に渡す。

「この階の廊下の先に、自動販売機があるから、お父さんと一緒に行って買っておいで。オレンジジュースもあったよ」

「よっしゃあ！　じいちゃん、ありがとう！」

歓喜の声を上げる大翔に、順也は苦笑している。

もしかしたら大翔も、ここで言い出せば祖父がジュースを買ってくれると計算ずくでワガママを言ったのかもしれない。その方がいい、そのくらいはしたたかな方が将来、苦労しない。真面目一辺倒な順也よりも大物になるかもしれない。

「父さんも何か飲む？」

「ああ、麦茶でも買ってきてくれると助かる」

順也の質問にそう応じる。本当は自分も茶よりジュースが飲みたいのだが、多少は健康にいい方を選びたい。

二人が部屋を出てから、「日本の失踪事件」一覧のページに戻って改めて目を凝らすと、やはり、以前見たときに比べてどことなく項目が少し増えている……ような気がする。試しに、自分の記憶にないものの一つをタップする。

「継原真矢ちゃん失踪事件」。四十年近く前、小学生の女の子が、母親に付き添われて映画を鑑賞していた際に、映画館内で煙草の不始末により小火が発生した。母娘はアナウンスの誘導に従って避難していたが、出口に殺到する人波の中ではぐれてしまう。火は無事に消し止められたものの、母親が必死になって探しても娘の姿はなく、避難客たちの目撃証言をかき集めても少女の行方は分からず、そのまま消息は途絶えた。

誘拐説の他、北朝鮮の工作員に拉致された説や、実は母親の狂言であったという説も週刊誌上に掲載されたが、いずれも決定打はなく、今に至るまで少女は見つかっていないという。

ベッドの上で思わず腕組みする。

やはりこれも見覚えのない事件だった。年を取った自分の記憶が不安定になっているのでなければ、過去の失踪事件の項目が妙に増えているという事態に説明がつく仮説は、イタズラしかない。

昔ウェブ辞書に、架空の犬種とか歴史上実在しない紛争の項目を忍び込ませ、長期間に渡って掲載させ続けた愉快犯的なイタズラがあったという。よりによって失踪事件で同じことをするとは、流石に不快だった。

二人の足音がまた病室に近づいてきたので、慌ててスマホの電源を切ろうとする。だが誤操作で、「日本の失踪事件」のページに戻ってきてしまい、画面を見るなりぎょっとした。

先ほどの、増えたようなそうでないような、微妙な違和感では済まない。明らかにさっきに比べて項目が増えている。それも三倍以上に。

「殿池光くん失踪事件」「西寺理華ちゃん失踪事件」「小伝馬女児失踪事件」「揚巻市男子小学生失踪事件」「本田俊くん失踪事件」「氷見川女児失踪事件」「遠藤麻紀さん失踪事件」「刈谷千紘ちゃん失踪事件」「折田大和くん失踪事件」「糸満市女子中学生失踪事件」……どれ一つと

して、見覚えも聞き覚えもないものばかりだ。ずらりと並ぶリンク、その中の一つに目を吸い寄せられ、指先が勝手に動いた。

「今立美弥子ちゃん失踪事件」

　事件が起きた日付は、五十年以上前だ。

　小学生の女の子が行方不明になった事件。彼女は子供向けの書道教室に通っており、自分の座席で毛筆の文字を書いては講師の座席に提出しにいく、という普通の課題を繰り返していたが、講師や他の生徒に気づかれないまま、書道の道具のみ残していつの間にか姿を消していた。その日の分の課題がまだ残っていたうえに帰りの挨拶もしておらず、トイレも教室内にあるため、彼女が自分から外に出たとは考えられず、かといって、教室内に不審者が入ってくれば気づかれないはずもない。

　講師や書道教室の経営者に疑いの目が向けられて徹底的に調べられたが不審な点もなく、事件は迷宮入りとなった。現在に到るまで、失踪した少女の手がかりは得られていない。

　……そういった概要を読んで、心の中に湧いたのは、名前のつけられないざわめきだった。

　事件そのものの不可解さや、五十年以上前の事件のはずなのに初耳だという違和感、そんなものとは比較にならない奇妙さ。

　失踪した少女の出身地、年齢、そして名前。

　どれも一昨年亡くなったばかりの妻のそれと符合していた。

　妻が幼い頃、書道教室に通っていた話も本人から聞かされたことがあった。

　だが、妻であるはずがなかった。妻は高校卒業後、小さな会社で事務員として働いていた折に、取引先に勤めていた私と出会って仕事を辞め、私と結婚して順也を生み、三人家族の家事を支え続け、順也が家を出た後はスーパーでパートとして働き、孫である大翔の誕生を見届け、二年前に脳梗塞で亡くなったのだ。

　だからこの記事が示しているのは、妻と同郷で同姓同名、同年生まれの少女が、妻が通っていたのと似たような書道教室で、何十年も前に失踪を遂げていたという、ただそれだけの事実のはずなのだ。

　口の中に何か苦い感覚が広がっている。

　いつの間にか、耳を澄ませても、足音は聞こえなくなっていた。

ビハインド・ザ・ホラー

ホラー映画になった恐怖と真実のストーリー

リー・メラー　五十嵐加奈子訳

青土社　二四〇〇円（税別）

〈Reader's Review〉石倉康司

装丁：大倉真一郎
装画：ヒグチユウコ

実際に起こった事件や怪奇現象の記録を元に製作されたホラー映画は数多く存在する。イギリスの犯罪学者リー・メラーは、そのような映画をこれまでありそうでなかった切り口で紹介している。どのような点が新しいかと言うと、映画自体についてではなく、映画の元になっている出来事についての記録が事細かになされているのである。扱われている映画は二十一本で、最も古い映画は一九三二年日本公開の『M』。近年の映画だと二〇二二年に日本公開されたばかりの『ライトハウス』と、幅広い年代の作品が紹介されているのも特徴的だ。

本書において紹介されている映画は二つに分けられる。凄惨な連続殺人事件やシリアルキラーについての記録と、怪奇現象についての記録だ。後者の方にスポットを当てると、『エクソシスト』『悪魔の棲む家』『ポルターガイスト』『エルム街の悪夢』『プロフェシー』『死霊館』シリーズと、どれもこれも名作揃いである。

これらの映画の元になっている怪奇現象の多くが、実はでっち上げや創作なのが面白いところだ。しかし、本書に記録されている描写や現象は、個人的には映画のそれよりも薄気味悪く感じる。中でも『エクソシスト』の悪魔憑き、『悪魔の棲む家』の奇々怪々とした心霊現象は、嘘だと分かっていても読んでいて背筋が凍る思いを味わえる。その恐ろしさは、もはや映画の方がマイルドだと思えるほど。著者による綿密な下調べと調査が、書かれているエピソードに研ぎ澄まされた恐怖を与えているのだ。

私は澁澤龍彦の「明確な線や輪郭で、細部をくっきりと描かなければ幻想にはならない」という言葉を思い出した（「第一回幻想文学新人賞選評」より抜粋）。恐怖も人の視る幻想の一種である。細部まで描写されることで、たとえ虚構であっても強固なリアリティを表現できるのだ。

一方で、扱われている連続殺人事件については、その猟奇的な手口やシリアルキラーの人物像について、ミステリ小説顔負けの文章で記されている。悪魔じみた人間の恐ろしさには目眩を覚えるほどだ。現実は時として物語より残酷なのである。

扱われている映画を知っていれば見返したくなり、知らなければ興味をそそられ観賞したくなる。ホラー映画ファンだけでなく、ミステリ小説、幻想文学好きでも楽しめる間口の広さをもった良書と言えるだろう。

高原英理恐怖譚集成

高原英理　国書刊行会　三六〇〇円（税別）

〈Reader's Review〉藪下明博

装丁：久留一郎デザイン室
装画：山本タカト［bouguet］

ひと言で〃恐怖〃と言っても、人それぞれに感じ方が違うのは言うに及ばない。これは作家側にも読者側にも共通することで、お互いの感性が折り合わない限り、そこには真の意味での恐怖は顕現し得ない。いくら精魂込めて恐怖を描いたとしても〃見えない〃者には全く見えないのだ。高原英理の描くホラー（本人は恐怖小説・怪奇小説と呼ぶ）は、万人を戦慄させる類の物語でないことは明らかだ。寧ろ、限定された読者、マニアックな〃恐怖〃を希求する、好事家向けと言っても過言ではないだろう。

概して高原英理は、過度な残虐性と肉体的加虐性、猟奇、人肉嗜好、内臓解体趣味、フェティシズムといった、極めてグロテスクな描写を得意とする作家である。時には少年愛や、マンディアルグばりのエロス、泉鏡花を彷彿とさせる夢と現実を往来する幻想譚、或いはミステリー仕立ての不条理小説……これだけ挙げても、その裾野の広さには眼を瞠るものがあるだろう。そして、それらの緊迫した構造を支える硬質な文体。好きな者には好まれるが、受け入れ難い読者は生理的な拒絶反応さえ示す。

本書は、加藤幹也名義で書かれた初期作品「水清く屍、草生す屍」「かごめ魍魎」の二篇、秋里光彦名義で書かれた「よくない道」「日の暮れ語り」「闇の司」の三篇。そして高原英理名義で書かれた「町の底」「呪い田」「樹下譚」「グレー・グレー」「影女抄」「帰省録」「緋の間」の七篇（『抒情的恐怖群』に収録）、全十二篇を収めた短編集である。主に幻想小説を収録した『エイリア奇譚集』に対し、恐怖・怪奇を中心に描かれた小説を集めたものだ。「闇の司」は、第六回角川ホラー大賞短編部門最終候補作まで進んで話題を呼んだ。高原流恐怖譚のエレメントがぎっしりと詰まった、エイリア・ホラーの最高潮と言うべき作品だ。

また「水清く屍、草生す屍」「かごめ魍魎」の二篇は、他作品とはかなり毛色が違い、方言そのものの持つおどろおどろしさが際立っている。『小説幻妖』『幻想文学』誌上に掲載されたもので、今でも初読の恐怖の影は薄れることがない。前者は変格的〃反戦〃とも読み取れ、中井英夫が高評価を与えたことでも知られる。後者は土俗的な社森＝霊界に親しむ子供が、ひとたび村の仲間＝肉界と親しんだ結果、一気に恐怖が顕在化するという根源的な〃恐怖〃の在処を扱った異色作である。高原英理の恐怖の原点を探る上で、欠かせない重要作品だ。

猫の街から世界を夢見る

キジ・ジョンスン　三角和代訳

東京創元社　八八〇円（税別）

〈Reader's Review〉 長尾竜之

装幀：岩郷重力＋W.I
装画：緒賀岳志

十歳で初めてラヴクラフトの「未知なるカダスを夢に求めて」を読んだアイオワ州生まれの少女は、その面白さに興奮しつつも、女性がひとりも登場しないことに気づいた。作品から嗅ぎ取った人種差別的な匂い以上に、女性の不在は気になったに違いない。心にぼんやりとした影が落ちたことだろう。そして年月が経ち、ラヴクラフトにとって女性は描写する価値を見いだせない存在なのだと理解したとき、影は濃さを増したことだろう。その少女、キジ・ジョンスンは作家になると、「未知なるカダスを夢に求めて」をベースにした物語を、ラヴクラフトの「ウルタールの猫」の要素も取り入れつつ、女性の主人公の視点で書き始めた。心のなかの濃い影をついに拭い去る時が来たかのように……。

こうして誕生した本書は、二〇一七年度世界幻想文学大賞中編部門受賞の傑作だ。主人公は五十五歳の大学教授の女性ヴェリット・ボー。別世界の〈覚醒する世界〉へ駆け落ちした教え子の女性を連れ戻すため、〈覚醒する世界〉への入り口を目指し、自分の暮らす世界〈夢の国〉をめぐる旅に出る。ボーが暮らすウルタールは平和な街だが、一歩、郊外へと踏み出せば、〈夢の国〉は実に危険だ。食屍鬼、夜鬼といった怪物がうろつく土地だらけなのだ。そんな土地を踏破しなければならない、五十五歳のヒロイン。実に斬新な展開だ。

〈夢の国〉では女性は抑圧されており、ボーは肌でそれを感じている。さらにボーは旅の経費の心配をしたり、若い男性が好意的に接してきても、それは自分に女性の魅力を感じたわけじゃない、と老いた我が身を思い、さびしくなったりする。丁寧に人物の心情を追う作者の筆致は、ボーに深みを与え、幻想冒険小説のヒロインであることをふと忘れさせる。

多くの苦難を越えて〈覚醒する世界〉にたどり着いたボーが、駆け落ちした教え子をついに見つける終盤は、本書最大の読みどころだ。特にボーと教え子との間でかわされるセリフに注目を。どれひとつとっても忘れがたく、余韻を残すものばかりだ。

二人の女性が最後に下した決断は物語を鮮やかに締めくくる。作者はラヴクラフト作品に欠けた女性という要素を存分に駆使し、ラヴクラフトの世界を、女性たちの力強い物語へと見事に語り直した。ラヴクラフトの想像力への敬意とともに……。拍手を送りたい。

人狼ヴァグナー

ジョージ・W・M・レノルズ　夏来健次訳　国書刊行会　四八〇〇円（税別）

〈評〉植草昌実

装丁：山田英春

かつて、名のみ知られる作品は、知られているだけのことはある逸品だった。だが、過去の作品がデジタルデータ化され、入手も再評価もしやすくなった今、発掘される作品の楽しみは、いわば骨董趣味的なものになってはいないか。だが、その懸念を一掃するだけの埋もれた逸品があった。この『人狼ヴァグナー』である。

本作は、サッカレーの『虚栄の市』やエミリー・ブロンテ『嵐が丘』と同時代だが、安価な小冊子で分冊販売された、大衆向けの連続読み物だ。日本では、荒俣宏氏が帯で名を挙げた曲亭馬琴が『南総里見八犬伝』を書き終えて五年後の作。それを知ると、なるほど「読本（よみほん）」の西洋版といった印象もある。

この物語は、老いたる羊飼いヴァグナーと悪魔との契約で始まる。いかにもゴシック的な怪奇幻想譚の趣だが、悪魔と取引して富と若さを得つつ人狼の呪いをも背負ったヴァグナーさえ、この波瀾万丈の群像劇では、多彩な登場人物の一人でしかない。

時は十六世紀前半、フィレンツェのリヴェロラ伯爵は死の床で、聾唖の娘ニシダと息子フランシスコの姉弟に秘密の手記を託した。それはフランシスコ婚姻の暁に明るみに出されるべきものだったが、ニシダは密かにそれを開封する。そして伯爵の葬儀でニシダとヴァグナーは出会い、恋に落ちる。ある夜、二人の逢瀬のさなかに変身の時を迎えたヴァグナーは、ニシダを後に走り去り、狼となって惨事を引き起こす！（この章は『幻想と怪奇2』に先行して収録された）

ここまでが、邦訳六百ページを超えるこの大作の、ほんの出だしにすぎない。作者は章ごとに新たな驚きを用意し、次への展開を仕掛け、読者を離さない。厳格な修道院長、博奕狂いの青年貴族、侠気ある盗賊の首領……人狼は何処、と思う間も与えぬ登場人物たちと、フィレンツェから名もなき孤島、さらにはコンスタンチノープルへと、転々と変わる舞台を追い、物語の流れにただ身を任せよう。恋、陰謀、監禁と救出、悪魔との闘争、神秘の顕現、戦乱と背教、伯爵家の秘密……古雅な語彙に富んだ訳文も相まって、読者に休む暇も与えず、物語は大団円を迎える。

本作には「この先はどうなるの？」という思いに惹かれ、ただ無心にページを繰り続ける楽しみがある。これこそ、小説好きが常に望む物語の妙味なのだろう。存分に味わっていただきたい。

忌名(いな)の如(ごと)き贄(にえ)るもの

三津田信三　講談社　一八五〇円（税別）

〈評〉牧原勝志

装丁：坂野公一（welle design）
装画：村田修

　三津田信三氏の小説には、読み方にちょっと当惑するような地名や人名が出てくる。だが、奇を衒っているのでは、当然ない。獄門島や鬼首村といった地名や、犬神、刑部などの姓が効果的な、横溝正史の諸作を連想させるように、その独特なネーミングが、作品世界の空気を作っている。

　本作の舞台となる尼耳家があるのは、生名鳴地方の虫経村。東京駅から特急〈つばめ〉で大阪へ、その先は鈍行列車を乗り継ぎ、土泥駅でさらにバスに乗って……と、旅程は書かれているものの、近畿地方の地図を開いても、どのあたりなのか見当もつかない。だが、アマガミ、イナナギ、ムシクビリ、トドロと読むうちに、読者は一九五七年――昭和三十二年の西日本のどこかにある、奇習の残る村へと踏み込んでいく。

　その奇習というのが、題名にある「忌名(いな)」。魔を除けるために密かに付けられる、本人の他には知らされない名であり、子供は七歳と十四歳の二度、一人で山中に行き、その名を記した札を滝壺に投げ込む儀礼「七つ語り」「十四語り」をおこなう。そして「十四語り」の途中で土砂崩れに遭い心停止の状態で発見された少女、李千子が、自分の葬儀の準備のさなか、そのとき何を目にしたかを一人語る。開巻するやポーの「早すぎる埋葬」さながらの状況に、引き込まれずにはいられない。

　本作は本格推理小説である。伝説の化物「角目」にからむ殺人事件が起き、真相を知るデータは読者に示され、解決編では名探偵・刀城言耶が関係者一同を集め、推理を披瀝する。本作が「名」をめぐる物語であるだけに、刀城の推理は地名、人名に及び、犯人だけでなく、尼耳家が、そして虫経村が抱く秘密までをも暴いていく。彼が取り組んできた事件がいずれも、怪奇の色調に濃く彩られていることは、シリーズの読者には言うまでもないことだろう。その中で本作がことに秀逸なのは、最後の一行で本格推理小説としてもホラーとしても、見事な一撃を決めているところにある。

　以前、評者は三津田作品を、M・R・ジェイムズの諸作に比したことがある。ジェイムズを古くさく誤解している向きもあるようだが、ミステリ的に理詰めな物語の中で恐怖を盛り上げるさまは古びようもなく、さらにそのまま三津田作品とも共通しているように思われる、と。だが、本作からはむしろ、別の古典を連想した。密室ものの巨匠による、本格ミステリにして怪奇小説の傑作を……。

寄稿者一覧（五十音順）

（括弧内の数字は掲載頁）

圷香織（64）
英米文学翻訳家。主な訳書にスーザン・イーリア・マクニール『チャーチル閣下の秘書』『スコットランドの危険なスパイ』、ヤンシィー・チュウ『夜の獣、夢の少年』（以上、東京創元社）がある。

朝松健（210）
作家。主な著書に「血と炎の京」（文藝春秋）「邪神帝国」（早川書房）「東山殿御庭」（講談社）「妖臣蔵」（光文社）がある。

井川俊彦（280）
元明海大学歯学部教授（理学博士）。著書に『ここからはじめる臨床検査の計算入門』（医歯薬出版）など多数。訳書にバリー・パーカー『アインシュタインの情熱』（共立出版）など多数。

井上雅彦（194）
小説家。星新一ショートショートコンテスト受賞を経てデビュー。主な著書に『夜会 吸血鬼作品集』（河出書房新社）、『ファーブル君の妖精図鑑』（講談社）など多数。企画監修をつとめる書き下ろしアンソロジー《異形コレクション》（光文社文庫）の最新刊は、11月刊行の第52巻『狩りの季節』。

岩田佳代子（40）
翻訳者。主な訳書にヘイリー・リンド『贋作と共に去りぬ』（贋作ミステリーシリーズ）（東京創元社）がある。本シリーズでの翻訳は、『幻想と怪奇7 ウィアード・テールズ 恐怖と冒険の王国』所収のメアリー・エリザベス・カウンセルマン「魔の潜む館」に続き六度目。

植草昌実（12／他）
翻訳者。主な訳書にジョー・R・ランズデール『死人街道』、エレン・ダトロウ編『ラヴクラフトの怪物たち』（共に新紀元社）、テイテルバウム&ロテム編『シオンズ・フィクション』（竹書房 共訳）、近刊にジョン・ランガン『フィッシャーマン』（仮題 新紀元社）がある。

植松靖夫（145）
東北学院大学文学部教授・翻訳家。主な訳書に、アレイスター・クロウリー『法の書』、『麻薬常用者の日記』『魔術 理論と実践』（以上、国書刊行会）、H・P・ラヴクラフト「文学と超自然的恐怖」（国書刊行会、のち筑摩書房）、アルジャナン・ブラックウッド『心霊博士ジョン・サイレンスの事件簿』（東京創元社）、ヘンリー・メイヒュー『ヴィクトリア時代ロンドン路地裏の生活誌』（原書房）。

渦巻栗（152）
翻訳者。『幻想と怪奇6』（新紀元社）にアルジャーノン・ブラックウッド「トルネード・スミスの大冒険」、ラムジー・キャンベル『グラーキ黙示録』（サウザンブックス近刊）に「フランクリンの章句」が収録される。

金井真弓（231）
英米文学翻訳家。主な訳書にリサ・タトル『夢遊病者と消えた霊能者の奇妙な事件』上下（新紀元社）、M・R・ラインハート『憑りつかれた老婦人』『ヒルダ・アダムスの事件簿』（共に論創社）、アレクシス・ホール『ボーイフレンド演じます』（二見書房）がある。

斜線堂有紀（60）
小説家。著書に『キネマ探偵カレイドミステリー』『神神化身 壱 春惜月の回想』（共にKADOKAWA）、『楽園とは探偵の不在なり』（早川書房）、『ゴールデンタイムの消費期限』（祥伝社）など多数。近著に『廃遊園地の殺人』（実業之日本社）がある。

田村美佐子（176）
翻訳家。主な訳書に、サックス・ローマー『魔女王の血脈』（書苑新社）、エヴァンジェリン・ウォルトン《マビノギオン物語》シリーズ、ピーター・トレメイン《修道女フィデルマ・シリーズ》『憐れみをなす者』（共に東京創元社）がある。

中川マルカ（288）
文筆家、料理家。北九州生まれ。マルカフェ文藝社主宰。編著に同社同人誌「棕櫚 shuro」第1-7号他あり。ナショナルエッセイプロジェクト『コドモクロニクル』（惑星と口笛ブックス）に「精華通りに」寄稿。

西崎憲（203）

翻訳家、作家。訳書・編纂書に『郵便局と蛇』コッパード、『短篇小説日和』『怪奇小説日和』（以上、筑摩書房）など。著書に『蕃東国年代記』（東京創元社）、『全ロック史』（人文書院）、『未知の鳥類がやってくるまで』（筑摩書房）、『ヘディングはおもに頭で』（KADOKAWA）など。電子書籍レーベル〈惑星と口笛ブックス〉主宰。歌集に『ビットとデシベル』（フラワーしげる名義　書肆侃侃房）。

伴名練（298）

作家。著書に『少女禁区』（角川書店）、短編に「聖戦譜」（惑星と口笛ブックス『ヒドゥン・オーサーズ』収録）、「墓師たち」（柏書房『Kaze no tanbun 移動図書館の子供たち』収録）など。

ひらいたかこ（表紙イラスト）

イラストレーター。最近作は「不思議の国のアリス」をテーマにした画集『アリス、アリス、アリス！』（東京創元社）ミステリの装画、挿絵も多数。

藤原ヨウコウ（2）

イラストレーター、挿絵画家。最近の仕事に、武内涼著『源平妖乱　鬼夜行』（祥伝社）などがある。

宮崎真紀（107）

英米文学・スペイン語文学翻訳家。最近の訳書にジョルジャ・リープ『プロジェクト・ファザーフッド』（晶文社）、カルメン・モラ『花嫁殺し』（ハーパーコリンズ・ジャパン）など。近刊のジョン・ランディス編『怖い家』（エクスナレッジ）は、ポー、ラヴクラフト、ギルマンなどによる〝家〟にまつわる怪奇譚のアンソロジー。

安原和見（123）

翻訳家。訳書にD・アダムス『銀河ヒッチハイク・ガイド』シリーズ（河出書房新社）、『フレドリック・ブラウンSF短編全集（全四巻）』（東京創元社）、D・アイカー『死に山』（河出書房新社）など多数。

YOUCHAN（装丁）

イラストレーター。装画を手掛けた本に保篠龍緒『七妖星』（書肆盛林堂）、『人間椅子　江戸川乱歩背徳幻想傑作集』（小鳥遊書房）等がある。また、十二月に刊行予定の内田百閒『初稿　冥途』（東都我刊我書房）の装画・本文挿絵を手掛ける。

◆創刊から数えて八冊目。新しい『幻想と怪奇』は、本書で二年目を終えることになります。その企画が、オリジナル『幻想と怪奇』創刊号のテーマである「魔女」を含むのは（第三号「黒魔術」の要素も加わっていますが）意図したわけではありませんが、節目にふさわしいかもしれません。今回収録した翻訳作品は、ほとんどがイギリスの作家のものですが、再び企画する機会があれば、ヨーロッパ諸国の魔女も登場させたいと考えています。こと、魔女狩りが暴威をふるったフランスやドイツの魔女を。

◆魔女狩りは繰り返してはならない人類史上の汚点です。が、今の社会の動きを見ていると、ふたたび同じような蛮行、愚行が起きかねない、という不安を覚えることがあります。そして、そのたびにあらためて「自由な想像力」の必要性を痛感します。現実と向きあうために「幻想」を。その怖ろしさに堪え、抗うために「怪奇」を。折も折、ジェローム『骸骨』、ラドクリフ『ユドルフォ城の怪奇』など、かつては原書で読むほかなかった古典が、幻想と怪奇の必要性を主張するかのように続々と邦訳されました。ただの作り事、ありえない空想だからこそ、人類が長い歴史の中でそれを畏れ、愉しみ、受け継いできたことの意味を、今後も問い続けていきます。

◆第二回の読者投稿募集では、プロ・アマ問わずという呼びかけに応えたプロの投稿が多く、こと創作は応募者の名前を並べるだけで豪華アンソロジーの趣がありました。その応募作から、読む者の現実を揺るがす幻想を求めて絞り込み、三編を収録しました。お楽しみいただけますよう。

◆次巻では翻訳部門の応募作から以下の二作を収録の予定です。

C・M・ヴァレンテ　貝光脩訳「精巧な細工」版権契約交渉中

イヴリン・ファビアン　髙橋まり子訳「ナポレオンの帽子」

◆このような形での募集はいったん休止しますが、自主投稿は今後も受け付けます。なお、創作は新たな公募形式を設ける準備を進めております。

◆「読者書評」も引き続き募集いたします。過去一年以内に出版された、幻想・怪奇に関連する書籍の、一千字以内の書評をお寄せください。皆様の御投稿をお待ちしております。フィクション、ノンフィクションは問いません。「幻想」「怪奇」は評者の基準で。復刊、再刊、電子書籍も対象です。採用者には収録書と、原稿料相当額の図書カードを進呈いたします。

（M）

次回配本

幻想と怪奇9

ミステリーゾーンへの扉（仮）

ロバート・ブロック
リチャード・マシスン
チャールズ・ボーモント
ロッド・サーリング　他

二〇二二年三月上旬刊行予定

幻想と怪奇　8
魔女の祝祭　魔法と魔術の物語

2021年12月10日　初版発行

企画・編集　牧原勝志（『幻想と怪奇』編集室）

発 行 人　福本皇祐
発 行 所　株式会社新紀元社
〒101-0054 東京都千代田区神田錦町1-7 錦町一丁目ビル2F
Tel.03-3219-0921　Fax.03-3219-0922
http://www.shinkigensha.co.jp/
郵便振替　00110-4-27618

協　　力　紀田順一郎　荒俣 宏

題　　字　原田 治
表 紙 絵　ひらい たかこ（Pen Studio）
デザイン　YOUCHAN（トゴルアートワークス）

組　　版　株式会社明昌堂

印刷・製本　中央精版印刷株式会社

ISBN978-4-7753-1963-5
Printed in Japan